LÉON CELLIER
Professeur à la Sorbonne

# GÉRARD DE NERVAL

*Troisième édition, revue et corrigée (1974)*

Connaissance des Lettres



COLLECTION DIRIGÉE PAR RENÉ JASINSKI

HATIER

## *Introduction*

*Cet ouvrage, initiation à l'homme et à l'œuvre, se présente comme une étude d'ensemble où l'état actuel des recherches nervaliennes est résumé. Il offre d'abord un bilan de nos connaissances biographiques, qui — disons-le dès l'abord — comportent encore beaucoup de lacunes. Il offre ensuite un panorama chronologique de l'œuvre complète, et de la sorte celle-ci apparaît infiniment diverse, ce que ne laisse pas supposer l'étude toujours recommencée des chefs-d'œuvre :* Sylvie, Aurélia, les Chimères. *Mais il m'importait surtout de montrer l'action réciproque de l'œuvre sur la vie et de la vie sur l'œuvre. « Un langage de destin, notait A. Malraux, ne peut être réduit à un langage de biographie traditionnelle, mais je ne suis pas assuré qu'il défie toute analyse. » C'est la biographie d'un poète en langage de destin que j'ai tenté d'écrire. Cette histoire a pris, sans que j'aie eu à y mettre du mien, la forme d'une tragédie.*

*J'ai étudié à part les trois aspects de Nerval que je juge fondamentaux : l'usage passionnel de la lecture, les structures de l'univers imaginaire, la recherche de formes nouvelles par un écrivain de génie.*

*Tout au long de l'exposé, comme un accompagnement musical, des allusions brèves mais précises, des*

---

PHOTO COUVERTURE : BIBLIOTHÈQUE NATIONALE



ISBN 2 - 218 - **02680** - 5

*rapprochements et des distinguos inspirés par une méthode comparative appliquée avec discernement, mettent en lumière les rapports de Nerval avec ses tuteurs et ses frères (Rousseau, Nodier, Lamartine, Musset, Gautier, et — du côté allemand — Gœthe, Hoffmann, Heine...) et invitent à formuler la théorie de ce que R. Jasinski appelle un « présymbolisme », et donc à donner du Romantisme une vue synthétique plus riche et plus imposante.*

*Un chapitre de conclusion décrit le plus clairement possible les péripéties de sa vie posthume.*

*Si la formule fameuse de* Promenades et Souvenirs : *« Je suis du nombre des écrivains dont la vie tient intimement aux ouvrages qui les ont fait connaître », m'a conduit à ne pas séparer dans le présent volume, l'homme et l'œuvre, elle a eu sur le développement de la critique nervalienne des effets pernicieux dont j'ai souhaité me garder.*

*Pendant longtemps des commentateurs séduits par ce langage transparent ont pris pour argent comptant de fausses confidences, et n'ont pas su faire la distinction entre vie et roman. Ils ont cru à l'existence réelle de Sylvie ou d'Adrienne, et — pieux pèlerins — sont allés à leur rencontre dans le Valois. Une critique plus avertie des conditions de la création romanesque, et sachant que Nerval appartient à la grande famille des introvertis, a par réaction mis l'accent sur la déformation des données biographiques par le narrateur. Mais la peur d'un mal a conduit dans un pire.*

*Nerval se présentait sous les traits fascinants d'un lecteur avide et capricieux, d'un illuminé, d'un rêveur, d'un dément. Comment résister au désir de suivre les démarches de cette imagination déréglée, de démêler les rapports du souvenir, du songe et du délire, de décrire le brassage du vécu, du lu et du rêvé? Cette investigation était plus envoûtante que l'exploration d'un monde fantastique. D'indices en intuitions, d'analyses en hypothèses, le domaine enchanté s'étendait toujours davantage, et le mythe de Nerval s'épanouissait au point de concurrencer le mythe de Rimbaud. Le danger auquel exposaient de telles divagations était d'oublier que ce rêveur était un artiste, cet initié un homme de lettres, ce dément un dément qui décrivait sa folie, bref d'exalter l'homme aux dépens de l'écrivain, le rêve aux dépens de l'œuvre.*

*Ceux qui, dociles à la leçon de Proust, demandaient à l'écrivain le secret de l'homme, ceux qui voulaient pénétrer à l'intérieur de cet univers imaginaire par le seul biais du texte, étaient exposés à une tentation plus insidieuse. Pour définir les structures de ce cosmos, ils traitaient la totalité des œuvres, comme si elles formaient un seul et vaste poème. Malgré l'apport capital de telles explorations, qui ont permis de dégager l'armature de l'imaginaire nervalien, le fait de n'avoir pas respecté l'autonomie de chaque œuvre n'entraînait pas moins une perte de substance. Il est légitime de prétendre que la composition d'une œuvre est porteuse de sens, qu'on ne saurait négliger l'agencement des formes narratives.*

*Au témoignage de Baudelaire, le poète dément fut toujours lucide. J'ai fait de cette lucidité la vertu cardinale du critique, en associant à celle-ci la rigueur et la mesure.*

# LA CROISÉE DES CHEMINS 1

Le titre célèbre d'Alfred de Musset *Confession d'un enfant du siècle* siérait parfaitement à l'ensemble de l'œuvre nervalienne. Il est même permis de penser que l'expression « enfant du siècle » — si elle désigne l'âme romantique en sa spécificité — s'applique moins bien à l'auteur de *la Nuit d'octobre* qu'à celui des *Nuits d'octobre*. Des deux poètes contemporains et dont la vie fut aussi brève (Musset est né et mort deux ans après Nerval), le premier a sans doute été hanté par

> (ce) malheureux vêtu de noir
> Qui (lui) ressemblait comme un frère...

mais l'obsession n'a jamais pris l'aspect pathologiquement aigu qu'elle revêtit chez Nerval. Quant à l'évolution littéraire des deux poètes, elle est plus significative encore, puisqu'elle décrit une sorte de chassé-croisé; et la voie sacrée du Romantisme mystique n'est pas celle qui a mené Musset de Byron à La Fontaine, mais celle qui a mené Nerval de Casimir Delavigne à Novalis. Comme Musset encore, Nerval a eu le privilège de naître, de vivre et de mourir à Paris. A la différence du vicomte Alfred, Gérard n'avait pas droit à la particule, puisque son nom véritable était le nom roturier de Gérard Labrunie. Quant à son titre de Parisien, bien qu'il ait, avant le surréaliste Aragon, écrit à sa manière *le Paysan de Paris*, il en mesurait la valeur toute relative avec une ludicité parfaite : « J'aime beaucoup Paris, où le hasard m'a fait naître, — mais j'aurais pu naître aussi bien sur un vaisseau... Un homme du Midi, s'unissant là par hasard à une femme du Nord, ne peut produire un enfant de nature lutécienne. »

Le Méridional qui fut son père, Étienne Labrunie, sortait d'une famille modeste de l'Agenais. Mais ce fils de tapissier avait une nature de fer, et il survivra au faible enfant que lui accorda le destin. Engagé volontaire à seize ans au temps des guerres révolutionnaires, il est écarté du service actif par ses blessures; alors, courageusement, il fait des études de médecine, et de la sorte peut revenir à l'armée, qui était sa vie, comme médecin militaire. On ignore dans quelles circonstances il rencontra et épousa en 1807 « la femme du Nord » qui portait le nom de Marie-Antoinette Laurent. Nerval a présenté dans *Promenades et Souvenirs* une romanesque histoire de sa famille maternelle. Encore que l'imagination se donne ici une carrière modérée, les péripéties, qui semblent tirées de quelque conte moral du XVIIIe siècle, ont été embellies. Marguerite Boucher, fille d'Adrien Boucher, voiturier-cabaretier à Mortefontaine, avait épousé en 1782, P.-C. Laurent, lequel avait quitté sa famille établie au bord de l'Aisne pour chercher du travail dans le Valois. Le jeune homme entra comme domestique chez Le Peletier de Mortefontaine, puis, abandonnant le service de ce dernier pour s'installer dans la capitale, ouvrit boutique de fripier aux alentours du Temple. De fripier devenu linger, il déménagea rue Coquillière. De son mariage avec Marguerite (qui n'était pas sa cousine) naquirent trois enfants, Pierre-Louis, Marie-Antoinette et Eugénie. Marie-Antoinette, née en 1786, est la mère de Gérard. Eugénie, de quatorze ans plus jeune que sa sœur, est cette gracieuse tante que nous entrevoyons dans *Promenades et Souvenirs*.

Le mariage d'É. Labrunie et de M.-A. Laurent fut célébré en juillet 1807. Dix mois après, le 22 mai 1808, naissait à Paris, 96, rue Saint-Martin, Gérard Labrunie.

Son thème natal, dit l'astrologue, le plaçait sous le signe maléfique de Pluton. Il fut baptisé le 23 mai à Saint-Merry. Coïncidence symbolique : quarante-sept ans après, c'est le commissaire de Saint-Merry qui vint constater son décès; la courbe que dessine cette vie est bien un cercle fermé. Le parrain, Gérard Dublanc, qui lui donna son prénom, était son grand-oncle du côté paternel, et exerçait à Paris la profession de pharmacien. La marraine fut sa grand-mère du côté maternel. Le 8 juin, É. Labrunie était nommé médecin-adjoint à la Grande Armée et en décembre fut attaché à l'armée du Rhin; le bébé avait été confié à une nourrice de Loisy. Quand É. Labrunie dut quitter la France, sa jeune femme aima mieux se séparer de son enfant que de son mari, et le couple suivit l'armée en Allemagne, où le médecin militaire assura la direction des hôpitaux de Hanovre et de Glogau. Peu après, la jeune femme gagna une fièvre en traversant un pont chargé de cadavres : elle mourut, le 29 novembre 1810, âgée de vingt-cinq ans. On peut penser que la mère de Gérard ne fut pas seulement victime du hasard, mais qu'elle était issue d'une race fragile, puisque sa sœur Eugénie mourut aussi à vingt-cinq ans : et Gérard a souligné lui-même combien il tenait de sa mère. Elle fut ensevelie « dans la froide Silésie, au cimetière catholique polonais de Gross-Glogau ». Au cours des années suivantes, on resta longtemps sans nouvelles d'É. Labrunie. On devait apprendre plus tard qu'avant d'être fait prisonnier, il avait participé à la campagne de Russie, et que, lors du passage de la Bérésina, il avait perdu toutes les reliques de sa femme.

Cependant Gérard n'était plus en nourrice à Loisy. Sa grand-mère Marguerite avait un frère, Antoine Boucher, aubergiste à Mortefontaine, et, comme les grands-parents étaient trop occupés par leur commerce à Paris, l'enfant fut confié à son grand-oncle. C'est ainsi que Gérard vécut ses premières années « dans une campagne isolée au milieu des bois ». L'enfant s'attacha à ce grand-oncle, en qui les psychanalystes verront l'image du père idéal, et nous trouvons son souvenir évoqué de façon prestigieuse ou tendre dans la Préface des *Illuminés*, dans *Sylvie* et dans *Aurélia*. C'est lui, selon Gérard, qui fit à une question naïve du petit garçon la réponse fameuse : « Dieu, c'est le soleil ! ».

Entretenait-on autour de l'enfant, privé de père et de mère, le souvenir de la mère morte? La chose est des plus vraisemblables, mais sans doute ne faut-il pas exagérer l'influence de cette éducation première, puisque Gérard n'avait pas sept ans quand son père revint. C'était en 1814. « Je jouais, insoucieux, sur la porte de mon oncle, quand trois officiers parurent devant la maison; l'or noirci de leurs uniformes brillait à peine sous leurs capotes de soldat. Le premier m'embrassa avec une telle effusion, que je m'écriai : — Mon père !... tu me fais mal ! — De ce jour, mon destin changea. »

Gérard allait en effet quitter Mortefontaine pour suivre son père à Paris, où le médecin militaire, admis à la retraite, exerça pour vivre la médecine à titre civil (détail curieux : sa spécialité était la gynécologie). Mais les psychanalystes ont accordé avec raison une attention particulière au cri étrange de l'enfant, une importance beaucoup plus profonde à la réflexion terminale, et l'on doit admettre avec eux que le retour à Paris ne blessa pas seulement Gérard parce qu'il changea brusquement son mode de vie : l'enfant réalisa que sa mère était morte, et dans son inconscient ne put pas ne pas rendre responsable de cette mort le revenant. Gérard ne guérit jamais de cette blessure (« Je n'ai jamais vu ma mère »), et la privation d'amour maternel est évidemment un facteur essentiel de sa névrose. Faut-il en conclure cependant, comme A. Béguin, que « *pas un instant*, (il) n'a cessé de songer à elle, de chercher les voies par lesquelles il eût pu rejoindre celle qui avait manqué à son enfance? ». Ces explications émouvantes ne laissent aucun de nous indifférent, mais il semble plus juste d'admettre, ainsi qu'y invite une remarque de Nerval lui-même —

« Les souvenirs d'enfance se ravivent quand on a atteint la moitié de la vie » — que la nostalgie du sein maternel fut le terme naturel de cette régression vers les origines. C'est alors, le déséquilibre mental surexcitant l'imagination du poète, que ce regret aboutit à la formation d'un double mythe : d'une part le regret de la mère donne à l'image complexe de l'Éternel féminin la douceur de celle qui accueille, qui console, qui pardonne; d'autre part l'Allemagne, où repose à jamais la mère, devient la terre sacrée, caractère sacré que révèle une ambiguïté essentielle : l'Allemagne, accueillante comme une mère, sera aussi le pays de la maladie et de la mort, le pays qui a tué la mère. Sur le Rhin, transformé en fleuve infernal, la fatale Lorely monte la garde, et le voyage en Allemagne se trouvera finalement assimilé à la descente chez les Mères et à la descente aux Enfers.

Mais le moindre souci d'objectivité oblige à noter que, si le voyage en Allemagne fut l'ultime voyage de Nerval, son premier voyage le mena en Italie; qu'il écrira à son père : « C'est toi qui m'a appris l'allemand »; qu'à la formule célèbre de *Lorely*, qui semble d'abord si révélatrice, « la vieille Allemagne, notre mère à tous », s'oppose celle du *Voyage en Orient* lorsque l'évocation des « monts rocailleux » de la Grèce appelle cette métaphore : « Ce sont les os puissants de cette vieille mère (la nôtre à tous). »

Concluons avec mesure qu'au cours des premières années l'absence de la mère dut contribuer à faire ressortir la présence tyrannique du père. De l'analyse subtile mais aventureuse de L.-H. Sébillotte, on retiendra la remarquable interprétation des rapports du père et du fils. Il convient de relever, à la suite du passage cité précédemment, la formule, non moins significative de la part d'un prince de la Bohème galante : « Le plus âgé, sauvé des flots de la Bérésina glacée, me prit avec lui pour m'apprendre *ce qu'on appelait mes devoirs* ». L'enfant s'est senti écrasé par l'autorité paternelle, et Gérard restera un grand enfant : selon l'expression technique, on diagnostique chez lui un refus d'identification au père. Le ton si particulier des lettres adressées à son père par le poète parvenu à l'âge d'homme n'est pas la preuve du contraire, soit que ce ton affectueux paraisse « bien plutôt celui d'un fils parlant à sa mère », soit que le quadragénaire s'exprime comme un adolescent pris en faute. Le drame de sa vie se présente en effet comme une lutte contre le père. Le thème du conflit revient sous des déguisements divers dans les intrigues des contes, des pièces de théâtre et dans les poésies même, s'il faut reconnaître dans le dieu farouche au pied tors l'image du père qui boitait.

Non moins probante est l'adoption d'un pseudonyme, qui est une façon de rejeter le nom du père; et Nerval, qui à l'occasion rattache comme Hugo son ascendance paternelle à une lignée germanique et seigneuriale, ira dans son délire jusqu'à nier la paternité d'É. Labrunie en se proclamant le fils de Joseph Bonaparte. Le choix même de son pseudonyme définitif est criant. Nerval était le nom d'un clos que possédait sa famille maternelle aux abords de Mortefontaine. L'inspiration poétique, l'auteur des *Chimères* la tient donc de sa mère, au même titre que les fièvres périodiques qui s'emparent de lui.

Le conflit éclatera d'une façon patente au moment où l'adolescent sera, comme Wilhelm Meister, à la croisée des chemins. Le père, pratique et bourgeois, le verra d'un mauvais œil choisir la voie peu honorable de la vie littéraire. Nerval, à vingt-six ans, essaiera de s'émanciper (là encore grâce à l'autre côté, puisque c'est l'héritage de son grand-père maternel qui lui apportera quelque aisance). Mais la ruine le ramènera sous la coupe paternelle, et jusqu'à la fin il s'efforcera de faire taire en lui la voix secrète qui disait « mon père avait raison » : il cherchera la célébrité à tout prix ou plaidera dans ses lettres sa propre cause avec des arguments touchants à force de naïveté, et que ponctuera la plainte bouleversante : « Si je mourais avant toi, j'aurais, au dernier moment, la pensée que peut-être tu ne m'as jamais bien connu. »

Pour qui considère le Valois comme un substitut fluide de la mère, dont la frustration rouvre la blessure inguérissable, il est tentant de présenter la jeunesse de Nerval sous les couleurs contrastées de la double vie de Perséphone. Au séjour maudit dans la capitale, à la vie rigoureuse faite de discipline, d'ordre et d'austère labeur s'oppose le paradis des vacances dans le Valois avec tous ses enchantements : légendes, chansons, rêveries, vagabondages, amours enfantines... Les confidences de Nerval, si évanescentes soient-elles, permettent du moins de ne pas accepter cette présentation artificielle. L'opposition des deux ascendances n'est pas absolue : on verra pour la deuxième fois en 1818 un Labrunie épouser une Laurent. Le père contribua pour sa part à entretenir le souvenir de la mère, et une scène à la Rousseau le montre éclatant en larmes, lorsqu'il chantait une romance qu'aimait la disparue. La jeunesse et la gaieté ont aussi leur place dans la capitale : Gérard indique lui-même que le jeune frère de son père vivait sous leur toit, et que les servantes venues de la campagne à la ville avaient apporté avec elles les chansons du terroir. Si le Valois semble une terre de légende, il ne faut pas oublier que de son côté le père a révélé à l'enfant la légende de Napoléon, et Gérard restera ébloui par le spectacle sublime du Champ de Mai, dont il fut le témoin émerveillé. A Mortefontaine même, la présence napoléonienne était sensible : depuis 1798, le domaine appartenait à Joseph Bonaparte.

Admettons que l'adolescent, à mesure que sa curiosité s'éveilla, découvrit de mieux en mieux les prestiges de la terre valoise : même si on lui attribue dès sa jeunesse un vif sentiment de la nature et l'amour du passé, sous la forme caractéristique d'une attirance pour les civilisations successives qui laissent dans le présent des traces disparates de leur réalité, il n'en est pas moins évident qu'à un adolescent jouant au promeneur solitaire Paris offrait des enchantements plus variés et plus puissants que la délicate Ile-de-France.

L'histoire des amours enfantines conduit à la même conclusion. « J'étais toujours entouré de jeunes filles », assure Gérard : et le lecteur ravi ne manque pas d'appliquer à ces évocations le titre charmant de Proust, *A l'ombre des jeunes filles en fleur*. Mais, s'il est sensible à la poésie des prénoms, Fanchette, Louise, Célénie, Héloïse, Delphine, Émerance, auxquels font écho, non moins harmonieux, les noms de lieux, Chaalis, le bois d'Hallate, Loisy, Ver, Othys, il regrette le vague excessif de ces évocations. Autant que le narrateur d'*A la recherche du temps perdu*, Gérard ne précise guère l'âge du héros, à qui l'on est tenté d'attribuer tantôt six ans, tantôt seize. Le critique à son tour souhaiterait trouver dans ces figures gracieuses, cousines, voisines, amies, compagnes de jeu, les ébauches prises sur le vif dont le romancier tirera et la brune Sylvie et la blonde Adrienne; mais l'enquête est difficile. Seuls trois épisodes marquants reviennent à plusieurs reprises dans l'œuvre, et peuvent à ce titre se rattacher à la mythologie nervalienne : la noyade manquée, le déguisement et la représentation d'un mystère dans un couvent de demoiselles.

Les érudits se sont mis à l'œuvre. Ils ont tiré de l'ombre le visage douteux de Sophie de Feuchères. Sophie Dawes, étonnante aventurière, était née en 1790 dans l'île de Wight. De la plus commune extraction, elle finit par devenir la maîtresse du duc de Bourbon, exilé en Angleterre. Quand le dernier Condé revint en France lors de la deuxième Restauration, il fit suivre sa favorite. On lui trouva un mari postiche, le baron Adrien de Feuchères, et la belle Sophie passa pour la fille naturelle de son amant princier. Avide de plaisir, elle se plaisait à organiser chasses, spectacles et fêtes; et Gérard enfant put la voir, aux alentours de Chantilly, et même à Mortefontaine, passer à cheval en costume d'amazone ou se montrer en des assemblées champêtres. Non moins avide d'argent, elle se fit léguer par son vieux protecteur les domaines de Mortefontaine, de Saint-Sulpice et de Saint-Leu-Taverny. Ainsi, Gérard avait pour suzeraine cette fille que l'on disait de sang royal. En 1830, le duc de Bourbon fut trouvé pendu au château de Saint-Leu. Sophie fut soupçonnée, mais l'instruction conclut au suicide. D'autre part, les héritiers légitimes attaquèrent le testament qui avait outrageusement avantagé l'aventurière : mais sur ce point encore elle obtint gain de cause. Pour faire face à d'onéreux procès elle fut bien obligée de vendre Saint-Sulpice; le hasard voulut qu'elle s'attachât au domaine de Mortefontaine, de sorte qu'en 1831 elle acquit la maison et le jardin du grand-oncle, où Gérard enfant avait vécu.

La baronne de Feuchères devait laisser dans sa mémoire une image tenace. C'est elle qui est désignée par la mystérieuse allusion de *Sylvie :* « M^me^ de F... était la seule qu'ils eussent vue aussi imposante et aussi gracieuse dans ses saluts. » Son nom figure deux fois dans l'arbre généalogique délirant que Gérard dressait au cours d'une crise, et s'il faut en croire la légende, « alors qu'il était chez le docteur Blanche, un de ses projets de maniaque était d'épouser M^me^ de Feuchères, ou d'acquérir le domaine de Mortefontaine. »

Si capricieuse que soit l'imagination nervalienne, il est difficile d'admettre que cette fille galante, même devenue la femme légitime d'*Adrien* de Feuchères, ait servi de modèle à Adrienne. *Promenades et Souvenirs* fournissent une indication précieuse : « Saint-Germain, Senlis, Dammartin sont les trois villes qui, non loin de Paris, correspondent à mes souvenirs les plus chers. » Dans *Angélique*, il situe à Senlis la représentation d'un mystère au pensionnat, source du chapitre VII de *Sylvie*. Dans *Aurélia*, il fait allusion à « un vague amour d'enfance », allusion que *Pandora* permet de préciser : « Tu me rappelais l'autre — rêve de mes jeunes amours, pour qui j'ai si souvent franchi l'espace qui séparait mon toit natal de la ville des Stuart! » La périphrase désigne, on le sait, Saint-Germain.

Grâce à E. Peyrouzet, l'attention a été attirée sur la famille de son parrain et grand-oncle Dublanc. Le fils de ce dernier, Joseph, épousa la fille d'un avoué, Hélène Paris. La tante de sa femme devenue M^me^ de Saint-Projet résidait à Saint-Germain où son mari était conservateur des Chasses. Elle y accueillait les nombreux enfants de son frère, Paris de Lamaury, parmi lesquels Sophie née en 1807. Gérard l'aurait aimée sans espoir. Qu'elle ait servi de modèle à Adrienne, que Gérard l'associe à l'archiduchesse Sophie, la chose est plus vraisemblable. A côté d'elle — et toujours à Saint-Germain — E. Peyrouzet mentionne une Sidonie de condition plus modeste, mais qui, à l'instar de Sophie, se serait montrée insensible à l'amour de Gérard.

Il ne convient pas de tomber dans l'excès contraire et d'abolir l'image de M^me^ de Feuchères. Nous possédons un signalement assez précis de la belle aventurière pour affirmer qu'elle répondait au type de femme qui plaisait à Gérard.

Elle était « bionda grassotta ». « Une tête gracieuse et régulière, la taille haute mais lourde, des bras et des jambes d'Hercule », déclare un document produit par A. Marie et qui évidemment ne cherche pas à flatter. Tout au long de la vie et de l'œuvre de Nerval revient ce type de femme. Telle apparaît « la châtelaine à sa haute fenêtre » dans l'odelette de 1832. Tel est le type de la brodeuse de Naples, et celui de l'archiduchesse Sophie entrevue à Vienne, et celui de l'Austro-Vénitienne Katty (de qui Gérard dira, et cette coïncidence involontaire emporte la conviction : « puis des épaules blanches et fermes où il y a de la force d'Hercule »), et celui de Fanchon la Marseillaise, et celui de M^me^ Bonhomme, et même celui de la femme mérinos. Nerval et Gautier passèrent un temps de leur jeunesse à parcourir l'Europe « au pourchas du blond », et tel était le type de J. Colon selon la description rédigée par Gautier pour *les Belles Femmes de Paris*. Cet ensemble de textes permet de préciser et de nuancer le portrait : la blonde potelée à la carnation soyeuse a les yeux noirs, le nez aquilin, le front large, et rappelle moins les beautés flamandes chères au peintre d'Anvers que les modèles de Véronèse, de Giorgione, du Titien et d'Allori, « ce type de beauté blonde du Midi que Gozzi célébrait dans les Vénitiennes, que Pétrarque a chanté à l'honneur des femmes de notre Provence ».

Soulignons ici ce qui importe : la fatalité de la ressemblance, qui prendra par la suite une résonance pathologique, repose sur le phénomène le plus normal : Nerval attiré par un certain type l'a retrouvé sur divers visages, et si, dans la fiction, Aurélie ressemble à Adrienne, c'est que dans la réalité, une certaine parenté unissait les visages de Jenny et des deux Sophie.

Dans l'imagination de Nerval, l'amour et la mort sont toujours liés. Avant que le destin n'ait frappé « les amoureuses », Cydalise et Sophie et Jenny, l'enfant, l'adolescent avait vu mourir les siens. Le grand-oncle mourut en 1820, suivant au tombeau sa femme récemment décédée. En 1826, mourut la tante Eugénie, et Gérard, si sensible aux coïncidences, ne put pas ne pas être bouleversé par le fait que les deux sœurs, qui avaient toutes deux épousé un Labrunie, soient mortes exactement au même âge, en pleine jeunesse, à vingt-cinq ans. Deux ans après mourait sa grand-mère; en 1834 enfin, son grand-père. La mort semblait s'acharner uniquement sur la branche maternelle. En 1836, on exhuma les corps d'Eugénie, du grand-père et de la grand-mère, enterrés au cimetière Montmartre, pour les inhumer dans le clos de Nerval. Ainsi se trouvait réalisée de la façon la plus impressionnante l'union de la Terre et des Morts.

On attendrait que cet enfant éprouvé par le destin, et que sa sensibilité excessive prédisposait aux humeurs les plus instables, fût un enfant mal élevé. En fait, Nerval reçut une excellente éducation, et ce résultat est tout à la louange de son père. Dans *Promenades et Souvenirs*, cette éducation est embellie comme le reste : tantôt il se peint comme un fils de famille, tel le Jeannot de Voltaire, que l'on pare de tous les arts d'agrément, dessin, musique, danse, art dramatique; tantôt il se présente sous les traits d'un enfant prodige, Pic de La Mirandole qui étudiait « à la fois l'italien, le grec et le latin, l'allemand, l'arabe et le persan »; tantôt il s'attribue l'éducation d'un futur poète, rêveur et vagabond, l'esprit nourri de croyances bizarres, de légendes et de vieilles chansons, apprenant le style en écrivant des lettres de tendresse ou d'amitié. D'autres textes, antérieurs du reste aux *Promenades et Souvenirs*, permettent à la fois de confirmer ses dires et de ramener ces fables à de justes proportions. Il reconnaît lui-même qu'il n'a jamais pu « mordre au solfège », et dans le *Voyage en Orient* il déclare : « Quoique ayant commencé fort jeune l'étude des langues de l'Orient, je n'en sais que les mots les plus indispensables. »

Admettons qu'il se montra de bonne heure avide de lectures en tous genres, qu'il manifesta dès l'âge le plus tendre une grande sensibilité à la grâce du chant, qu'il s'intéressa aux langues mortes et vivantes; mais retenons surtout qu'il fit de sérieuses études au collège Charlemagne. Il eut en rhétorique le prix de vers latins. Selon Mirecourt, il aurait été premier en version et dernier en thème; mais la légende veut évidemment qu'un futur poète ne soit pas un fort en thème. Son œuvre révèle du moins une culture classique très solide.

Il sortit du collège Charlemagne en 1826. Une variante du *Voyage en Orient* fournit un détail précis : « A quoi donc me sert-il d'avoir été reçu bachelier par MM. Villemain, Cousin et Guizot réunis?... » De son séjour au lycée il faut retenir aussi les amitiés qu'il noua : elles prouvent, ce que toute sa vie confirmera, ses qualités de cœur. C'est sur les bancs du collège qu'il fit la connaissance de Th. Gautier, « lequel il aima toute sa vie ». Admirable exemple de camaraderie littéraire qui se traduisit, non pas seulement par le compagnonnage dans les plaisirs et les jeux, mais aussi par une émulation artistique, une entraide touchante et une communauté de goûts dont J. Richer a produit une preuve remarquable : les deux poètes ont fait plus que partager la passion des voyages, l'attrait pour l'occulte ou la nostalgie de l'époque Louis XIII; c'est Gautier qui a fourni à Nerval le texte de présentation des poésies de Heine pour la *Revue des Deux-Mondes*, et l'on excusera ceux qui retrouvaient Nerval tout entier en ce portrait du poète allemand, en disant que ce portrait ne fait que manifester la parenté des trois poètes.

Que Gérard ait écrit des vers de bonne heure paraît l'aboutissement normal des remarques précédentes. Il fut imprimé pour la première fois alors qu'il avait dix-huit ans à peine. Mais depuis longtemps il cultivait la Muse et éblouissait ses camarades de classe auxquels il dédiait des épîtres. « A peine âgé de treize ans, raconte A. Marie, avec plus de science prosodique que d'orthographe, il scande ses premiers vers, avec un soin extrême il les réunit, les cote et les annote. Les deux recueils manuscrits, ornés par l'adolescent de culs-de-lampe et de fleurs allégoriques, nous sont parvenus, car Nerval les conserva parmi ses plus chers souvenirs. »

Celui qui aime les *Odelettes* et les *Chimères* risque d'être déçu par ce lyrisme emphatique à la rhétorique désuète. Mais il vaut la peine de chercher à la fois dans ces essais maladroits et « un premier noyau d'images et de symboles aptes à servir une méditation sur le temps et l'immortalité » (Geninasca), en particulier les éléments d'une mythologie solaire, et l'effort conscient pour parvenir à une manière originale. Il saura très vite disloquer l'alexandrin à la façon de Hugo; mais il préfère une autre voie : « la recherche de la plénitude de l'alexandrin est le fil d'Ariane qui le conduisit à une rhétorique profonde » (Meschonnic).

Dans les poèmes de l'adolescent retentissent les échos de la classe et de la maison. Aussi ne faut-il pas attribuer grande importance à telle profession de foi :

> Cependant, repoussant le style romantique
> J'ose encor, malgré vous, admirer le classique.

S'il vante les auteurs français et préfère Racine à Shakespeare, Delille à Milton, il traduit indifféremment Horace, Ossian, Gessner ou Byron; et dans une ode à son condisciple Duponchel il déclare :

> Unissons le noir Romantique
> Avec le sévère Classique.

L'*Épître première* attire davantage, et comme l'on voudrait attribuer à l'apprenti poète le don prophétique, lorsqu'il annonce les malheurs auxquels le voue sa vocation :

> Je veux remplir le sort que les dieux m'ont offert
> Et suivre à l'hôpital Malfilâtre et Gilbert.
> Tu ris, mon cher rival, tu plains mon infortune,
> Tu crois que mon esprit est parti dans la lune,
> Que mon glorieux sort fera peu de jaloux
> Et qu'il faudra me mettre à l'hôpital des fous.

Plus importante est l'inspiration politique, soit que le jeune garçon chante en larges odes Napoléon, soit qu'il attaque le journal ultra dans un poème burlesque imité du *Lutrin : l'Enterrement de la Quotidienne.* Les premières plaquettes, éditées par Touquet en 1826 et 1827, suivent la même inspiration : sous le nom de Beuglant, le satirique publie *M. Dentscourt ou le cuisinier d'un grand homme,* et *les Hauts Faits des Jésuites.* Sous le nom de Gérard, le lyrique célèbre Napoléon dans *Napoléon et la France guerrière* et les *Élégies nationales*. Le satirique se recommande de ses relations amicales avec un obscur publiciste, F. Bodin, qui avait pris le pseudonyme de Cadet Roussel; le lyrique invoque un patronage plus reluisant, celui de Béranger. Il ne faut pas se hâter d'affirmer que la satire était une voie étrangère à Gérard : G. Marie, en présentant *l'Enterrement de la Quotidienne*, observe plus judicieusement que « ces vers révèlent... chez l'adolescent de seize ans un certain penchant à la satire, voire même à l'humour, que nous retrouverons plus tard dans les *Contes et Facéties*, çà et là dans *la Bohème galante*, ou dans certaines observations notées au cours de sa correspondance »; ni surtout qu'après cet accès juvénile, la politique resta indifférente à son esprit aérien détaché des viles contingences. C'est un des points assurément où le poncif du « Poète » a fait commettre le plus d'erreurs. Un contre-coup du culte de Napoléon fut d'inspirer à Gérard une certaine animosité à l'égard des Anglais, qui se traduit dans son œuvre de la façon la plus variée. Mais, souligne Gautier, « ce culte de l'empereur n'était cependant pas aveugle, car dans une de ses odes Gérard reproche au grand capitaine

D'avoir répudié deux épouses sublimes :
Joséphine et la Liberté. »

L'adolescent, hostile aux Jésuites et aux ultras, est un libéral. La loi Peyronnet sur la presse était discutée. Il s'est hâté, explique-t-il à Béranger, de publier son recueil de 1827, et la préface, datée du mois de mai, chante victoire : la loi sur la presse vient d'être retirée. Mais Napoléon n'en demeure pas moins « celui qui avait reculé les limites de la gloire », et le recueil de 1827 contient un poème intitulé précisément *la Gloire*, où l'enfant du siècle renie l'amour (qu'il ne connaît pas du reste, car il n'a point senti

L'irrésistible élan que tous doivent connaître)

au profit d'une passion plus haute :

> Gloire, c'est ton nom seul qui m'inspira des vers.

Un bel accent byronien anime le cri de révolte de son cœur indépendant :

> (Il) S'élance, étincelant, de son obscurité
> Et s'enfante lui-même à l'immortalité.

Cette gloire, il va la chercher d'une façon quelque peu brouillonne, et toute sa vie il donnera l'impression d'être un touche-à-tout. Admirons cependant l'entregent de ce collégien, qui semble connaître fort bien les règles de la stratégie littéraire. Après les plaquettes de vers — et, souligne A. Marie, il n'a pas encore quitté le collège qu'il est déjà six fois édité — l'auteur des *Élégies nationales* place vers et prose dans les revues, non sans manifester d'emblée l'habitude d'utiliser les mêmes textes au maximum. *L'Almanach des Muses* publie en 1828 une *Mélodie imitée de Th. Moore;* et son amitié avec P. Lacroix lui assure une collaboration assidue au *Mercure de France du XIXe siècle*, ainsi qu'aux autres revues dont le futur bibliophile Jacob assume la direction, *la Psyché* ou *le Gastronome*.

Dès 1826, le jeune Gérard avait tenté une autre voie, celle qui avait favorisé l'essor de Rousseau : le concours académique. « On sait qu'en 1826, l'Académie avait proposé comme sujet de son concours d'éloquence un Discours sur l'histoire de la langue et de la littérature française depuis le commencement du XVIe siècle jusqu'en 1610... Gérard n'obtint pas le prix, qui échut à Philarète Chasles et à Saint-Marc Girardin. Froissé de sa déconvenue, il se vengea des immortels en écrivant une satire en vers dialogués... qui fut à deux reprises en 1826 éditée par Touquet, sous le titre : *l'Académie ou les membres introuvables* » (A. Marie).

Cette version des faits est sujette à caution : une comédie publiée en 1826 peut-elle traduire le dépit de son échec dans un concours dont les résultats furent donnés en 1828?

En revanche Gérard reproche à l'Académie de soutenir les Jésuites et la Congrégation.

C'est alors que le débutant avide de gloire trouve son heure de chance. Nous ne disposons d'aucune donnée certaine touchant la rencontre capitale de Nerval et de Faust. Dans *Promenades et Souvenirs* il est dit d'une façon vague : « Le *Pastor fido*, *Faust*, Ovide et Anacréon étaient mes poèmes et mes poètes favoris. » Monselet rapporte de son côté que Gérard enfant avait découvert chez un bouquiniste le *Faust* de Klinger, et qu'il avait été frappé par la gravure fantastique représentant un Léviathan énorme tenant entre l'index et le pouce un Faust minuscule et disloqué. Gérard serait revenu régulièrement feuilleter le volume, pour l'irritation du libraire, en même temps qu'il en économisait le prix sou à sou. Le jour où il put en faire l'emplette, le livre avait disparu.

Quoi qu'il en soit, il entreprend vers 1826-1827 la traduction du premier *Faust* de Gœthe, et l'achève sans doute au cours d'un séjour chez une tante à Saint-Germain. Dès 1827, il donne au *Mercure* une traduction en vers de la scène dernière, et, à la fin de la même année, Dondey-Dupré publie la nouvelle traduction complète en prose et en vers. Gérard n'était pas le premier traducteur de *Faust.* D'une façon générale il ne sera jamais un initiateur. Mais il imprime sa marque d'une souveraine élégance sur tout ce qu'il touche, et de la sorte exerce une influence d'un tout autre rayonnement que celle des pionniers obscurs. En 1823 avaient paru déjà deux traductions, l'une et l'autre imparfaites, œuvres de Saint-Aulaire et de Stapfer. La seconde devait à l'occasion d'une réédition bénéficier des illustrations prestigieuses de Delacroix. Gérard savait-il assez l'allemand pour traduire Gœthe? Nul n'ignore qu'il n'est pas nécessaire de connaître la langue pour faire une traduction. Vers 1885, *l'Intermédiaire des chercheurs et des curieux* prétendra lui enlever la paternité de sa traduction. Le plus sage est de penser qu'il utilisa le travail de Stapfer, sans élégance, mais précis. Gérard, s'il n'évite pas le contresens dans sa prose et dans ses vers, sait s'exprimer en poète. Il jugea lui-même son œuvre avec une grande justesse : « Si elle n'est que le résultat d'un travail d'écolier, elle se trouve empreinte aussi, dans quelques parties, de cette verve de la jeunesse et de l'admiration qui pouvait correspondre à l'inspiration même de l'auteur. »

Sa traduction lui vaut une renommée immédiate. La légende même s'en empare, et de son vivant courait le bruit répandu par Gautier, Janin, Houssaye, que le grand Gœthe aurait déclaré : « Je ne me suis jamais si bien compris qu'en le lisant. » Il aurait même pris la plume pour le faire savoir à son traducteur. Gérard s'est chargé de dissiper la légende dans la réédition de 1850. C'est en 1838 que lui fut communiquée une page des *Entretiens de Gœthe avec Eckermann.* Le 3 janvier 1830, le fidèle chroniqueur notait : « Gœthe vantait comme très réussie, quoiqu'elle fût en prose en grande partie, cette traduction de Gérard. En allemand, dit-il, il ne m'est plus possible de lire *Faust*, mais dans cette traduction française tout reprend nouveauté, fraîcheur et esprit. » Même ramené à cette mesure, l'éloge, comme on le voit, n'est pas mince. Berlioz a dit de son côté l'étrange et profonde impression produite sur lui par le texte de Gérard, si bien que, dès 1829, il pouvait envoyer à Gœthe la partition des *Huit scènes de Faust.*

Il est autour de ce premier *Faust* une autre légende. Il convient d'autant plus de la dissiper que celle-ci est défavorable à Gérard. Le « germanisme » de Nerval a suscité longtemps des études partisanes et superficielles. Sans aller jusqu'à prétendre que l'auteur de *Sylvie*, si purement français, ne pouvait comprendre *Faust*, il était du moins entendu que le jeune Gérard était dépassé par l'œuvre, et qu'il n'était capable d'en saisir que les aspects les moins significatifs, c'est-à-dire, selon Popa, « l'atmosphère de fantastique où évolue le poème ». Popa, en effet, approuve P. Audiat qui attribue à la lecture de *Faust* l'entrée de Gérard dans le monde de l'occultisme. Mais P. Audiat reconnaît lui-même que les notes relatives à ce sujet sont brèves et monotones. A lire la préface, il est évident que « le symbolisme fantastique » importe moins à Gérard que l'humanité du drame. S'il s'abrite derrière le jugement de M^me^ de Staël, il ne fait que semblant de la suivre lorsque celle-ci affirme que le diable est le héros de la pièce. Pour Gérard, c'est Faust qui compte avant tout, car Faust offre sous quelques rapports le type de la perfection humaine; mais il n'a rien d'une figure surhumaine, il est un mélange de force et de faiblesse, et sa grandeur réside « dans l'ardeur de la science et de l'immortalité ». « Quelle âme généreuse n'a éprouvé quelque chose de cet état de l'esprit humain, qui aspire sans cesse à des révélations divines, qui tend, pour ainsi dire, toute la longueur de sa chaîne, jusqu'au moment où la froide réalité vient désenchanter l'audace de ses illusions ou de ses espérances et, comme la voix de *l'Esprit*, le rejeter dans son monde de poussière... » Faust a révélé Nerval à lui-même. Il lui a fait prendre conscience de son désir d'infini, en même temps que de l'impossibilité de le réaliser, soit en raison de la faiblesse humaine, soit en raison des obstacles que le destin sème sur notre route. La femme est l'obstacle par excellence. Le thème de la femme se sacrifiant pour sauver celui qu'elle aime lui semble encore étranger. S'il souligne avec éloge « l'humanité de Marguerite », il n'en montre pas moins que Faust, comme Manfred et don Juan, est perdu par l'amour des femmes. Mais comprenons qu'il s'agit de son bonheur et non de son salut. Faust dans l'enfer ne peut connaître plus horrible torture que celle qu'il a subie sur terre, lorsque, au lieu des années de félicité garanties par le pacte, il a trouvé au cœur même de l'amour l'affreuse pensée qu'il doit priver de toute joie celle qui s'est donnée à lui.

Nerval sera fasciné toute sa vie par le personnage de Faust. Dès 1827 il s'était documenté sur l'origine de la légende. Il vaut la peine de souligner que, s'inspirant de Klinger autant que de Gœthe, il rattache la légende à l'invention de l'imprimerie, et que cette invention, et d'une façon plus générale la tâche de l'imprimeur, ont passionné notre poète au même titre que les recherches occultes : en 1844, il prendra un brevet pour une machine à imprimer de son invention.

D'autre part, « l'idée de composer un *Faust* pour le théâtre, observe A. Marie, fut sa constante préoccupation ». Les fragments de *Nicolas Flamel*, publiés dans *le Mercure* en 1831, *l'Alchimiste* en 1839, *l'Imagier de Harlem* en 1851 seront les étapes de cette tentative. Mais dans la collection Houssaye figurait également un fragment d'un drame de *Faust*, dont la date de composition est incertaine. Selon les spécialistes, Gérard « a dû ébaucher de fort bonne heure ce drame », qui semble une première version de *Nicolas Flamel*. Son Faust est l'inventeur chimérique, incompris des puissants du jour et qui n'a d'autre ressource que de s'adresser à l'enfer.

La traduction de *Faust* fit connaître le jeune débutant auprès d'une élite. En même temps que sa personnalité s'accuse, sa carrière se dessine, et le succès de sa traduction lui vaut en quelque sorte une spécialité. C'est ainsi qu'en mai 1829 il publie dans *la Psyché* sa première traduction de *Lénore*. Il donnera cinq versions différentes de la ballade de Bürger. Ce conte d'amour et de mort ne pouvait que le séduire, et il était assez avisé pour sentir que le caractère macabre de la légende, la chevauchée fantastique devaient plaire à un public épris de merveilleux funèbre. D'autres traductions de Schubart, de Körner, de Tiedge, puis en 1830 de Uhland et de Jean-Paul suivent dans *le Mercure*.

Pour assurer son succès, il fait en cette même année 1829 le siège de deux personnalités importantes. Continuant l'hommage commencé dans les *Élégies natio-*

*nales*, il recueille la *Couronne poétique de Béranger*. A ce concert d'éloges, il avait participé avec une ode, signée du nouveau pseudonyme de Louis Gerval. D'autre part il décide d'adapter à la scène un roman du prince de la jeunesse littéraire, *Han d'Islande*, de V. Hugo. A. Marie suppose gratuitement qu'en ce roman de « très jeune homme », le séduisit l'idylle d'Ethel et d'Ordener. Mais dans l'adaptation l'idylle tient une place tout à fait secondaire. Il est clair que Gérard a été attiré par le monstre qui repaît sa rage de cris, de larmes et de sang, mais aussi par l'aspect politique de l'intrigue, car ce mélodrame illustre et le machiavélisme des puissants, et le patriotisme spontané du peuple.

En 1830, il peut collaborer à la *Bibliothèque choisie par une Société de gens de lettres*, que dirige Laurentie. Il est chargé de la préparation de deux anthologies : un choix de poésies allemandes traduites en français, et un choix des poésies de la Pléiade.

Dans chaque anthologie son introduction offre un grand intérêt, car l'une et l'autre révèlent de la part du débutant une réflexion poussée sur la poésie, qui devait l'éloigner à jamais de la rhétorique de C. Delavigne.

Il est en Allemagne une école française, à savoir Wieland, Gessner, Lessing, Kotzebue, etc., « plus grands hommes chez nous que chez eux ». « Aussi, ajoute Gérard, n'ai-je traduit ici que les poètes et les ouvrages vraiment allemands au risque d'être mal compris et mal jugé. » Il semble même envisager la publication éventuelle d'un second volume, le premier ne groupant en guise de transition que des noms connus. Il offre donc au public un choix des poésies lyriques de Klopstock, de Gœthe, de Schiller, de Bürger. L'originalité de ces traductions n'a jamais été systématiquement étudiée. J. Richer semble sceptique. Ayant découvert dans les œuvres diverses du baron de Bock, publiées en 1788, une traduction du *Voyageur* de Gœthe, il remarque avec raison : « Pour chaque pièce « traduite » par Nerval, il y aurait donc lieu de rechercher les traductions antérieures sur lesquelles il a pu s'appuyer. » Quant à la signification du choix, elle a été interprétée d'une façon contestable par Popa : pour Gérard serait « vraiment allemand » le fantastique ou le macabre. Il est facile assurément de relever dans ces poèmes l'obsession de la mort; mais le choix est plus varié que ne dit le commentateur, et, loin de se borner à flatter le goût du public, Gérard se révèle un critique profond et un technicien de la poésie.

Il avait pu lire dans le grand ouvrage de Mme de Staël : « Les Allemands sont comme les éclaireurs de l'armée de l'esprit humain. Ils essaient des routes nouvelles. Ils tentent des moyens inconnus. Comment ne serait-on pas curieux de savoir ce qu'ils disent au retour de leurs excursions dans l'infini? » Il déclare à son tour : « Chez nous, c'est l'homme qui gouverne son imagination..., chez les Allemands, c'est l'imagination qui gouverne l'homme, contre sa volonté, contre ses habitudes et presque à son insu. » Plus que des thèmes fantastiques, ce qu'il demande aux poètes allemands, c'est de libérer l'imagination : pour lui, ces poètes sont des « créateurs ».

L'introduction à l'anthologie de la Pléiade reprend-elle le mémoire présenté par Gérard au concours de 1826? Nous l'ignorerons tant que le texte du mémoire ne sera pas retrouvé. Ce premier texte a été refondu assurément, puisqu'on trouve dans l'introduction plusieurs allusions élogieuses à l'ouvrage de Sainte-Beuve, *Tableau de la poésie au XVIe siècle;* et ce texte même a été modifié en 1852 pour son insertion dans *la Bohème galante*, puisque toute allusion à Sainte-Beuve et à son ouvrage a été supprimée.

Gérard se demande, comme Du Bellay dans la *Défense*, ce que doit faire le jeune novateur. Il rejette l'académisme et la défroque antique des imitateurs de Racine. Pour lui, il n'est qu'une question : peut-on perfectionner Racine? « Je vois chez le jeune novateur, répond-il, plus de conscience d'artiste jointe à plus de modestie. » Il ne faut pas essayer de lutter avec les grands écrivains du XVIIe siècle, mais se proposer des modèles moins supérieurs dans une littérature peu frayée. Ces modèles, ce seront les poètes du XVIe siècle. A la suite, on découvre avec quelque étonnement, au lieu de l'éloge attendu, un réquisitoire : attitude paradoxale que Nerval expliquera plus tard par son désir de réfuter ceux qui « voyaient dans Ronsard le précurseur du Romantisme ». Avec Schlegel, il professe que le recours aux sources nationales est le seul moyen d'infuser un sang nouveau à la poésie. Or la Pléiade a renié toute la littérature française antérieure, si riche pourtant sous ses deux formes, chevaleresque et populaire; d'autre part, elle a proclamé que pour égaler les Grecs et les Latins, il fallait se mettre à leur école. Il s'ensuit que l'on doit attribuer à Ronsard et à ses disciples, non à Malherbe, l'établissement du système classique en France. Ainsi, « on ne peut que s'indigner au premier abord de l'espèce de despotisme qu'elle a introduit en littérature » : les poètes de la Pléiade ont repoussé toute popularité comme une injure et sacrifié à l'art le naturel et le vrai. Cette poésie qui chante la nature est en fait une poésie savante; tout est imité de l'antique. Cependant, nous autres Français, nous attachons moins de prix aux choses qu'à la manière dont elles sont dites. Même dans ces poésies fondées sur l'imitation, le style primitif et violent donne à des lieux communs tout le charme de la nouveauté. Mais surtout Ronsard, qui a fait faire à la langue poétique de si grands progrès, est un poète de génie : « Toutes ses pensées à lui ne viennent pas de l'antiquité; tout ne se borne pas dans ses écrits à la grâce et à la naïveté de l'expression : on taillerait aisément chez lui plusieurs poètes fort remarquables et fort distincts. » Avec une belle objectivité, Nerval ne met pas au premier rang le poète des petites odes. Il loue Ronsard d'avoir « immensément perfectionné l'alexandrin », et ses préférences vont à la dernière époque du poète.

« Dans les *Discours* surtout se déploie cet alexandrin fort et bien rempli dont Corneille eut depuis le secret, et qui fait contraster son style avec celui de Racine d'une manière si remarquable... Depuis peu d'années, quelques poètes, et V. Hugo surtout, paraissent avoir étudié cette versification énergique et brillante de Ronsard. »

En conclusion, la réforme de Malherbe est ramenée à de justes proportions; car elle ne consista absolument qu'à « régulariser le mouvement imprimé dans le sens classique ». Aussi, voyez ce qu'a été la poésie après lui : « L'art, toujours l'art, froid, calculé, jamais de douce rêverie, jamais de véritable sentiment religieux, rien que la nature ait immédiatement inspiré; le correct, le beau exclusivement; une noblesse uniforme de pensées et d'expression. » Nerval cependant fait une exception pour La Fontaine, cette autre victime de Boileau.

L'anthologie groupe des textes de Ronsard, Du Bellay, Baïf, Belleau, Du Bartas, Chassignet, Desportes, Bertaut et Régnier. On admirera ce goût, si remarquablement conforme à celui de nos contemporains; mais on notera aussi que la production poétique de Nerval s'annonce dans ce choix. Il a ronsardisé à la façon de Ronsard amoureux et anacréontique, et les *Chimères* seront imitées des nombreux sonnets figurant dans l'anthologie; en particulier est reproduit *in extenso* le sonnet de Du Bartas dont il reprendra l'un des quatrains dans le sonnet à Mme Sand.

Si d'œuvre en œuvre nous avons suivi le développement intellectuel de Gérard, en soulignant, sinon sa faculté de métamorphose, du moins la richesse de sa réflexion, il faut reconnaître qu'aucune de ses publications ne pouvait valoir au débutant une gloire indiscutable, celle d'un Lamartine, d'un Hugo ou même d'un Musset à leur aurore. Les *Élégies nationales* ne brillaient ni par l'originalité, ni par l'audace; et tout le reste, traduction, adaptation, choix, faisait plus ou moins figure de « besogne littéraire ». Pour qu'il se risquât à des tentatives plus audacieuses, il devait entrer dans la mêlée romantique, faire partie d'une équipe.

⁂

On ignore par quel cheminement ce collégien obscur put faire sa percée dans les milieux littéraires. On constate avec étonnement le résultat, mais sans pouvoir décider d'une façon sûre quand, ni comment il fut admis dans ces cercles brillants, et par surcroît on sait mal ceux qu'il a fréquentés. Qu'il soit admiré d'Hippolyte Tampucci, garçon de classe au collège Charlemagne et poète, dont les vers seront édités en 1832; qu'il compte parmi ses plus anciens amis littéraires Papion du Château, capitaine de cavalerie, dont les *Messéniennes polonaises* paraîtront également en 1832, il n'importe guère. Plus intéressantes apparaissent les relations avec P. Lacroix, qui lui ouvrit ses journaux; avec Laurentie, qui, selon A. Marie, lui fit connaître J. Janin, lequel le mit en rapport avec Harel, directeur de l'Odéon. Mais comment Béranger, « l'Anacréon français », répondit-il aux louanges du néophyte? Gérard fut-il réellement protégé par Nodier? S'il l'appelle dans *Angélique* un de ses « tuteurs littéraires », comment interpréter l'apostrophe du *Voyage en Orient :* « Reçois aussi ce souvenir d'un de tes amis inconnus, bon Nodier »? De quand datent ses relations avec Hugo, avec Dumas, avec Balzac, avec G. Sand? Nous possédons pour le premier un témoignage sûr, celui de Guttinguer, daté du 27 juin 1829 : « J'ai fait chez V. Hugo la connaissance du jeune traducteur de *Faust*. C'est un esprit charmant, avec des yeux naïfs, et qui a des idées à lui sur Gœthe et sur l'Allemagne. Il avait demandé à V. Hugo la permission de lui présenter quelques-uns de ses amis. » Parmi ceux-ci figurait Th. Gautier. Donc Gérard à cette date est déjà un familier de la rue Notre-Dame-des-Champs. L'hypothèse la plus vraisemblable est de penser que l'adaptation de *Han d'Islande* fut la cause de la rencontre.

Quelle date assigner enfin à la naissance du Petit Cénacle? « J'ai bien compris tout cela, écrira Gérard à Sainte-Beuve, depuis deux ans que je le connais » (il s'agit du sculpteur J. du Seigneur) « et que je suis entré dans le Petit Cénacle dont il fait partie et où je m'attache de plus en plus ». Malheureusement la lettre n'est pas datée (sans doute antérieure à octobre 1832). Avant que l'atelier du jeune sculpteur devînt le foyer du Petit Cénacle, Gérard était depuis le collège l'ami de Gautier. Celui-ci avait « trouvé la poésie » à l'atelier de peinture qu'il fréquentait. On peut supposer que Gérard fut introduit par lui dans le milieu des artistes, et qu'en échange lui-même le présenta à ses relations littéraires, Hugo et Pétrus Borel. Mais à quel moment Gérard se lia-t-il avec le Lycanthrope? Il semble qu'on puisse dater de 1828-1829 la formation du premier groupement qui comprend entre autres Pétrus et Gérard, Théo et Célestin Nanteuil. Ceux-ci formèrent l'état-major qui dirigea les troupes romantiques lors de la bataille d'*Hernani*. Avec eux, en août 1831, Gérard recrutera encore des combattants pour *Marion Delorme*.

Après le triomphe du romantisme au théâtre, le 25 février 1830, la révolution politique de Juillet contribua à exalter la jeunesse. Mais, comme le montre R. Jasinski dans son chapitre définitif sur le Petit Cénacle, les suites des Journées de Juillet provoquèrent dans les âmes romantiques désenchantement et inquiétudes : combien l'art et la littérature pesaient peu, alors que le monde traversait une phase palingénésique! « La nouvelle génération romantique, un peu désorientée, cherchait à se rallier : voilà pourquoi, vers la fin de 1830, acheva de se grouper dans l'atelier de Jehan du Seigneur le Petit Cénacle. » Considérons donc ce groupement « non pas comme une association de rapins en délire, mais avant tout comme le refuge d'une jeunesse fervente, qui malgré vent et tempête ne voulait pas désespérer de l'art ».

Nous retrouvons Gérard, Gautier, Pétrus Borel et

Célestin Nanteuil dans le « sombre atelier » du sculpteur passionné du *Roland furieux*. Parmi les autres recrues de marque, on compte Philothée O'Neddy et Auguste Maquet. La légende s'est emparée de cette aventure merveilleuse, en mettant l'accent sur le dérèglement plutôt que sur la ferveur. Pour Gérard, à vrai dire, elle s'est développée dans un sens exceptionnel, et on nous le présenterait volontiers comme un ange égaré parmi des démons, ou encore jouant auprès de Théo le rôle d'Olivier près de Roland : « Roland est preux et Olivier est sage. » Certes le médaillon de Jehan, daté de 1831, ne trahit aucune fantaisie capillaire. Mais une fois reconnues la discrétion de Gérard, sa délicatesse, sa tenue, les anecdotes le concernant révèlent néanmoins un romantique plein d'initiative. Lors du fameux dîner au cabaret du Petit-Moulin, c'est lui qui exhibe un crâne humain en guise de coupe : hommage frénétique à Han d'Islande. Pour la bataille d'*Hernani*, en homme de confiance, il est chargé par Hugo de remettre les six carrés de papier rouge marqués de la devise *hierro*. C'est à son cousin, marchand de vin à Agen, que les Jeunes-France réservent un accueil inoubliable. Et le blondin aux yeux gris, pour parler comme F. Baldensperger, fait deux brefs séjours en prison, le premier dans l'automne de 1831, à la suite d'un tapage nocturne; le second en février 1832 : le complot de la rue des Prouvères avait entraîné des mesures de police, et Gérard se trouva pris dans une rafle. Il a défini lui-même le style Jeune-France en soulignant la dualité de son attitude : « On était raffiné, truand et talon rouge tout à la fois. » Mais il ajoute, pour notre édification : « Et ce qu'il y avait de plus réel dans cette réaction vers les vieilles mœurs de la jeunesse française, c'était, non le talon rouge, mais le cabaret et l'orgie. »

P. Borel le confirme d'une autre manière. Si, dans la préface des *Rhapsodies*, Gérard est qualifié de bon, les épigraphes empruntées par Pétrus au bon Gérard montrent que celui-ci savait poser à l'anarchiste, maudissant « le marais fétide » de la société, et le Lycanthrope s'adresse à lui pour donner un spécimen de poésie extra-romantique.

Sa seule présence, pourtant, suffit à dissiper la légende du Jeune-France écervelé, et l'histoire littéraire prouve combien la frénésie des « petits romantiques » était riche d'avenir. Si Pétrus, « le grand homme spécial de la bande », glace par sa gravité et brûle par son enthousiasme, Gérard exerce un attrait plus délicat. Tous les témoignages s'accordent à faire de lui un merveilleux causeur; et sa curiosité universelle, sa culture, son tempérament réfléchi et passionné devaient non seulement infuser à ce groupe de jeunes une autre ardeur que le goût du plaisir, mais encore donner à la frénésie et à la révolte leur véritable sens, un sens métaphysique.

Certes les « camaraderies » peuvent inspirer quelque défiance. L'on est près de partager la prévention de Sainte-Beuve, si l'on considère à quoi ces camaraderies risquaient d'aboutir et ont malheureusement abouti : c'est l'organisation de la louange réciproque; ce sont les facilités du journalisme, n'importe qui pouvant écrire de n'importe quoi, le titulaire pouvant être suppléé à tout moment, un pseudonyme unique cachant toute une équipe. Le « tandem » G. G. manque un peu de sérieux, avouons-le. Ce sont encore les ouvrages de commande, ou les ouvrages en collaboration; c'est l'emploi de « nègres », et l'on sait que Nerval présenta Maquet à Dumas, que Nerval et Dumas eux-mêmes finirent par conclure un contrat aux termes duquel chacun tenait à tour de rôle l'emploi de « nègre ».

Mais, dans une lettre fort digne adressée à Sainte-Beuve, Gérard a insisté sur l'influence bénéfique du Petit Cénacle : le groupe des Jeunes-France constituait « un public de choix », sur lequel on pouvait essayer ses productions, et surtout la camaraderie créait un esprit d'émulation : « C'est aussi un aiguillon bien puissant de s'entendre demander tous les jours : qu'as-tu fait? et que de voir autour de soi des gens qui travaillent. » Il ne s'ensuit pas que l'on publie à tort et à travers, et Gérard se vante d'avoir eu la *vertu* de ne rien publier. Il importe donc d'apprécier cette action en passant en revue les différents aspects de la production de Gérard après la Révolution de Juillet, et au moment où il adopte son pseudonyme définitif, Gérard de Nerval.

La lutte littéraire et politique a réveillé l'ardeur du pamphlétaire. Il rompt des lances en faveur de Hugo, et pourfend dans *la Tribune romantique Monsieur Jay et les pointus littéraires*, puis *les Doctrinaires* dans l'*Almanach des Muses*. Les événements de Juillet ne le laissent pas indifférent. « La ville était en rumeur pour des motifs politiques que nous ignorions profondément », écrira-t-il plus tard en se créant un personnage. Nous le retrouverions plutôt dans sa boutade des *Faux Saulniers :* « Je ne voudrais pas ici faire de la politique. — Je n'ai jamais voulu faire que de l'opposition. » Les membres du Petit Cénacle « diversifiaient singulièrement leurs tendances politiques », note R. Jasinski; mais le témoignage tardif d'O'Neddy n'impose guère l'image d'un Gérard héritier des traditions napoléoniennes, rêvant d'une France militaire et guerrière. Plus que le poème aux ïambes satiriques *En avant! marche!* qui flétrit, comme beaucoup d'autres en 1831, le modérantisme et la stagnation parlementaire, nous retiendra l'ode publiée en août 1830 dans le *Mercure*, où Gérard, chantant le peuple, célèbre tour à tour son nom, sa gloire, sa force, sa vertu, son repos. Notre poète avait la fibre démocratique. Il restait d'ailleurs fidèle à lui-même, et l'épigraphe que lui empruntait le républicain Pétrus pour sa *Nuit du 28 au 29, grande semaine*, était tirée de *la Gloire*, poème qui fait partie, nous le savons, des *Élégies nationales*.

D'une toute autre portée est l'éveil de la vocation théâtrale. Déjà, dans ses premières poésies, Gérard associait d'une façon symptomatique Talma et Napoléon. Le jeune homme avide de gloire, témoin, agent des triomphes de Hugo, puis de Dumas, identifie au cours de 1830 la gloire et le succès dramatique. Dès lors il est envoûté. C'est un aspect trop méconnu de sa vie et de son œuvre, mais qu'il ne faut point perdre de vue sous peine d'interpréter inexactement, et son évolution littéraire, et son tourment secret. Car il s'agit d'une passion. Gérard fut un Wilhelm Meister réel, spectateur, chroniqueur, historien, auteur, acteur à l'occasion, cette passion trouvant son couronnement dans l'amour pour une actrice. Notre Wilhelm Meister ne parvint pas à la sagesse, et ce fut en effet un échec sur toute la ligne.

L'histoire de ses premiers essais dramatiques reste obscure. L'adaptation de *Han d'Islande* ne fut pas représentée. Il avait laissé inachevée une imitation de Moratin, *le Nouveau genre ou le Café d'un théâtre*, ébauche dont en 1827, il avait fait cadeau à Papion du Château. En 1831, il déclare dans une lettre : « Je suis auteur de deux pièces reçues à l'Odéon à l'unanimité. » Sans doute s'agit-il de *Lara ou l'Expiation* et du *Prince des Sots*. La première pièce, qu'Harel ne monta pas, fut proposée vainement par Gérard au baron Taylor. Aucun fragment n'en a été retrouvé. Pour la seconde, *le Prince des sots*, il dut poursuivre Harel qui séquestrait arbitrairement son œuvre au fond d'un carton. Il en avait publié dès 1830 une partie dans le *Mercure de France* sous le titre : *Fragmens de Guy le Rouge*, tragi-comédie contenant le divertissement du *Prince des Sots* et la représentation d'un mystère. En 1831, nous l'avons dit, il donna encore au *Mercure Fragmens de Nicolas Flamel*, drame-chronique. En dehors du début d'un *Faust*, on a retrouvé le manuscrit d'une comédie en trois actes et en vers d'après Scarron. Pour le reste, *la Dame de Carouge*, *Villon l'Écolier*, *Tartuffe chez Molière*, il faut se contenter de titres; mais sans doute la perte n'est-elle pas grande.

Avec plus de bonheur, il se tourne vers la poésie

lyrique, car il a la sagesse de renoncer aux grands genres pour cultiver le lyrisme gracieux. Il se met à la fois à l'école du Gœthe des *lieder* et du Ronsard des petites odes. Mais en sa nouvelle orientation il faut faire aussi une part à l'influence de Gautier, qui avait publié ses *Poésies* en 1830, et, à travers Gautier, de Hugo ou de Sainte-Beuve. C'est alors que *le Mercure*, *le Cabinet de lecture*, *l'Almanach des Muses*, *les Annales romantiques*, *le Chansonnier des Grâces* publient ces petits chefs-d'œuvre : *les Papillons*, *le Malade*, *le Soleil et la Gloire*, *le Réveil en voiture*, *le Relais*, *une Allée du Luxembourg*, et la perle du lot, que Gérard de son vivant redonnera à neuf reprises, *Fantaisie*, où il combinait avec une délicatesse exquise le thème si cher aux romantiques de la réminiscence amoureuse et celui de la vertu magique du chant, qui rajeunit l'âme en lui ouvrant dans le passé des perspectives fabuleuses. Dès 1832, le jeune poète est hanté par « le temps perdu », et, d'une façon plus typique encore, comme l'a souligné M.-J. Durry, l'image féminine qu'il évoque, non seulement est rejetée dans le passé, mais semble « réapparue de plus loin encore ». Non moins révélatrice, bien que plus inégale, est *la Grand-Mère*. Si le début à la manière de Joseph Delorme paraît par trop prosaïque, la fin — envoûtante — met en valeur un thème qui n'est autre que le thème proustien des intermittences du cœur. Il n'a pas versé de larmes à la mort de sa grand-mère; mais, tandis que le temps apporte aux autres l'oubli, sa peine ne cesse de croître :

> Depuis trois ans, par le temps prenant force
> Ainsi qu'un nom gravé dans une écorce,
> Son souvenir se creuse plus avant !

Il ne néglige cependant pas sa spécialité, et complète l'anthologie allemande de 1830 par des traductions nouvelles, dispersées dans les revues, mais qu'il joindra aux précédentes en 1840 dans la troisième édition de *Faust :* ballade de Tiedge, poésie de Körner, de Uhland, bardit traduit du haut allemand. De Jean-Paul il donne en 1830 *la Nuit de nouvel an d'un malheureux*, *l'Éclipse de lune* et *le Bonheur dans la maison*. La découverte la plus importante est celle de Hoffmann.

Le fantastique était à la mode autour de 1830. Par le Gœthe des *Ballades* et du *Faust*, par Bürger, Richter ou Schubart, Nerval était déjà porté au surnaturel. Ses amis et connaissances ne faisaient que l'encourager en cette voie : Nodier, Hugo, Janin, Eugène Sue, Paul Lacroix, invitaient de toutes les manières son imagination au vagabondage. Ses contemporains Théophile et Pétrus éprouvaient au même moment le même accès de fièvre. Frénésie, morbidité macabre, attrait pour les pratiques occultes, superstition, nuançaient le goût pour le merveilleux et « s'ajoutaient aux curiosités transcendantes de l'âge antérieur ». Tel était le climat où s'ébattaient les Jeunes-France. Gérard se sentait parfaitement à l'aise en cette atmosphère, qui, tout en s'accordant à l'exaltation d'une jeunesse inquiète, n'excluait pas un certain humour. C'est pourquoi Hoffmann lui apparut une âme fraternelle. On ignore le moment exact où Nerval découvrit son double germanique. De bonne heure vraisemblablement, si l'on songe que Gautier n'avait que dix-neuf ans lorsqu'il consacrait un article enthousiaste à Hoffmann.

P.-G. Castex, dans sa thèse sur le Conte fantastique, a décrit les étapes de ce « succès encyclopédique », vogue que concrétisent la publication concurrente de deux éditions d'œuvres complètes, et le foisonnement de contes plus ou moins imités du modèle. Nerval fait plus que refléter cet engouement : car si sa contribution comme traducteur et imitateur est réduite, son imagination fut littéralement subjuguée par le maître du fantastique.

Le bibliophile Jacob précise dans une lettre que Gérard publia divers fragments anonymes dans *le Gastronome*, qu'il dirigeait alors. L'article intitulé

*Fantastique*, qui lui est attribué, est bien décevant. Il a beau s'achever sur le cri de guerre : « Vive le Fantastique ! », il n'oblige pas moins à constater que Gérard « prend la notion dans un sens vague ».

Dans le *Mercure* de 1831, il publie la traduction de deux chapitres des *Aventures de la nuit de la Saint-Sylvestre.* L'avant-propos invite le lecteur à entrer à la suite du voyageur enthousiaste dans la région étrange et mystérieuse où s'effacent les limites entre la vie intérieure et la vie extérieure. Cet avant-propos n'est-il pas l'histoire même de Nerval? demande A. Marie. Et dans le récit retentit déjà le cri de douleur que nous réentendrons dans *les Petits Châteaux de Bohème* et dans *Aurélia*, « Perdue à jamais ! ».

J. Marsan a reproduit dans l'édition Champion des *Nouvelles et Fantaisies* un passage des *Élixirs du diable*, traduit par Nerval mais non publié. On ignore pourquoi Gérard s'arrêta si vite en besogne, mais l'explication que suggère Marsan ne satisfait pas : « La richesse et la confusion de cette œuvre puissante pouvaient décourager une bonne volonté plus déterminée que la sienne. » Fr. Constans a montré en effet, dans un remarquable article, que Nerval a été fasciné par ce roman, et que jusqu'à la fin de sa vie s'est perpétuée cette hantise. Il ne lui doit pas seulement le nom d'Aurélie ou l'image de sainte Rosalie, il y trouvait tout un florilège de thèmes hallucinants ou prestigieux : le thème du double, celui des ressemblances miraculeuses, celui de la fatalité héréditaire, et surtout « l'idée de la prédestination d'une âme à un amour qui semble d'abord l'entraîner à sa perte et finalement assure son salut », antidote efficace contre la misogynie contractée à la lecture de *Faust.*

Pendant plusieurs années consécutives, Gérard devait rester sous cette influence, puisque au temps de la Bohème galante il fut l'ami d'Henry Egmont, auteur d'une traduction nouvelle des *Contes fantastiques*, et du peintre Rogier, illustrateur de ces mêmes contes; et comme il était de ceux qui ne s'arrêtent pas aux aspects superficiels, une lecture attentive de Hoffmann pouvait lui ouvrir les domaines étranges à l'exploration desquels il semble avoir voué sa vie. Remarque qui conduit à une conclusion capitale : dès les années 30, Gérard était familiarisé avec des spéculations trop souvent rattachées à une époque et à une influence postérieures, celles de la folie. G. Bell, qui fut son ami intime, pensait avec raison qu' « (il) a passé sa vie à mettre en œuvre les idées qu'il avait conçues dans sa première jeunesse ». Hoffmann lui apprenait la parenté de la poésie, du rêve et de la folie, et que ces trois voies permettent d'accéder dès cette vie au monde invisible, d'expérimenter « la présence bouleversante d'une réalité ineffable ». Il lui montrait l'absence d'antinomie entre le Rêve et la Vie. Il l'initiait à l'état de rêverie supernaturaliste, où « les parfums, les couleurs et les sons se répondent ». Les héros de ces récits invitaient donc, soit à regarder la folie comme un état privilégié, soit à contester la notion même de folie. Anselme, le héros du *Pot d'or*, est-il ou non un fou? Et la question pouvait s'appliquer à Hoffmann lui-même, comme l'avait fait Loève-Veimars, qui plaçait en tête d'une étude sur son auteur le mot de Shakespeare : « Is this a madman? »

A l'exemple de ses contemporains, Gérard passe de la traduction à l'imitation. Mais ici nous nous heurtons à un problème imparfaitement élucidé. En vertu de l'adage qu'on ne prête qu'aux riches, ont été attribués à Gérard des contes parus dans les revues de l'époque, pour la seule raison qu'il avait usé de l'anonymat ou de pseudonymes divers. L'érudition contemporaine a sainement réagi contre cette absence de rigueur, en sorte que le recueil publié par J. Marsan sous le titre *Nouvelles et Fantaisies* s'est curieusement amenuisé.

A Gérard doivent être enlevés *la Sonate du Diable*, le *Barbier de Gœttingue*, *la Métempsycose*, *la Nuit du 31 Décembre*. *Le portrait du Diable* (1839) qui lui avait été enlevé, lui a été restitué par J. Sénelier. L'influence d'Hoffmann est manifeste : Un peintre en proie à une obsession fatale finit par se suicider. On ne sait s'il s'agit d'une adaptation.

Des cinq morceaux parus sans signature dans *le Gastronome* ou *la Charte de 1830*, *Cauchemar d'un mangeur* et *Soirée d'automne* ont été attribués à Gautier par J. Richer. Il attribue à Gérard sous toutes réserves *le Souper des pendus*, *Fantastique*, *l'Auberge de Vitré*. Parmi les textes publiés dans *le Gastronome*, seul *le Cabaret de la Mère Saguet* est d'une attribution certaine, mais il ne s'agit pas d'un conte fantastique.

*La Main de Gloire* fut publiée dans *le Cabinet de lecture* du 24 septembre 1832 avec le sous-titre : « Histoire macaronique. » Une note annonçait en outre qu'il était « extrait des *Contes du Bousingo*, par une Camaraderie, 2 vol. in-8°, qui paraîtront vers le 15 novembre ». Les Jeunes-France voulaient faire de cet ouvrage en collaboration une protestation contre l'équivoque créée par la presse bourgeoise, qui tendait à les assimiler à une jeunesse suspecte. Aux bousingots des Bourgeois (avec *t*) ils opposaient les bousingos authentiques (sans *t*). Après la contribution de Gérard, ce fut au tour de Pétrus Borel de publier un deuxième extrait : *Onuphrius Wphly*. En 1833 encore, la publication du recueil complet était annoncée comme imminente. Mais il ne parut jamais : R. Jasinski explique par la dispersion du Petit Cénacle cet échec. C'est Th. Gautier qui, dans ses *Jeunes-France*, a recueilli l'héritage des *Contes du Bousingo*.

La lecture de *la Main enchantée* déçoit, si l'on y cherche une imitation précise de Hoffmann, ou si l'on espère y trouver la poésie des chefs-d'œuvre postérieurs. Nerval cependant n'a jamais désavoué son histoire macaronique. Il n'est pas devenu l'auteur des *Filles du Feu* en reniant l'époque des facéties : l'année de *Sylvie*, il rééditera son œuvre de jeunesse.

Malgré le thème fantastique de la main de gloire ou le rappel du Grand Albert, nous soulignerons avec

P.-G. Castex « la couleur historique de ce récit ». Avant de découvrir la poésie du Valois et celle du Paris moderne (encore que la poésie du cabaret lui soit familière dès 1830), à la façon de P. Lacroix et surtout de Hugo, Nerval s'enchante à l'évocation d'un Paris archaïque. A l'époque des repues franches, à la peinture du cabaret de la Rose-rouge (si du moins le *Souper des pendus* est son œuvre), il préfère ici les débuts du XVII^e^ siècle, et « décrit la place Dauphine, l'île de la Bourdaine à la pointe ouest de la Cité, le château Gaillard avec sa tourelle, l'hôtel tout récemment construit par Marguerite de Valois, le Pont-Neuf avec ses bateleurs et ses escamoteurs ».

Faut-il déceler dans cette facétie des intentions inconscientes ou des prémonitions? Il était fatal que fût mise en vedette la phrase de maître Gonin le mage : « Votre horoscope porte la hart, et rien ne peut vous en distraire ! » Plus valablement, le psychanalyste a vu dans cette main magique qui fait ce que n'ose faire son propriétaire — précisément souffleter un représentant de l'autorité — l'expression détournée de la rancune du fils contre le père.

***

La bibliographie chronologique révèle que les années 1833 et 1834 furent des années creuses. Les biographes ne semblent pas avoir été frappés par cette absence de production, qui demeure énigmatique. Le voyage en Bretagne, que l'on date de 1833, est hypothétique, et les ouvrages considérables dont il est question dans une lettre de 1832 à Sainte-Beuve existent-ils autrement que dans l'imagination de Gérard? La dislocation du Petit Cénacle n'est pas une explication suffisante, puisqu'il ne rompra jamais avec Théophile, ni même avec Pétrus. Traversa-t-il une phase de découragement, parce qu'il désespérait d'atteindre la « haute position » de Dumas et de Hugo? On peut affirmer du moins que ces deux années ne furent pas des années perdues, et que ce faux paresseux continua de poursuivre la vie de réflexions et de lectures qui fut la sienne pendant la douzaine d'années qui séparent le premier *Faust* du second.

Un événement extérieur vint là-dessus bouleverser son existence. Le 19 janvier 1834, il perdit son grand-père maternel : cette mort fit de lui un héritier, et son premier soin fut de s'évader. Car, si stupéfiant que cela paraisse, jusqu'en 1834 il avait vécu chez son père. Chaque nuit, plus ou moins tard, plus ou moins tôt, le Jeune-France réintégrait le domicile paternel. Les lettres postérieures permettent de supposer que les mauvaises fréquentations du fils étaient un *leit-motiv* des remontrances du père. En outre, celui-ci ne semblait pas convaincu de la réussite de Gérard, même si l'exposition du médaillon de J. du Seigneur en 1831 avait fait de lui « une des célébrités parisiennes ». Entre 1828 et 1830 Gérard aurait été successivement apprenti dans une imprimerie et clerc de notaire. Il n'eut de succès ni dans l'une ni dans l'autre voie (son expérience d'imprimeur lui servit du moins, quand il voulut écrire son *Faust*), puisque le père eut recours à la solution classique : faire adopter au fils sa propre profession, et c'est ainsi que de 1830 à 1834 celui-ci fut étudiant en médecine. Peut-être 1833 et 1834 furent-elles des années creuses, parce que son père l'obligeait à « travailler ». Lorsque le choléra décimait la population parisienne en 1832, le Jeune-France carabin visita des malades. Mais, pas plus que Sainte-Beuve, il n'acheva ses études de médecine, le destin ayant mis entre ses mains une fortune qui allait lui permettre de négliger « ses devoirs » et de mener la vie de bohème. Il avait oublié que le malheureux héros de Jean-Paul, dont il avait traduit la plainte, après des années d'erreurs, de péchés et de maladies, s'écriait « dans le transport d'une impérissable douleur » : « O mon père, reconduis-moi à l'embranchement des deux sentiers, afin que je choisisse encore ! »

# 2 ÉMANCIPATION

Le premier soin de l'héritier de vingt-six ans fut de gaspiller son héritage. La liquidation ne fut homologuée que le 31 décembre 1834, mais Gérard s'était hâté de quitter le domicile paternel, et dès le mois d'avril vint cohabiter avec C. Nanteuil. A l'automne il réalisa le second rêve du jeune romantique émancipé, il partit en voyage. Ce fut un voyage éclair, mais qui n'en laissa pas moins une trace indélébile dans l'imagination du poète, car il avait choisi, à la manière de Gœthe, l'Italie pour but de son essor. Les quelques lettre relatives à cette découverte capitale sont particulièrement décevantes pour le lecteur qui attend des effusions lyriques. Notre poète semble animé par une double préoccupation : le désir de cacher à son père qu'il a quitté la France, la crainte de se trouver sans argent en Italie. Si ces textes prouvent que Gérard ressentit quelque embarras en sortant de tutelle, il n'y a pas à s'étonner qu'il refuse de galvauder ses confidences. Du reste, il est de ceux qui doivent laisser leurs impressions mûrir pour qu'elles acquièrent leur pleine résonance.

Le 20 octobre il est à Nice, après avoir visité Avignon, Vaucluse et Aix. Il se rend à Gênes par terre, passe en coup de vent à Florence, à Rome, s'embarque pour Naples où il reste une dizaine de jours. Profita-t-il de son séjour pour visiter Pompéi? Il revient par mer de Naples à Marseille et regagne

Paris en passant par Nîmes et Agen. Il gardera de la mer d'Italie un souvenir ébloui, et il avait admiré au musée de Naples « la belle Judith » du Caravage. C'est au cours de ce voyage que se placent aussi les deux aventures qui, de remaniement en remaniement, deviendront les deux motifs principaux d'*Octavie*. La première, bien mince assurément, se déroule à Marseille et à la table d'hôte : une jolie dame, pour épargner à son mari, vieux militaire, les excès de boisson, invite toute la tablée à partager le vin mousseux. Quant à la seconde, qui est du genre galant, il est impossible d'en savoir le fin mot : à Naples, Gérard aurait passé la nuit avec une femme facile, conforme au type qu'il aimait. Le retour éventuel, à la pointe du jour, de l'amant en titre ajoutait du piquant à la nuit de plaisir. Mais que dire de plus? Le caractère ultra-léger de l'aventure est-il conciliable avec la tentation qu'il prétend avoir ressentie au matin « d'aller demander compte à Dieu de (sa) singulière existence »?

Au retour, il partagea le domicile du peintre Rogier, rue des Beaux-Arts; puis ils se transportèrent impasse du Doyenné, et ici commence la vie merveilleuse à laquelle fut donné le nom charmant de Bohème galante. Les héros de l'aventure ont raconté sur des tons variés les enchantements du Doyenné, et nous ne pouvons mieux faire que de renvoyer le lecteur aux récits colorés de Gérard, de Gautier et de Houssaye. En plein cœur de Paris, sur l'emplacement actuel de la place du Carrousel, subsistait un îlot délabré dont Balzac a donné une description hallucinante dans *la Cousine Bette*. C'est là que Rogier dénicha un vaste appartement, où il s'installa en compagnie de Gérard. Un troisième compère nouvellement débarqué à Paris les y rejoignit A. Houssaye, et Théophile, fidèlement, vint loger dans la même rue. De jeunes peintres, amis du quatuor, Nanteuil, Châtillon, Corot, Chassériau, s'employèrent à décorer l'appartement. Gérard qui avait de l'argent et du goût, et flânait volontiers dans tous les coins de Paris, contribua à l'embellissement du séjour en faisant l'acquisition d'un lit Renaissance devenu légendaire, d'une console Médicis, de deux buffets, de tapisseries et de deux Fragonards payés cinquante francs. Peu à peu artistes, actrices et bohèmes se laissèrent attirer par ce foyer brillant. Parmi les hôtes assidus figuraient Piot, Ourliac, Châtillon, Esquiros, Beauvoir, H. Egmont et Dumas; mais, ajoute Gérard, « nous avions une collection d'attachés d'ambassade, de jeunes conseillers d'État, de référendaires en herbe ». Ce fut une reprise en majeur de l'époque du Petit Cénacle. Des gamineries, des farces, des fêtes. « Nuits splendides ! » s'écriera avec nostalgie le poète vieillissant. Un grand bal travesti, le bal des truands, le 28 novembre, marqua l'apogée de cette vie étourdissante. On jouait également la comédie : ainsi fut représenté ce *Jodelet* que Gérard avait adapté de Scarron. Dans l'hôtel du Doyenné non seulement fut « inaugurée » la Bohème, mais c'est là que fut donné le modèle de la Bohème romantique auprès de laquelle celle de Murger paraît « combien inférieure ! »

Chacun arborait un genre différent. Gérard, qui n'est point fait pour la misère, prend des airs de dandy. S'il contraste avec ses compagnons portés à l'outrance, on le soupçonne de jouer un rôle. Il se sait distrait, passe pour discret, et adopte plus ou moins sciemment l'attitude de ce Pierrot que Laforgue chantera, inoffensif et tendre, celui qui est absent, qui passe à côté et « quitte la proie pour l'ombre ». Et ce genre enchante ceux qui l'approchent, encore qu'il ne plaise pas toujours aux femmes.

L'amour n'avait pas déserté l'impasse. A côté des liaisons faciles, couvaient les grandes passions. Rogier aimait la Cydalise, et il trouva un rival en la personne de Théophile; mais les frères ennemis se réconcilièrent au chevet de la malheureuse, qui mourut dans sa fleur au printemps de 1835. Gérard avait sa Cydalise. Jenny Colon, née en 1808 comme son soupirant, était une fille d'acteur, qui, après avoir figuré dès l'enfance à l'Opéra-Comique, avait passé par les classiques épreuves de la femme de théâtre : mariage prématuré, rupture, liaison avec un banquier. Douée d'une jolie voix de chanteuse légère, elle était sortie de l'obscurité vers 1835 et connaissait un certain renom. C'est peut-être dès 1833 que Gérard vit pour la première fois apparaître aux feux de la rampe la merveilleuse blonde aux yeux noirs : mais était-ce avant le voyage en Italie, comme il le laissera entendre plus tard? De même que le rêve de gloire se présentait à lui sous la forme du succès au théâtre, le rêve d'amour s'incarnait sous la forme de l'actrice. Le grand amour romantique s'adressait soit à une belle malade, d'origine aristocratique de préférence, soit à une femme de théâtre, et l'aventure de Gérard s'inscrit parmi combien d'autres dont les héros s'appellent Hugo, Vigny, Musset, Dumas Alexandre et Dumas Adolphe, Berlioz, Gautier, Banville, Baudelaire, etc. L'amour pour une actrice était l'aboutissement normal de l'amour du théâtre, en même temps que la forme la plus séduisante de l'illusion comique. Dans *Sylvie*, dans *les Confidences de Nicolas*, dans *le Voyage en Orient*, Nerval analysera le plaisir trouble suscité par ce jeu enivrant et dangereux. Ce fut pendant de longs mois un « amor de lohn », comme aurait dit le troubadour. Gérard, en « grande tenue de soupirant », se contentait d'assister à toutes les représentations des Variétés où Jenny interprétait *la Modiste, la Prima Donna, la Camarade de pension* ou *la Femme qui se venge.* Il fit d'elle sa Dame et sa Muse, et c'est autour d'elle que se concentrèrent l'ardeur et la ferveur de l'hôte du Doyenné.

Plus encore que pour le Petit Cénacle, il convient en effet de souligner le sérieux intellectuel de nos galants bohèmes. R. Jasinski insiste avec raison sur le fait que « le Doyenné fut l'école de la santé », et démontre d'autre part que, si les écrivains du groupe gardaient les principes du Petit Cénacle, ils donnèrent à leur position plus de force. Les Jeunes-France ont pris de l'âge, et les combattants de jadis sont à même de mesurer la vanité des querelles de doctrine. Lorsque Gautier ou Nerval paraissent insoucieux de modernité et enclins à s'évader dans le passé, ce n'est que pour mieux défendre et réaliser leur rêve de beauté.

Si l'on pèse les résultats de cette ferveur, le bilan paraîtra léger, surtout à comparer la production des deux amis. Alors que Gautier publie coup sur coup *les Jeunes-France*, la préface de *Mademoiselle de Maupin*, *les Grotesques* et le grand roman que l'on peut considérer comme son chef-d'œuvre, un ralentissement notable s'observe dans la production littéraire de Gérard. Le bilan semble négatif : quelques odelettes en 1835, une seconde édition de *Faust* en 1836 (soigneusement revue et corrigée, il est vrai), et l'on hésite, on l'a vu, à lui attribuer les deux récits publiés en 1836 et 1837 dans *la Charte de 1830*, *Soirée d'automne* et *l'Auberge de Vitré*. Mais les apparences sont trompeuses. Gérard a conçu un vaste projet qui lui permet de réaliser à la fois tous ses rêves : l'héritier jouera au mécène, le passionné de théâtre assouvira sa passion, l'écrivain du Doyenné répandra les principes du groupe et l'amoureux fera sa cour à l'idole lointaine, tout cela grâce au lancement d'une nouvelle revue, *le Monde dramatique*.

Le premier numéro parut en mai 1835. Le lancement fut fait, souligne A. Marie, « avec une entente de la publicité que ne désavouerait pas notre sens moderne de la réclame ». La revue était abondamment illustrée, et les artistes amis avaient été mis à contribution. « Aux premiers rangs de la rédaction, on voyait Th. Gautier, A. Karr, Lassailly, G. Planche, R. de Beauvoir »; mais aux camarades on put joindre deux vedettes, Berlioz et Dumas. Gérard s'était chargé de la chronique théâtrale. Il serait absurde d'assimiler la revue à une publication publicitaire à la louange de J. Colon. Sans doute contribua-t-elle à l'ascension de l'artiste, qui passa des Variétés à l'Opéra-Comique, où elle débuta avec succès en mars 1836 dans le rôle de Sarah la folle. La revue manifestait d'une façon tangible combien sérieux était le labeur des camarades du Doyenné; les articles, remarque R. Jasinski, révèlent « des connaissances aussi étendues que solides ».

Selon G. Bell, c'est sur les conseils de Balzac que Gérard aurait conçu l'affaire. On ne sera donc pas surpris qu'elle ait tourné au désastre. La revue ne sombra pas comme tant d'autres après quelques numéros; mais, dès juin 1836, Gérard dut passer la main. Il se réveilla « ruiné, ayant englouti les trente mille francs de la succession de son aïeul et assumé pour l'avenir une dette dont il se fera l'esclave ». Scrupuleux sur ce chapitre, il mit son honneur à s'acquitter. Pour payer ses collaborateurs, il dispersa les objets de prix acquis au temps de son opulence, et ce fut aussi la fin de la Bohème du Doyenné, dont les splendeurs « ne durèrent guère plus de dix-huit mois ». Le propriétaire de l'appartement finit par congédier ces locataires trop bruyants (Gérard s'installa avec Théophile rue Saint-Germain) et fit couvrir d'une couche à la détrempe les peintures dont l'appartement était orné. Bientôt l'immeuble fut jeté bas. Gérard devait racheter pieusement au démolisseur les œuvres de ses amis. Cependant il avait dû se séparer pour toujours des meubles de style, des tapisseries et des tableaux anciens : « Où avez-vous perdu tant de belles choses? » lui demanda un jour Balzac; et Gérard, s'appropriant le mot balzacien, lui répondit : « Dans les malheurs ! »

Au cours de cette période, il ne s'était pas contenté de lancer *le Monde dramatique.* Il rêvait d'acquérir la gloire au théâtre, et, faisant d'une pierre deux coups, d'offrir un grand rôle à son idole. « Du plus loin que nous le connaissions, racontera Gautier dans son article nécrologique, il avait sur le chantier une certaine *Reine de Saba*, drame énorme » ... « On ne saurait imaginer, précise-t-il dans l'article de 1867, ce que Gérard lut de livres, prit de notes et de renseignements pour cette pièce. » Le thème prestigieux de la reine qui vint visiter Salomon permettait à Gérard de manifester tout ensemble son goût pour l'érudition, son attrait pour les sciences occultes, sa nostalgie d'un Orient de rêve, « le pays de l'or et des perles », certain mépris pour la tradition biblique au bénéfice d'un paganisme mystique, voire quelque tendance socialisante, si du moins l'on fait confiance à Gautier qui qualifie le drame en projet d'oriental, biblique et social; par-dessus tout il aurait illustré son Idée de la Femme, incarnée sous les traits mystérieux et fascinants de la Reine du Matin, « le fantôme éclatant de la fille des Hémiarites », ambiguë comme le Sphinx et, comme lui, proposant des énigmes. Selon Gautier encore, le drame fut d'abord écrit en prose. Meyerbeer, alors en pleine vogue à la suite du triomphe de *Robert le Diable*, aurait été tenté par le sujet. « Gérard se mit, non sans pousser plus d'un soupir, à tailler son drame en scénario. » Ce point n'est pas confirmé dans *les Petits Châteaux de Bohème*, puisque Gérard au contraire semble avoir accepté avec joie une transformation qui permettait à sa belle de débuter à l'Opéra. Mais le projet n'aboutit pas, et Meyerbeer laissa le livret enseveli « dans l'ombre et la poussière d'un carton ». Nerval fera subir une nouvelle métamorphose à son idée et en tirera le conte inséré dans *le Voyage en Orient.*

Si dans l'article de 1867 Gautier mentionne un sujet de drame moderne et philosophique qui ne fut pas achevé et dont il ne reste aucune trace, en revanche il ne fait pas état de deux autres projets qui hantèrent Nerval pendant de longues années. En 1499, le dominicain Francesco Colonna avait publié en latin un ouvrage étrange, magnifiquement illustré, intitulé *Hypnerotomachia Poliphili.* Le livre fut traduit en français dès 1546 sous le titre d'*Hypnerotomachie ou Discours du songe de Poliphile.* En 1806, Legrand en donna une adaptation en français moderne. Nodier, qui, autant que Gérard, raffolait des livres rares, y puisa le sujet de sa dernière nouvelle, *Franciscus Columna*, parue en 1844. Mais Gérard n'avait pas eu besoin de l'indication de Nodier pour découvrir l'ouvrage, et l'on doit même penser qu'il fut troublé par cette merveilleuse histoire autant que par *les Élixirs du Diable.* Un personnage essentiel du roman de Hoffmann portait le prénom de Francesco, et le nom de Colonna ne pouvait que rappeler à son esprit superstitieux le nom de sa bien-aimée. En dehors de certaine érudition archéologique et d'un syncrétisme religieux qui n'étaient pas pour lui déplaire, ce récit devait l'attirer par son thème majeur. F. Colonna aime la princesse Lucretia Polia de Trévise, et il est aimé d'elle. Les conventions sociales empêchant leur union, ils entrent tous deux au couvent, se jurant une éternelle fidélité en ce monde et dans l'autre. Mais les grilles du couvent ne peuvent interposer une barrière pour ces « saints martyrs d'amour ». Ils se rejoignent chaque nuit en songe, et dans son livre Francesco peint « les nuits enchantées où, s'échappant de notre monde plein de la loi d'un Dieu sévère, il rejoignait en esprit la douce Polia aux saintes demeures de Cythérée... » Remontant le cours du temps, ils visitent étape par étape les innombrables sanctuaires de Vénus, avant de s'embarquer pour Cythère où s'accomplit leur union mystique. « En 1838, précise G. Rouger, Gérard avait tiré du *Songe de Poliphile*, à l'intention de Jenny Colon, un scénario de drame. » Ce sujet continuera de le hanter, même après la publication du *Voyage en Orient*, où il lui avait fait place, et en 1853 il envisagera d'en tirer un livret d'opéra, pour lequel il aurait utilisé la musique de *la Flûte enchantée.*

L'histoire du *Prince des Sots* est plus compliquée encore. Harel, directeur de l'Odéon, avait accepté en 1831 une diablerie en deux actes, dont il est question dans *l'Histoire du Romantisme* de Gautier, heureuse variation sur la formule de la pièce dans la pièce. Harel ne monta pas la diablerie et proposa à Gérard un sujet de drame sur Charles VI. Dans la liste de ses œuvres figure un drame, *Louis de France* : s'agit-il de ce sujet remanié? A vrai dire nous ne savons rien sur l'élaboration du drame. Un seul fait est certain : un jour Gérard a renoncé à son drame et l'a transformé en roman. La date de cette métamorphose est elle-même incertaine : on la situe entre 1832 et 1838. L'œuvre témoignait de l'admiration de Gérard pour *Notre-Dame de Paris* et se rattache à ce que J. Richer appelle sa « période gothique ». Au centre du roman surgit le roi fou, qui forme avec Raoul Spifame et le calife Hakem un fascinant trio de déments. Le roman historique décrit les intrigues et l'assassinat de Louis d'Orléans auquel s'oppose un duc de Bourgogne transformé en protecteur des libertés populaires. Mais le lecteur se sent surtout attiré par les personnages imaginaires qui traduisent les rêves de Gérard : Aubert le Flamenc, le berger extatique et le personnage central, Maître Gonin, le Prince des Sots, qui incarne la passion du théâtre avec tous ses prolongements oniriques. En 1887, Louis Ulbach publia *le Prince des Sots*, mais le texte de Gérard avait été scandaleusement modifié. J. Richer a eu la chance de retrouver le manuscrit original et l'a publié en 1960.

Le projet le plus mystérieux reste le roman *Dolbreuse* dont J. Richer encore a pieusement édité les fragments. La rédaction de ces notes se situerait entre 1832 et 1838. Comme Stello en face du docteur Noir, en face du méphistophélique docteur Tourette Gérard campait son double Olivier Beaune, fervent disciple de Rousseau. L'action se situait après la Révolution, et l'intrigue sentimentale conduisait — semble-t-il —

à un dénouement tragique. Ce document est précieux pour connaître les lectures de Gérard : à Rousseau il faut joindre Maistre et Constant, et l'on voit s'amorcer, selon J. Richer, son syncrétisme poético-religieux. On relève aussi cette note fondamentale : « Je ne suis jamais heureux qu'en espérance et en souvenir ! »

Si ces projets n'aboutirent pas, c'est que la ruine avait contraint Gérard à remettre à plus tard ses visées ambitieuses : il dut se consacrer à des réalisations immédiates, dont le résultat le plus étonnant fut de faire entrer son grand amour dans une nouvelle phase.

Rendons à ses amis cette justice qu'ils ne l'abandonnèrent pas dans le malheur. Dès juillet 1836, Gérard s'associa à son cher Théophile pour écrire en collaboration un roman, *Confessions galantes de deux gentilshommes périgourdins*. Ce ne fut encore qu'un projet en l'air — à moins qu'il ne faille voir ici l'origine du *Capitaine Fracasse* et de *l'Illustre Brisacier* —, mais les deux compères n'en touchèrent pas moins de l'éditeur Renduel une avance de fonds qui leur permit de voyager de juillet à septembre. Ils visitèrent la Belgique et poussèrent sans doute jusqu'en Angleterre. La randonnée, entreprise dans une humeur priapique (si l'on en croit telle lettre de Gautier), fut gâtée par des ennuis de santé, Gérard étant tombé malade à Bruxelles, puis à Presles.

Ce voyage joignait l'utile à l'agréable : il devait se monnayer en chroniques et impressions. La conséquence la plus importante de la catastrophe financière subie par Gérard fut en effet de le transformer en journaliste, et l'on se fait une fausse idée de sa vie à partir de ce moment si l'on n'a pas présente à l'esprit l'obligation où il se trouva, pour gagner son pain, de multiplier la copie. Sur ce point encore, il faut dissiper un malentendu : on a vu une manifestation du guignon dans le fait qu'il ne fut jamais titulaire d'une grande rubrique dans un grand journal. Mais rien ne prouve qu'il souhaitait pareille sujétion.

Au dire de Gautier, tous les journaux ne lui étaient pas moins ouverts. « Les revues les plus fermées et les plus dédaigneuses s'honoraient de voir son nom au bas de leurs pages, et de sa part regardaient la promesse d'un article comme une faveur. »

A. Karr, que l'échec de Gérard au *Monde dramatique* n'avait pas indisposé, lui demanda de l'aider à diriger son *Figaro*. De 1836 à 1855 on relève avec plus ou moins d'assiduité sa signature ou ses initiales dans *la Charte de 1830* de Roqueplan, *la Presse* de Girardin, *le Messager* de Waleski, *le Vert-Vert*, *le National*, *la Revue de Paris*, *le Prisme*, *la Sylphide*, *la Silhouette*, *la Revue des Deux-Mondes*, *la Phalange*, *la Revue Pittoresque*, *l'Événement*, *le Temps*, *l'Artiste*, *l'Illustration*, *le Mousquetaire*. Cette liste n'est pas exhaustive. La pratique de l'anonymat, du pseudonyme et surtout du pseudonyme passe-partout pose des énigmes au bibliographe, telle la collaboration au *Musée des Familles*. Dans son esprit cependant, cette activité journalistique était, sinon un pis-aller, du moins la simple garantie du pain quotidien. Auprès des milieux littéraires, elle lui assurait sans doute quelque crédit par les relations qu'elle lui valait et par sa spécialité de chroniqueur dramatique. Mais à ses yeux l'essentiel restait « l'œuvre » : les livres que son labeur obscur lui permettrait d'écrire. Malheureusement, une fois pris dans l'engrenage il ne saura pas maintenir cette distinction. Les livres seront faits d'une série d'articles, et les chefs-d'œuvre se découperont en tranches dans les journaux et les revues. Toutefois, la conscience de l'écrivain restera indemne, et pour la publication en volumes il reverra toujours soigneusement son texte, qu'il avait tendance à allonger au maximum lors de la publication en périodique.

Les servitudes du journalisme ne le délivrèrent pas de sa passion pour le théâtre. C'est alors qu'il échafaude une combinaison dont il n'eut d'abord qu'à se louer sur le plan financier, mais qui finalement se révéla néfaste, parce qu'elle détourna l'écrivain de sa vraie voie et qu'elle fut une occasion de trouble pour le névrosé. Il avait déjà essayé d'attacher Dumas au *Monde dramatique* par un contrat extravagant. Désormais, ils écriraient des pièces de théâtre en collaboration, mais à tour de rôle chacun signerait de son seul nom l'œuvre commune. La première œuvre sortie de l'atelier fut signée Dumas. Il s'agissait d'un livret d'opéra-comique, *Piquillo*. Pour la partition l'on fit appel à Monpou, dont les romances étaient à la mode, et qui avait déjà mis en musique la traduction de *Lénore* par Gérard. Livret médiocre, musique médiocre. Seule mérite d'être relevée une nouvelle utilisation du motif nervalien des amours prédestinées : « Est-il nécessaire de se parler pour s'être dit : Je t'aime? », soufflait à l'héroïne l'amoureux transi de J. Colon. Le rôle de cette héroïne, qui portait le nom de Silvia, devait être créé par Mme Damoreau, mais échut finalement à Jenny. Gérard acheva le livret pendant la randonnée en Belgique et, dès septembre 1836, il écrivait à son père une lettre triomphale : « Nous avons cinq mille francs à toucher, Dumas et moi, le jour de la représentation. C'est donc là la grande affaire qui décide tout à fait mon avenir. » Mais le jour de la représentation se fit attendre. La pièce, annoncée pour le mois de novembre, fut ajournée pour des raisons mystérieuses encore, et la première n'eut lieu qu'un an après, le 31 octobre 1837. « *Piquillo* rapporta net six mille francs à Gérard... Après la liquidation du *Monde dramatique*, c'était le salut. » *Piquillo* lui valut davantage encore, s'il est vrai que son interprète récompensa l'auteur de la façon que l'on devine.

❧❧❧

« Après une cour longtemps silencieuse, raconte J. Richer (Gérard s'était enhardi), jusqu'à glisser des billets non signés dans les bouquets destinés à Jenny. Enfin, un jour vint où il lui fut présenté. » Il avait prié son ami Théophile de « faire des sonnets en l'honneur de sa maîtresse »; il lui commanda également un portrait qui plus tard fut inséré dans *les Belles Femmes de Paris*. Le triomphe de *Piquillo* décida Gérard à se déclarer. Qu'advint-il alors? L'histoire de cette liaison ou, pour mieux dire, l'énigme de cet amour a suscité de nombreux commentaires, et entre autres une copieuse enquête sur la vie sexuelle de Nerval portant le titre suggestif : *le Secret de Gérard de Nerval*. L'auteur de cette étude, L.-H. Sébillotte, illuminé, dit-il, par la lecture d'*Armance*, émet l'hypothèse que Gérard comme le héros de Stendhal aurait été un « babylan ». Il nuance du reste aussitôt son affirmation, qui se heurtait à des témoignages, éloquents dans leur crudité, de Gautier, de Weill, de Houssaye ou de Mirecourt, en attribuant à Gérard un babylanisme relatif, que l'on définira avec Ch. Mauron « une dissociation de la puissance virile et de la tendresse ». Sa névrose le priverait donc de ses moyens, dès l'instant qu'au désir se mêlent des sentiments plus délicats. La démonstration dont L.-H. Sébillotte étaie son hypothèse est profonde, subtile, captieuse, mais pèche par la base. Elle se heurte à une remarque de bon sens : la thèse est fondée sur des textes écrits à la fin de la vie de Nerval. Qu'à l'époque de *Pandora*, d'*Aurélia*, voire dès la première crise, Nerval ait été obsédé par la crainte de l'impuissance, et dans tous les domaines, c'est l'avis unanime. Mais en 1837 une telle défaillance paraît prématurée. Personne certes ne songe à faire de lui un Casanova, mais qui dit névrose ne dit pas nécessairement impuissance. Sa timidité est pathologique : « ce rêveur avait peur des réalités ». On le voit dans telle lettre inviter celle qu'il aime à faire les premiers pas : la femme à séduire, assimilée à un labyrinthe, doit en même temps jouer le rôle d'Ariane. Il dit bien en toute simplicité : « Je vous désire autant que je vous aime. » Mais cette opposition précisément est révélatrice, d'autant plus qu'il déclare aussi nettement : « Mon amour pour vous est ma religion. » La seule attitude digne de cette conception exaltée ne pouvait être que le platonisme.

A parler clair, que savons-nous de la liaison de Gérard et de Jenny? Si l'on s'adresse à Théophile, l'ami le plus intime, on remarquera (et d'autant plus que sa réserve, dès qu'il est question de Jenny, contraste avec la crudité des anecdotes rapportées par les autres) l'intention d'éviter toute affirmation catégorique : « L'histoire des amours resta toujours obscure... Déclara-t-il jamais formellement son amour? Nous l'ignorons... Un amour heureux ou malheureux, nous l'ignorons, tant sa réserve était grande... » On possède à coup sûr un document de première importance : « les lettres à J. Colon ». Mais l'existence de ces lettres ne fait que poser de nouveaux problèmes. La version qui subsiste est-elle la version originale? L'évidente volonté manifestée par Gérard d'utiliser ces textes intimes dans des œuvres publiées après la mort de Jenny (et qui choquera seulement ceux qui se font une idée conventionnelle de la création littéraire) n'invite-t-elle pas à présumer un remaniement? A supposer que nous détenions la version originale, ces lettres ont-elles bien été envoyées? Nous rencontrons encore un témoignage gênant de Gautier : « Il écrivit des lettres passionnées et charmantes qu'il mit sans doute à la poste dans sa poche, car celle à qui elles s'adressaient en eût été touchée. » Mais la suite de l'article permet de voir clair dans le jeu de Théophile : si le désespoir d'amour a pu jouer un rôle dans la fin tragique de Nerval, ne va-t-on pas lui reprocher de n'avoir pas secouru l'ami? Il écarte donc le reproche, en faisant état de son ignorance, qu'il justifie, en dépit de l'intimité de leurs relations, par la discrétion de Gérard et le personnage lunaire que celui-ci se plaisait à jouer : « Gérard était un étrange amoureux. »

Les recherches précises de J. Richer, et en particulier

la comparaison de la publication Sardou-Marsan et des manuscrits de la collection Lovenjoul l'ont conduit aux conclusions suivantes qui représentent le dernier état de la question. Nous possédons des brouillons qui sont manifestement de premier jet. Certaines de ces lettres furent bien adressées à Jenny; « d'autres furent retenues, ou leurs brouillons servirent à l'exploitation de sentiments vrais dans leur principe, mais il est impossible de faire la différence entre les catégories de textes, certains d'entre eux ayant vraisemblablement eu plusieurs emplois ». Gérard détruisit sans doute les lettres de Jenny, comme il est spécifié dans *Aurélia*. Un brouillon de Chantilly permet de dater d'une façon précise une des lettres (février 1838), si bien que l'ensemble de la correspondance semble « appartenir à la période 1837-1838 ». Une lettre semble indiquer (J. Richer dixit) que Jenny a passé une nuit avec Gérard.

Jenny et Gérard ont donc été amants. A. Karr et G. Bell, rapportant un témoignage de Méry et une confidence de Gérard lui-même, avaient déjà affirmé la chose. Mais si on date la liaison du début de 1838, on constate que le 11 avril de la même année Jenny se mariait avec un certain Leplus, flûtiste de son état et modeste organisateur de tournées théâtrales. La nuit d'amour aurait-elle été unique? Certes il est bien tentant de rapprocher cette aventure de celle qui advint à Baudelaire et d'émettre l'hypothèse d'un échec. Jenny, comme la Présidente, était pour son adorateur l'Ange gardien, la Muse et la Madone; en découvrant la femme réelle au lieu de la femme rêvée, Gérard risquait fort de voir s'évaporer son ardeur. Mais Jenny, moins bonne fille que la Présidente, aurait donné congé à son pitoyable soupirant. Cependant l'hypothèse de l'échec n'est pas nécessaire pour expliquer la fin prématurée de la liaison.

Nous connaissons mal Jenny Colon. J. Richer a retrouvé une lettre d'elle adressée au cours de la même période à un autre soupirant : la femme s'y livre à un jeu terrible, qui exige de ses adorateurs une étrange abnégation; en même temps, son langage est « celui d'une femme dont le cœur se tait devant la raison ». Sentant l'approche du déclin, sans doute l'actrice rêvait-elle d'un établissement solide. Nous connaissons assez Gérard pour savoir que, s'il pouvait être le jouet d'une femme, il ne pouvait pas être ce « parti ». Un point à souligner est qu'il a parlé lui-même d'une faute, dont il se serait rendu coupable, et que Jenny plus tard lui aurait pardonnée. Il y a eu un jour fatal : « Mon amour a été tranché dans le vif. » Des amis de Gérard ont proposé des explications de la rupture, qui renferment assurément la vérité, si pour critère on s'en tient à « l'humilité » des anecdotes. Selon Houssaye, Gérard, trop entreprenant, aurait été repoussé par Jenny, et en reculant aurait brisé un cabaret de Sèvres, cadeau princier, offert en effet par le duc d'Orléans et auquel l'actrice tenait beaucoup. Mais, pour G. Bell, Gérard aurait indisposé Jenny parce que, celle-ci lui ayant parlé de mariage, il n'aurait accueilli cette offre qu'avec un enthousiasme relatif. La version singulière donnée par Gérard lui-même dans *Aurélia* (l'idée fatale de couper une bague trop grande pour le doigt de la bien-aimée) ne nous avance pas davantage dans la solution du mystère. Selon toute vraisemblance, c'est « un rien » qui a provoqué la rupture. Mais de ce rien Gérard, en proie à son complexe de culpabilité, a fait un crime; et ce rien a fourni à Jenny, décidée à rompre pour s'établir, l'occasion de congédier son étrange amoureux, qui était de fait bien compromettant.

De toute manière le couple était mal assorti. Si le Poète chante le plus souvent la chanson du mal aimé, c'est en vérité qu'il n'est point de la race des amants. Non seulement Gérard était de ceux qui demandent toujours pardon, attitude humiliée peu faite pour plaire, mais en vertu de sa sincérité excessive il était capable d'avouer sa désillusion, tout en mendiant pour lui le mensonge et la pitié. Selon K. Schärer, « l'admirateur s'invente au fur et à mesure des obstacles ». Parfois la plainte devient si pathétique, inspirée par une angoisse que le désir insatisfait ne suffit pas à expliquer : « Il y a comme un cercle de fer autour de mon front »; pis encore, la joie même s'exprime avec une telle intensité : « La tête se courbe en frémissant comme sous le souffle de Dieu », que Jenny était en droit de s'effrayer. J. Poirier a analysé avec l'intuition la plus fine « les lettres à Jenny ». De cette étude il ressort que Nerval ne rédige pas ses lettres d'amour d'un jet, contrairement à l'idée reçue, mais que, selon l'heureuse expression de Balzac, chaque lettre est « l'élixir de plusieurs lettres essayées, rejetées, recomposées ». Cette correspondance, née de l'introspection; est à la fois une manière de journal intime et un texte concerté en vue de l'effet à produire. Que Nerval souffre, qu'il verse « des larmes rouges », comme dira Gautier, il n'est pas moins certain qu'il joue avec un rêve, modelant une image tantôt de lui, tantôt d'elle, et qu'il savoure son tourment. « On se demande si les fêtes de l'imagination ne lui sont pas plus nécessaires que la possession, qui tue la poésie. » Mais qui ne voit que le narcissisme de l'amoureux constitue aux yeux de la femme la pire carence, puisqu'il lui inspire l'idée qu'elle est un prétexte, un instrument, et non un être aimé? Car celui qui « poursuit une image » manque de tendresse réelle et profonde. Gérard aimait un rêve, il aimait un type éternel vainement poursuivi à travers ses incarnations, il aimait aimer. La faille de cet amour apparaît en pleine lumière dans *Sylvie*, lorsque la comédienne déclare : « Vous ne m'aimez pas... Vous cherchez un drame, voilà tout... Ah! je ne vous crois plus. »

Dès l'époque de la liaison, le même thème se développait dans une pièce de théâtre que Gérard publia en 1839 et qui était inspirée directement par Jenny, sinon écrite pour elle, bien qu'on en ignore la date exacte de composition. Cette pièce, qui portera dans ses réimpressions le titre de *Corilla*, s'intitulait d'abord *les Deux Rendez-vous*. Dans *la Presse*, la pièce était désignée par le sous-titre d'intermède, « l'ensemble (étant) divisé en trois groupes de scènes destinées à être réparties dans les entractes d'une grande pièce ». Mais à l'origine, il s'agissait « d'un acte d'opéra-comique », où la bien-aimée aurait pu faire valoir tout son talent de chanteuse et de comédienne, puisque l'intrigue l'amenait à jouer un double rôle.

La prima donna Corilla [1] est en butte aux assiduités de deux poursuivants, un jeune seigneur et un poète. Elle les soumet l'un et l'autre à une épreuve, qui doit faire apparaître chez eux l'absence d'amour vrai. L'épreuve réservée au poète est celle du déguisement : l'étoile prend l'apparence d'une humble bouquetière, et ce subterfuge suffit pour que le poète ne la reconnaisse pas. Tout finit bien, comme l'exigeait le genre. Mais cette œuvre légère n'en est pas moins révélatrice. Avant l'Aurélie de *Sylvie*, la prima donna déclare à ses soupirants : « Je ne sais trop si aucun de vous m'aime, et j'ai besoin de vous connaître davantage. Le seigneur Fabio n'adore en moi que l'actrice peut-être, et son amour a besoin de la distance et de la rampe allumée ; et vous, seigneur Marcelli, vous me paraissez vous aimer avant tout le monde. »

Le texte est riche de suggestions plus significatives encore, et l'attachement que Nerval a toujours manifesté pour cette petite composition dramatique permet de penser qu'il y avait déposé son secret. L'action se situe dans le décor napolitain découvert au cours du voyage de 1834, et, avant *les Filles*

1. Gérard, qui lui avait donné d'abord le prénom espagnol de Mercédès, le changea en celui de Corilla, sans doute sous l'influence de *Consuelo*.

*du feu* ou *les Chimères*, nous y trouvons déjà Naples, le Pausilippe, la blonde aux yeux noirs et les roses : ce qui prouve que l'Italie est bien le décor du rêve d'amour nervalien. Mais surtout, lucide et objectif, Gérard discerne la raison de sa déception. Pour un névrosé de son espèce, il est plus facile de s'accuser soi-même que de découvrir et dénoncer les faiblesses de l'aimée. Nous ne verrons pas seulement un artifice de théâtre, ni même une tentative pour trouver une explication rationnelle à la hantise de la ressemblance, dans le fait que la prima donna et la petite bouquetière soient une seule et même femme; mais nous saurons y déceler le souhait le plus profond du cœur de Nerval. Le recours au double rôle est en effet l'expression détournée du désir que la bouquetière et l'artiste, loin de représenter deux formes d'amour inconciliables (ces deux formes que résument magnifiquement Marguerite et Hélène), soient les deux visages d'un seul amour. La courtisane doit être un ange; la femme fatale, une sœur de charité. Constatation essentielle, puisqu'elle permet de conclure que la déception de Nerval ne se réduit pas à mesurer l'écart infini qui sépare le Rêve et la Vie. Gérard, insatisfait par les amours faciles, rêve d'un grand amour. Mais, après avoir cru le trouver en la personne d'une actrice, il découvre son erreur, car la femme qui s'est offerte à lui ne possède pas les qualités que son rêve d'amour lui faisait exiger. « Ton cœur vaut mieux que le sien, peut-être », dit le poète à la bouquetière, et dans *Sylvie* le narrateur rappellera la leçon de son oncle : « Les actrices n'étaient pas des femmes... la nature ayant oublié de leur faire un cœur. » Pour Gérard, l'Amour est affaire de cœur. Dans les lettres à Jenny, il en est réduit à « façonner une âme » à l'aimée. Mais la bouquetière est aussi la fleur sauvage des champs, dont la sauvagerie garantit la simplicité et l'innocence. Fabio le poète souligne que sa passion à lui était grande et pure. L'actrice, malgré « le timbre si pur » de sa voix, ne possède point cette innocence. Ainsi la comédienne ne peut satisfaire non plus cette nostalgie de la pureté. De quelque côté qu'il se tourne, Nerval est donc condamné à souffrir : ou bien il juge que cet Amour est indigne de lui, mais que la Fatalité le force à aimer sans estimer; ou bien il se dit que Jenny est l'Amour de sa vie, mais qu'il lui faut connaître l'horreur de n'être pas aimé.

Reste un dernier problème, non moins mystérieux que les précédents : la fin de la liaison fut-elle pour Nerval « une grande douleur »? La psychologie d'un amant romantique n'est pas simple. Si les ultimes lettres le montrent « se refusant au désespoir », nous n'avons aucune preuve qu'il ressentit sur le coup de la rupture un terrible déchirement. L'échec d'une passion où l'imagination joue un rôle essentiel n'entraîne pas de toute nécessité ce déchaînement de rêves et de fables que suscitait l'espoir. Il est sûr du moins que le culte de Jenny avec son corollaire, un sentiment aigu de culpabilité, ne prendra naissance qu'à une date bien postérieure. Une fois encore se trouve confirmée l'action amplificatrice du temps sur cette imagination malade. Les confidences voilées qu'offre le début d'*Aurélia* invitent à supposer que Gérard, écarté par Jenny, mesura la vanité « d'un amour sans espoir ». Si le poète amoureux aperçut le bénéfice à tirer d'une passion qui l'apparentait à Dante ou à Pétrarque, s'il reconnut les prestiges du platonisme, ce parti ne le retint pas sur le moment. « Il ne me restait, ajoute-t-il sans détours, qu'à me jeter dans les enivrements vulgaires. »

# 3 LE GUIGNON

La collaboration avec Dumas s'étant révélée fructueuse, Gérard persévéra dans cette voie. Le 26 décembre 1837, avait été représenté au Théâtre Français *Caligula*, tragédie en vers de Dumas, à laquelle Gérard avait mis la main. Au cours de l'été 1838, les deux associés élaborèrent un vaste projet. Ils se rendraient l'un et l'autre en Allemagne, et leurs impressions de voyage leur fourniraient d'abord de la copie. Dumas donnera en 1841 ses *Excursions sur les bords du Rhin*, auxquelles Nerval du reste avait collaboré, puis en 1854 ses *Causeries d'un voyageur*. Gérard, avant de grouper ses souvenirs dans *Lorely*, les émiettera dans *le Messager* en 1838, *la Presse* en 1840 et *l'Artiste* en 1845. Cependant ils se documenteraient sur place pour une œuvre dramatique, *Léo Burckart*. Depuis longtemps une autre pièce était à l'étude, *l'Alchimiste*, si c'est bien là « la grande pièce » mentionnée dans une lettre de septembre 1836, « travail de tout notre été », précise Nerval. Harel, directeur de la Porte-Saint-Martin, qui s'était engagé à monter *l'Alchimiste*, avait avancé douze cents francs à Gérard, en acompte sur ses droits d'auteur. Dumas, parti le premier par la Belgique, lui avait donné rendez-vous à Francfort où il pensait « couver » leur drame; mais Gérard se fit attendre. Il avait passé par la Suisse pour gagner Baden et

Strasbourg. L'avance d'Harel ayant été vite gaspillée, il fut, faute d'argent, « cloué à Bade » à l'hôtel du Soleil jusque vers le 12 septembre. Heureusement Dumas lui envoya sept louis collés à la cire sur un sept de carreau. Par Carlsruhe et Mannheim, Gérard rejoignit Dumas à Francfort vers la mi-septembre. Leur séjour dans « la patrie de Gœthe » dura un mois environ. Les récits des deux compères ne s'accordent pas toujours, et ils semblent bien avoir l'un et l'autre laissé leur imagination vagabonder. Travaillèrent-ils à leur drame pendant ces « vacances »? Dans une lettre de Gérard à son père, où il se dit ravi de l'accueil qui lui est fait, il est question de fêtes, de soupers, de promenades, de parties de chasse, de spectacles. Son plaisir est tel que déjà il songe à se rendre à Vienne l'année suivante. Il s'intéresse cependant aux universités allemandes; non que les problèmes scolaires le passionnent, mais, en Allemagne, qui dit université dit alors société secrète et agitation révolutionnaire. Le médiocre Kotzebue, qu'il jugeait naguère si peu représentatif de l'âme allemande, l'attire, car l'auteur de *Misanthropie et Repentir* est mort tragiquement sous le poignard de Carl Sand. A l'origine de *Léo Burckart*, quoi qu'il en dise, se place le geste tragique de l'étudiant, et avec Dumas à Mannheim, à Heidelberg, il cherchera les traces de l'attentat de 1819.

En octobre, le couple des « voyageurs enthousiastes » regagne Paris. L'hiver pour Gérard s'annonce laborieux, mais riche de promesses. Deux pièces de théâtre vont voir le jour : en novembre, Dumas travaille sans relâche à l'achèvement de *l'Alchimiste*, et Gérard a fait recevoir *Léo Burckart* par A. Joly, directeur de la Renaissance, lequel l'a mis en relation avec Waleski. Ce dernier, authentique Napoléonide, dirigeait en attendant mieux *le Messager*, et Gérard grâce à lui put « n'être pas hors de la presse dramatique cet hiver ». Mais les choses se gâtent vite. Un imbroglio — mal débrouillé par les érudits — fait que *l'Alchimiste*, qui devait être représenté par Harel à la Porte-Saint-Martin, passe à la Renaissance d'A. Joly, cependant que *Léo Burckart* passe de la salle Ventadour à la Porte-Saint-Martin. A. Joly, qui avait ouvert son théâtre avec la création de *Ruy Blas*, exploitant le succès du drame hugolien, n'était pas pressé de modifier son programme : en novembre, il demande à Gérard de ne pas exiger la représentation de sa pièce. Nerval doit alors se tourner vers Harel, parce qu'il souhaitait voir *Léo Burckart* créé avant *l'Alchimiste.* Mais au moment où Harel accepte le troc des deux pièces, la censure s'en mêle. Grâce à J. Richer nous possédons le procès-verbal de censure qui obligeait Gérard à refondre son drame.

Cependant, son ami Maquet rêvait lui aussi de succès au théâtre et avait sur le métier *Un soir de carnaval.* Comme il cherchait un collaborateur, Gérard le lui trouva en la personne de Dumas, et fut ainsi à l'origine d'une collaboration fameuse entre toutes. La pièce refaite par Dumas est reçue par A. Joly et donnée par lui à la Renaissance en janvier 1839, lorsque *Ruy Blas* quitte l'affiche. A. Joly met alors en répétition *l'Alchimiste.* De son côté, Nerval, entre décembre 1838 et février 1839, s'est hâté de remanier la première version de *Léo Burckart*, et Harel aussitôt de monter le drame. En sorte qu'en mars 1839 Gérard doit mener de front les répétitions des deux pièces. Celles-ci sont créées à quelques jours d'intervalle : *l'Alchimiste*, le 10 avril 1839, *Léo Burckart*, le 16. Malgré tous ses efforts, Gérard n'avait pas réussi à faire passer d'abord le second drame; en vertu de l'accord conclu naguère, Dumas, qui avait déjà signé de son seul nom *Piquillo*, fit de même pour *l'Alchimiste*, avant que Gérard eût avec *Léo Burckart* la joie de lire son nom sur les affiches.

La part qui revient à chaque collaborateur dans l'élaboration de chaque drame pose un problème. Touchant le second, Dumas, selon Gérard, s'est borné « à des conseils pour la composition ». On serait tenté d'augmenter la contribution de Dumas dans *l'Alchimiste*, aussi bien en raison de la « parfaite construction scénique » que de la vulgarité mélodramatique de l'épilogue. Le sujet de ce drame en vers, nous apprend J. Richer, est, du reste, tiré d'un conte de Grazzini, transformé en pièce de théâtre par l'Anglais Milman. Mais dans l'œuvre d'autrui Nerval a pu retrouver ses hantises, et les deux premiers actes offrent la situation chère à l'auteur de *Nicolas Flamel*, de *Faust* et de *l'Imagier de Harlem.* Fasio, le héros, chercheur d'idéal, se sent partagé entre son amour pour Francesca, l'épouse simple et douce, et Maddalena, la courtisane aux traits angéliques qui incarne la Fantaisie. Avec G. Poulet, nous reconnaîtrons l'accent nervalien dans les vers remarquables — qui figurent cependant au quatrième acte :

> Mon ancienne existence à mes yeux s'est offerte
> Comme un fantôme aimé, pâle, mais toujours beau
> A qui Dieu permettrait de sortir du tombeau.

*Léo Burckart* est une œuvre d'une tout autre importance. De même que dans *l'Alchimiste* l'élément occulte offre peu d'intérêt, dans *Léo Burckart* nous apprécions aujourd'hui médiocrement l'évocation des sociétés secrètes et l'utilisation mélodramatique de la couleur locale. Mais Gérard s'est mis tout entier dans ce drame. Léo Burckart, journaliste progressiste, est appelé par son souverain au poste de premier ministre. Il découvre alors les nécessités du pouvoir, si bien qu'il doit sacrifier son amour de la liberté au « maintien des lois ». Il fait aussitôt figure de traître aux yeux des étudiants, qui décident sa perte. A Léo s'oppose Frantz, enfant du siècle, frère du Franck de *la Coupe et les lèvres.* Frantz dans son adolescence avait aimé Marguerite, mais il est obligé de quitter Francfort et à son retour retrouve Marguerite mariée à Léo. Comme il fait partie d'une société secrète d'étudiants, il est désigné par le sort pour frapper Léo le renégat. Mais il recule devant l'action comme Hamlet et Lorenzaccio, et, après avoir avoué son amour à

Marguerite, se tue. Cependant, le dictateur, croyant son foyer menacé, renonce au pouvoir pour défendre son bonheur domestique, et il a la joie de découvrir que Marguerite n'a pas cessé de l'aimer. On a souligné la faiblesse des héros et montré que Léo Burckart, ce « rêveur stérile », est sans doute plus révélateur que Frantz lui-même de la faiblesse de l'auteur. Mais l'échec n'est pas évident. Il est permis d'observer que Léo ne réussit pas en raison de sa probité foncière. Il refuse de « se salir les mains ». En lui faisant sacrifier le pouvoir à la vie de famille, la politique à l'amour, Nerval propose une échelle de valeurs qui n'est pas méprisable *a priori.*

Les deux pièces bénéficièrent d'une interprétation éblouissante. Le grand Frédérick Lemaître tenait le rôle de l'alchimiste, Mélingue et Raucourt les deux principaux rôles de *Léo Burckart.* Mais le succès ne répondit pas à l'attente de l'auteur. *L'Alchimiste* ne lui rapporta que douze cents francs, et *Léo Burckart* n'eut qu'un succès modeste, vingt-six représentations, Harel ayant lésiné sur les décors. Pour Gérard, le guignon se présenta désormais sous l'aspect de l'échec au théâtre.

Il semble avoir traversé au cours de l'été 1839 une période de dépression et aussi de gêne. Pour faire face à ses difficultés, il publie tout ce qu'il peut, et par tous les moyens. Il donne à *la Presse les Deux Rendez-vous*, puis *Léo Burckart.* Aussitôt après sa publication en revue, la pièce paraît en librairie, gonflée d'un appendice sur les universités d'Allemagne, travail de compilation hâtif. Enfin il fait appel à un « nègre », et Maquet, sans doute par reconnaissance, écrit sur commande deux œuvres qui figureront par la suite dans *les Illuminés* et *les Filles du feu : le Roi de Bicêtre*, intitulée d'abord *Biographie singulière de Raoul Spifame* et signée du pseudonyme d'Aloysius; et d'autre part *Émilie*, intitulée *le Fort de Bitche.* Quelle que soit la part de Maquet, le choix des sujets appartient à Gérard. Dans *Émilie*, le psychanalyste retrouve, transposé du reste comme dans *Léo Burckart*, le conflit du fils contre le père, mais désormais le fils est vaincu; et on ne lit pas sans surprise *le Roi de Bicêtre*, car en peignant cet étrange dément Nerval a décrit d'avance sa propre folie.

Le voyage était pour ce mélancolique un remède éprouvé. Il décide alors de satisfaire le désir, qu'il formulait l'année précédente, de se rendre à Vienne, et, faisant d'une pierre deux coups, de voyager aux frais de l'État. Nous touchons ici à un point délicat de la biographie. En 1850, il sera attaqué avec violence dans *le Corsaire* : « Pas un homme de lettres n'ignore, lit-on dans un article polémique, que, sous la monarchie de Louis-Philippe, M. Gérard de Nerval était plus royaliste que le roi... Il obtenait des missions du ministère de l'Instruction publique. » Nerval protestera, niant dans un article de *la Presse* toute mission proprement dite; mais J. Richer et G. Rouger, à la suite d'une enquête serrée, ont dû mettre en doute les dénégations du poète. G. Rouger a découvert qu'avant même de collaborer à *la Charte de 1830*, le journal de Roqueplan qui soutenait la politique de Guizot, Nerval, au temps de la déconfiture du *Monde dramatique*, avait accepté d'être, sinon le directeur, du moins le collaborateur du *Carrousel*, revue lancée en mars 1836 pour concurrencer *la Mode*, violemment hostile à la monarchie de Juillet. La participation de Gérard est anonyme, ses articles anodins, mais il ne pouvait ignorer l'esprit du nouveau périodique. Le fait que la censure se soit montrée exigeante ne prouve pas une mésentente entre le pouvoir et lui. Lui-même déclare que l'envoi des manuscrits des pièces de théâtre à la censure était « selon l'usage », et, à supposer que le sujet de *Léo Burckart* fût audacieux, l'auteur n'en accepta pas moins docilement d'apporter les modifications qui « rendraient, ainsi que souhaitaient les censeurs, l'effet de cet ouvrage plutôt utile que nuisible ». Voulut-il tirer parti du préjudice qu'il subissait par le retard de la représentation? Les hagiographes seuls prétendront qu'il en était incapable. J. Richer suggère que, du moins, les discussions à propos de sa pièce le mirent en rapport avec les bureaux du ministère. « Il semble avoir obtenu sa mission en Autriche grâce à la protection de M. Lingay, secrétaire de Guizot, que lui fit connaître Th. Gautier. Par l'intermédiaire de Lingay ou sur la recommandation directe de V. Hugo, Nerval entra en relation avec le cabinet du comte Duchatel, ministre de l'Intérieur, et, en particulier, avec Mallac, alors chef de cabinet du ministre, et avec E. Leclerc, secrétaire particulier de Duchatel. Il fut, semble-t-il, chargé de renseigner les ministres de l'Intérieur et de l'Instruction publique sur la presse allemande et autrichienne, sur l'état des esprits en Allemagne, sur la contrefaçon littéraire ; il devait peut-être aussi étudier des questions commerciales. » « J'ai reçu six cents francs en partant, et la fin du mois doit m'en apporter autant », écrira-t-il à son père.

Il quitte Paris le 31 octobre 1839 et n'arrive à Vienne que vingt jours après. Le voyageur nonchalant qui « aime à dépendre un peu du hasard » avait hésité entre deux itinéraires, par l'Italie ou la Suisse. Mais à Lyon il bifurque vers Genève, traverse le lac, débarque à Lausanne et se rend à Bâle, la plus belle ville de Suisse à son goût. Puis il gagne Zurich, Constance, et par Lindau parvient à Augsbourg. Après une halte à Salzbourg et à Linz, il arrive à Vienne le 19 novembre. Il y séjournera trois mois et dix jours. Avant d'évoquer son étonnante activité dans la capitale autrichienne, représentons-nous le poète de trente ans d'après le portrait laissé par Ph. Audebrand : « En 1840, Gérard conservait l'allure jeune et les manières chevaleresques dont a fait parade la génération de 1830. Il portait la barbe en bouc, une barbe châtaine qui le faisait ressembler à un portrait peint par Van Dyck. Sa figure, légèrement émaciée, était animée d'un regard plein de feu et imprégnée d'un peu de malice. De taille moyenne, un peu frêle sans être maigre, il était mis comme devait être, à cette époque, un écrivain déjà fêté par le succès, pas trop d'élégance, pas trop de négligence non plus. »

❧❧❧

Gérard s'acquitta fort consciencieusement de sa mission, et il est regrettable qu'une seule lettre à Mallac ait été retrouvée, car il y fait montre d'une intelligence politique d'où ressort la variété des dons reçus par ce prétendu rêveur. Son « germanisme », en particulier, ne le conduit pas à se leurrer sur l'Allemagne et les tendances pacifiques de celle-ci : « On s'exagère peut-être en France l'influence des idées françaises sur l'Allemagne, et des publicistes de l'opposition nous montrent toujours des légions allemandes nous tendant les bras de l'autre côté du Rhin. C'était l'erreur aussi des républicains de 93... » Il analyse avec autant de sagacité « les prétentions de la Russie », et souhaite que la politique extérieure de la France contrecarre « l'alliance du Nord ». Il est d'autre part choqué par le régime « extrêmement despotique » qui règne dans « la Chine de l'Europe » : l'homme de lettres, restant malgré tout épris de liberté, souffre de la contrainte étouffante qui pèse sur ses frères en esprit.

Mais il était très dépensier. Comme on l'a noté justement, il avait « ce goût... qui est onéreux, de vouloir passer pour riche ». Il s'ingénie à la fois à « taper » son père, auquel il adresse alors de subtils plaidoyers, et à tirer parti de sa plume. Ce qui lui permet au surplus de donner le change à la censure autrichienne. Il envoie régulièrement à *la Presse* des articles brillants qu'il signe Fritz, repris plus tard dans le *Voyage en Orient*, et où il ne faut pas chercher assurément un récit authentique de son séjour. Il avait naguère fait la connaissance à Francfort d'A. Weill, français d'origine et rabbin défroqué, qui gagnait péniblement sa vie comme rédacteur au *Journal de Francfort français.* Il le décida à se rendre à Paris pour commencer une vie nouvelle et s'entremit de son mieux pour le faire connaître. Ils sympathisèrent dès l'abord, et, raconte Weill lui-même, « cette amitié a duré jusqu'à sa mort ». D. Saurat a vu en Weill l'initiateur de Hugo à la Kabbale. Sans doute contribua-t-il à documenter Nerval sur ces problèmes éminemment ésotériques, bien que leurs relations à Vienne semblent se placer sur un tout autre plan. Gérard, en effet, avait eu la joie de retrouver en Autriche son ami qui servait de secrétaire intime à Bériot, le fameux violoniste, époux de la Malibran. C'est grâce à lui qu'il se lia avec le journaliste Saphir et put placer des articles dans les journaux viennois : on a découvert une série d'études publiées dans *Die Allgemeine Theaterzeitung.* La passion du théâtre ne le quittait pas, et une lettre adressée au librettiste Saint-Georges le montre en quête de sujets. Déjà, il avait essayé de mettre sur pied avec la collaboration de ce nouvel associé un drame intitulé *le Magnétiseur*, inspiré d'un conte de Hoffmann, et la rencontre à l'ambassade d'un Allemand magnétiseur lui remet son projet en tête. Il lui propose encore un autre sujet « d'après une pièce populaire de Léopoldstadt ». Il écrit également à Monpou, le musicien de *Piquillo* : « N'ayant pas grand'chose à faire ici, j'ai souvent pensé, rêvé à des opéras. » Projets en l'air, car, ailleurs, se contredisant, il se plaint de ne pas travailler aussi bien qu'il le souhaiterait.

C'est que Vienne est légendairement la ville du plaisir. « La pensée et le travail ne se conçoivent pas dans l'atmosphère matérielle de cette bonne capitale », déclare-t-il à Janin. A l'instar de Paris, Vienne offre la gamme de tous les divertissements, et Gérard entend n'en laisser passer aucun. Comme à Paris, il goûte les joies du vagabondage. Il fréquente assidûment les endroits populaires : petits théâtres, tavernes et bals. Les amours de Vienne sont des amours faciles.

Mais que contiennent d'authentique les récits légers du *Voyage en Orient?* Le scepticisme s'exerce sur deux points, à vrai dire contradictoires : ses aventures avec Katty ou Vhahby le font soupçonner de s'attribuer les exploits d'autrui, de son ami Weill en particulier; mais comme sous sa plume ces mêmes aventures restent étonnamment pudiques, faut-il croire qu'il se contenta de prémices, et qu'il ne répondit pas à l'invite de Théophile? « Dans ta première épître, tu prétends ne connaître les Viennoises que de vue, ce qui est bien immatériel; tu dois maintenant être passé à d'autres exercices. » Weill lui attribue sans ambages une maîtresse aux appas débordants et « qui faisait l'amour en latin ».

Mais il ne s'en tient pas « aux beautés de bas lieu ». Il fréquente aussi le grand monde, car il est reçu à l'ambassade de France : par un hasard heureux, notre ambassadeur n'était autre que le traducteur de *Faust*, Saint-Aulaire. Le voici à même de côtoyer les Schwartzenberg et les Esterhazy, et le maréchal duc de Raguse, et M. de Metternich lui-même. L'ambassade s'amuse : « Nous jouons des proverbes où je ne sais pas mes rôles, conte Gérard à Dumas, devant un parterre de princes et de souverains. » Il a raconté dans *Pandora* comment il fit un jour manquer la représentation par une absence de mémoire; mais, comme il le rapporte encore lui-même — et sa modestie permet d'ajouter foi à l'éloge qu'il se décerne : « Ton ami passe... pour un causeur agréable... On se plaint qu'il parle peu; mais, quand il s'échauffe, il est très bien! ». C'est ainsi que le destin allait le soumettre à une nouvelle épreuve.

A Vienne, la musique était reine : compositeurs et virtuoses affluaient, à tel point que notre ambassadeur se moquait de « cet embarras de pianos ». Gérard put entendre Bériot, Liszt, Anna Ludlow et Marie Pleyel. Celle-ci, « déesse du piano », était l'amie de Janin, et Gérard, sachant la présence à Vienne de la virtuose, avait demandé au journaliste des *Débats* une lettre de recommandation. Mais il n'ose pas s'en servir. Il rencontre cependant la belle pianiste à la table de Saint-Aulaire. « Son visage, ses yeux, sa voix, son sourire » impressionnent profondément le poète altéré d'amour, et, bien que cette « physionomie toute romantique et espagnole » ne correspondît point à son type de femme, puisque Marie était maigre et brune, Gérard lui fait la cour. Qu'advient-il alors? C'est une nouvelle énigme et, malgré l'ingéniosité des commentateurs, l'enquête n'a conduit à aucune certitude. Ce qui tout à la fois attire et gêne biographes et psychologues est que le héros lui-même évoque cette aventure sur des tons très différents. En dehors de quelques allusions à Marie Pleyel dans la correspondance, et qui ne permettent aucune conclusion, mention est faite de la rencontre dans un fragment publié en 1841 par la *Revue de Paris*, annexé plus tard au *Voyage en Orient* sous le titre *les Amours de Vienne;* puis dans *Pandora*, à laquelle il faut joindre d'importantes variantes; enfin dans le premier chapitre d'*Aurélia*. Le ton plus apaisé d'*Aurélia* contraste aussi bien avec la légèreté désinvolte des *Amours de Vienne* qu'avec la fureur et l'épouvante qui caractérisent la version de *Pandora*.

« La déesse du piano » devient en effet « l'artificieuse Pandora ». Nerval a sans doute transposé l'événement, en sorte que tel commentateur, induit en erreur, a cru que la cruelle s'identifiait à Jenny. Mais la transposition est trop simpliste (la scène passe seulement d'Autriche en Italie) pour qu'on puisse hésiter. « L'artificieuse Pandora » est bien Marie Pleyel. Dès lors, comment concilier cette fureur et la profession d'amitié sur laquelle s'achève le chapitre d'*Aurélia*? C'est que sous cette amitié de surface, répondent les psychologues, se cachait une rancune féroce, qui éclate aussitôt que l'écrivain dément cesse de se contrôler. Pourquoi cette rancune? Les partisans de l'impuissance ont ici beau jeu. La cour faite par Gérard aurait été couronnée de succès : la belle aurait été sur le point de céder à son admirateur, qui alors se serait dérobé. Humiliation sanglante, qui explique la fureur de *Pandora.* « De quoi est-elle coupable, note L.-H. Sébillotte, sinon de lui avoir ouvert les yeux sur la cause véritable de ses échecs? » Il est aisé d'objecter que la rencontre avec Marie Pleyel a été soumise à un complexe travail d'élaboration, analogue à celui qui a transformé la rencontre à Marseille de la femme du vieux militaire, la nuit d'amour avec la brodeuse de Naples, et toute l'aventure avec Jenny. Ici encore, pour que l'incapacité de conquérir une femme apparaisse comme une malédiction, il faut laisser faire le temps. Il importe donc d'élucider ce qui se passa, non en 1840, mais à l'heure où Gérard écrivit *Pandora.* Si à cette époque la thèse de L.-H. Sébillotte semble indiscutable, lors des événements de 1840 rien ne s'oppose à ce que nous acceptions la version d'*Aurélia*, qui a toutes les apparences de la vérité.

Marie Pleyel était « habituée à plaire et à éblouir ». Nerval est entraîné sans peine dans le cercle de ses admirateurs. C'est ainsi qu'il traduit un article élogieux consacré par Saphir à la belle pianiste. Après une soirée où Marie était apparue à la fois naturelle et pleine de charme, Gérard se sent si épris qu'il avoue son amour dans une lettre passionnée (il laisse entendre qu'il utilisa pour la circonstance certaines formules des lettres à Jenny). Marie, le lendemain, se montre à la fois touchée et quelque peu surprise de cette « ferveur soudaine ». Mais, à l'instant de plaider sa cause, Gérard ne retrouve plus la ferveur qui avait animé sa plume et découvre qu'il s'est trompé. Pourquoi? Inutile de faire intervenir le culte pour Jenny, qui à cette date serait prématuré. Il s'est illusionné. Il a pris pour de l'amour, comme il le suggère finement, sa joie « de sentir son cœur capable d'un amour nouveau ». Puis Marie ne répond pas à son type de femme. Sa simplicité lui dicte alors l'attitude la moins maladroite : il avoue avec larmes à

Marie qu'il s'est trompé lui-même en l'abusant, il confie son grand amour pour Jenny et sa déception. Marie, toute coquette qu'elle fût, était bonne. « Mes confidences attendries eurent pourtant quelque charme et une amitié plus forte dans sa douceur succéda à de vaines protestations de tendresse. » Une lettre de Marie Pleyel à Janin, dans laquelle il est fait mention de Nerval, a été retrouvée. Elle ne dément pas cette version de l'aventure. Comme le note fort justement J. Poirier, « elle permet d'entrevoir les manières provocantes et câlines de la déesse du piano ». Lorsque Marie appelle Gérard « ce bon petit Gérard », ce ton un peu protecteur confirme ce que comportait de puéril l'attitude prise par le héros au cours de la scène, tout en restant compatible avec une réelle sympathie de la part de l'héroïne.

Le 28 février, il annonce à Monpou qu'il compte être à Paris dans une dizaine de jours. Il avait songé à poursuivre son voyage jusqu'à Venise ou même Constantinople, mais sans doute n'obtint-il pas les subsides qu'il espérait. Faute d'argent, il fait à pied une partie du chemin de retour. Il arrive à Strasbourg le 13 mars, après avoir traversé le Wurtemberg et le duché de Bade. Une semaine après, il se retrouve à Paris.

La besogne ne lui manque pas. Son ami Théo venant de partir pour l'Espagne, il assure l'intérim et se charge de mai à octobre du feuilleton dramatique de *la Presse*. L'obligation d'assister aux représentations et d'en donner le compte rendu constituait, dira-t-il, une « terrible besogne ». Ses impressions de voyage lui fournissaient aussi matière à nombreux articles, et, continuant la série commencée en Autriche, il évoque capricieusement son voyage de Paris à Vienne, son hiver dans la capitale autrichienne, et même son voyage en Allemagne de 1838.

Depuis son retour, il avait au surplus « traduit et analysé le *Second Faust* de Gœthe » et il peut en juin publier une troisième édition de *Faust* suivie du *Second Faust*, des poésies allemandes traduites en 1830 et des poésies diverses parues après cette date. Passons sur le différend qui l'oppose, lui et son éditeur Gosselin, à Charpentier, éditeur de la traduction de Stapfer, pour retenir seulement que le malheureux crut qu'on voulait discréditer son œuvre. On ne sait pas d'une façon sûre à quel moment il découvrit le *Second Faust*. Selon F. Baldensperger, il resta longtemps sans connaître le *Faust* complet. Les articles de Blaze publiés en 1839 par la *Revue des Deux-Mondes* attirèrent-ils son attention? Il est naturel de penser qu'il s'en occupa activement à Vienne. Il avait trouvé à cette seconde partie « des difficultés inouïes », et renoncé à donner une traduction intégrale. Il s'est attaché à traduire la partie du *Second Faust* publiée dès 1827, sous le titre d'*Hélène;* mais pour le reste, qui ne forme plus « cet ensemble harmonieux et correct qui a fait du premier *Faust* un chef-d'œuvre immortel », il s'est contenté d'en donner une analyse détaillée, mêlée des scènes les plus remarquables entièrement traduites (celle de la mort de Faust en particulier).

Qu'il ait choisi de traduire ce qui était le plus aisément accessible au public français, la chose va de soi. Mais, non moins certainement, l'épisode d'Hélène exerça sur lui une fascination aussi profonde que les œuvres de Hoffmann ou de F. Colonna, comme le prouve la préface jointe à la traduction. Cette préface revêt une importance extrême. Et non pas seulement parce qu'elle révèle une pensée beaucoup plus riche que celle de 1827, ni parce qu'elle donne du *Faust* une interprétation toute différente de l'exégèse catholique de Blaze : elle apparaît comme le testament spirituel de Nerval parvenu « in meddio del camin' della vita ». C'est dire qu'il ne s'agit pas d'un simple commentaire, si pertinent ou profond qu'il soit. L'introduction à l'œuvre de Gœthe est l'aboutissement de plusieurs années de méditations angoissées, qui restent hélas! mystérieuses.

Si tant de critiques tombent dans le travers d'attribuer à Nerval, au cours des événements qui précèdent la crise fatale, les sentiments exaltés ou les idées bizarres que lui inspirent ces mêmes événements, lorsqu'il les évoque dans la lumière noire de la folie, si donc il a pu voir à Vienne le portrait de l'archiduchesse Sophie, ou parcourir le parc de Schoenbrunn sans connaître le trouble qu'il s'attribuera par la suite, il est plus absurde encore de vouloir qu'un homme nouveau soit sorti de la démence. Le bon Gérard, l'humoriste tendre, a été victime du mal du siècle, et ce n'est pas tomber dans le premier travers dénoncé à l'instant que de définir son tourment à l'aide de l'analyse qui figure au début de *Sylvie*, puisqu'on retrouve les mêmes thèmes dans certains couplets de Frantz, le pâle héros de *Léo Burckart*, puis dans la préface même de *Faust*, et auparavant dans *l'Éclipse de lune* traduite de Jean-Paul.

L'enfant du siècle est pareil à Euphorion, qui ne peut vivre en repos; « il veut tout embrasser, tout pénétrer, tout comprendre, et finit par éprouver le sort d'Icare ». Ce tourment est pour une large part d'ordre religieux. Ce qui a été n'est plus, ce qui sera n'est pas encore, répètent à l'envi les romantiques pour expliquer leur incertitude. Nerval insiste plus volontiers à la façon de Jean-Paul sur le combat qui se livre en lui entre le « mauvais génie du XVIII^e^ siècle » et le « génie de la Religion ». Les détails qu'il donne dans *Aurélia* sur sa première éducation religieuse — à l'influence du grand-oncle suspect d'illuminisme s'oppose celle d'une tante demeurée pratiquante — prétendent expliquer cette « irrésolution qui s'est souvent unie chez (lui) à l'esprit religieux le plus prononcé ». Il voudrait croire, mais, si la critique voltairienne empêche une adhésion pure et simple à la parole du Christ, la raillerie corrosive ne tue pas ce désir d'éternité qui sourd du plus profond de notre être, ni ce tremblement devant « l'infini toujours béant ». Le voici tiraillé entre la terre et le ciel, condamné à l'intenable situation du mystique qui doute. Une exigence de savoir, qu'il explique encore par l'influence du XVIII^e siècle, lui fait rejeter le « credo quia absurdum », et n'admettre comme attitude religieuse que la gnose. Le besoin de faits tangibles l'oriente sans cesse vers des recherches occultes : magie, théurgie, alchimie, astrologie. Le recours à l'illuminisme s'allie naturellement à une attitude syncrétique qui suppose l'unité de la tradition religieuse. Au cours d'une soirée chez Hugo, place Royale, quelqu'un s'exclamant : « Mais, Gérard, vous n'avez aucune religion ! » — « Moi, pas de religion? réplique le poète, j'en ai dix-sept... au moins ! » La quête du théosophe romantique aboutit à ce qu'il appelle le panthéisme moderne, dont Gœthe lui paraît un pur représentant : Dieu est dans tout. Mais ce paganisme modernisé pouvait-il satisfaire son cœur inquiet? Comme tant d'autres romantiques, Nerval est « un homme de désir ». Dans *Léo Burckart*, Gautier nous invite à voir l'œuvre « d'un poète enivré à la coupe capiteuse du mysticisme allemand ». La préface comme aussi le texte du *Second Faust* opposent à cette inquiétude une espérance. Gœthe lui a enseigné que « le génie véritable, même séparé longtemps de la pensée du ciel, y revient toujours, comme au but inévitable de toute science et de toute activité ».

Pareil à Faust, il n'aspire plus qu'à « la connaissance des choses surnaturelles et ne peut plus vivre dans le cercle borné des désirs humains ». Son angoisse se traduit en particulier par la hantise du passé, la crainte de le voir à jamais aboli. La puissance du souvenir est-elle assez forte contre le néant? Avec quel enthousiasme il découvre la perspective que lui ouvre Gœthe : « Il serait consolant de penser en effet que rien ne meurt de ce qui a frappé l'intelligence, et que l'éternité conserve dans son sein une sorte d'histoire universelle, visible pour les yeux de l'âme, synchronisme divin, qui nous ferait participer un jour à la science de Celui qui voit d'un seul coup d'œil tout l'avenir et tout le passé. » L'épisode des Mères offre des espérances plus consolantes encore à celui qui depuis qu'il est au monde se juge sevré d'amour : Gœthe invite non seulement à penser que les âmes conservent après la mort leur individualité, mais même que les vivants, *hic et nunc*, peuvent entrer en communication avec ces âmes. « S'il est vrai, comme la religion nous l'enseigne, qu'une partie immortelle survive à l'être humain décomposé, si elle se conserve indépendante et distincte, et ne va pas se fondre au sein de l'âme universelle, il doit exister dans l'immensité des régions ou des planètes où ces âmes conservent une forme perceptible aux regards des autres âmes, et de celles mêmes qui ne se dégagent des liens terrestres que pour un instant, par le rêve, par le magnétisme ou par la contemplation ascétique. » Gœthe pousse la hardiesse jusqu'à dépasser tous les espoirs du romantisme, de l'occultisme ou du mysticisme, puisqu'il suggère que les âmes peuvent « reprendre une existence visible plus ou moins longue ». Faust retrouve Hélène et l'entraîne dans son monde à lui, triomphant de la mort et du temps. Et pour descendre chez les Mères, à l'homme, à l'homme seul de le vouloir; l'enfer n'a pas de part à cette conquête! Le lyrisme du commentaire prouve qu'ici l'esprit de Nerval a rencontré un thème accordé à ses aspirations, d'autant plus que son cœur inquiet peut trouver une promesse de paix dans le mythe exemplaire. Tandis que pleuvent les roses, l'esprit qui toujours nie profère malgré soi des paroles de désir et d'amour. « On prévoit que le Diable un jour sera pardonné selon le vœu de sainte Thérèse », et déjà Faust, âme sublime, échappe aux suppôts de l'enfer. En priant l'image de Mater Dolorosa, Marguerite obtient son pardon. En revanche, Hélène ne figure pas aux côtés des saintes qui implorent la souveraine céleste, mais pour

Nerval la beauté fatale doit être capable elle aussi de pardon, et dans le séjour béni jouer le rôle de médiatrice. Le rêve de son cœur sera de parachever le mythe en conduisant Hélène, la beauté fatale, au paradis. Cette conclusion jette quelque lumière sur son véritable secret. Le poète mystique demeure foncièrement un être charnel; son Idée de la Femme est l'image d'un corps glorieux.

❧❧❧

Le retour de Gautier en octobre 1840 permit à Gérard de partir à son tour en voyage. Il allait « chercher des sujets de feuilleton ». Son intention était de gagner au plus vite la Hollande, après un arrêt à Bruxelles où J. Colon devait créer *Piquillo*. Mais le mauvais temps le détourna de son projet. Bien qu'il se soit rendu sans hâte dans la capitale belge, visitant Lille, Cambrai, puis, après un premier arrêt à Bruxelles, Malines et Anvers, il arriva encore trop tôt, car une série de contretemps fit retarder la représentation au 15 décembre. Ce retard lui permit de visiter Gand et Liège, mais surtout de travailler.

Sans la correspondance, nous ignorerions que la traduction des poésies de Heine publiées en 1848 remonte à une date bien antérieure. Heine s'était fixé à Paris dès le printemps de 1831. On ne sait pas d'une façon sûre à quel moment Nerval commença de le fréquenter. A. Weill s'est flatté en 1881 d'avoir « contribué de (son) mieux à la liaison intime de Gérard avec Henri Heine », et la venue de Weill à Paris date, nous l'avons dit, de 1838. Mais Heine était déjà lié avec Gautier, qui déclare lui-même avoir été présenté au poète allemand peu de temps après l'arrivée de celui-ci à Paris, et lui avait consacré plusieurs articles. Avant le voyage de Belgique, Nerval s'était mis d'accord avec Heine pour publier une traduction de ses poésies. Dans la lettre qu'il adresse de Bruxelles à son confrère, il laisse entendre que cette traduction paraîtra dès son retour. On ignore pourquoi elle dut attendre huit ans. Gérard compte sur l'aide de l'auteur pour parfaire son travail, car le traducteur « éprouve parfois de grandes difficultés ». Cette influence corroborait d'autant mieux le « germanisme » de Nerval que celui-ci découvrait en un poète vivant et proche une âme fraternelle qui souffrait des mêmes angoisses. Gérard ne devait-il pas se reconnaître lorsque Théophile définissait l'émigré : « Un sceptique du XVIII^e siècle, argenté par le doux rayon bleu du clair de lune allemand »?

Cependant sa situation pécuniaire, assez brillante au départ, se trouve bientôt compromise par des dépenses inconsidérées, en sorte qu'il cherche à obtenir « la continuation de (sa) mission de l'année dernière ». Le sort le favorisait, puisqu'un changement de ministère ramenait au pouvoir ses protecteurs, Duchatel et Mallac. Il demande à être chargé d'une enquête sur la contrefaçon des livres français en Belgique. « L'essentiel de ses propositions, d'ailleurs judicieuses, à ce sujet, remarque J. Richer, se ramenait à demander au gouvernement belge un arrêté assimilant la propriété littéraire à la propriété commerciale et industrielle. »

Il avait été fort bien accueilli en Belgique. La sortie récente d'une édition belge de *Léo Burckart*, avant la représentation même de *Piquillo*, lui avait valu quelque renommée, et il passe, dit-il, ses soirées « au milieu des sociétés les plus charmantes ». Or, voici qu'au moment où J. Colon répète *Piquillo* à Bruxelles, il retrouve dans la capitale belge Marie Pleyel, qui venait de quitter Vienne. Nous ne disposons malheureusement que du seul témoignage d'*Aurélia*, mais nous accepterons le rôle bienfaisant attribué à la « déesse du piano » : « Je la rencontrai dans une autre ville où se trouvait la dame que j'aimais toujours sans espoir. Un hasard les fit connaître l'une à l'autre, et la première eut occasion, sans doute, d'attendrir à mon égard celle qui m'avait exilé de son cœur. De sorte qu'un jour, me trouvant dans une société dont elle faisait partie, je la vis venir à moi et me tendre la main... J'y crus voir le pardon du passé. » Ainsi Jenny lui a pardonné.

Le 15 décembre, *Piquillo* est donné avec succès. Comme naguère, Gérard aussitôt se multiplie pour procurer à son interprète des comptes rendus élogieux, aussi bien en Belgique qu'en France. Chercha-t-il à séduire de nouveau l'artiste mariée? Est-ce dans cet espoir qu'il s'attarde à Bruxelles? Il écrit plus prosaïquement à son père : « La vie n'est pas chère et j'ai envoyé mes feuilletons tout aussi aisément qu'ailleurs. » (Il s'agit de ses articles sur Anvers, Liège et Bruxelles, qui paraîtront dans *le Fanal* et *la Presse* au début de l'année suivante.) Mais il part subitement pour Paris, alors que le 23 décembre il déclarait à son père ne pouvoir revenir qu'en janvier. Est-il nécessaire de supposer une nouvelle rupture avec Jenny? Nous lisons dans *Aurélia* : « Un devoir impérieux (me) forçait de retourner à Paris, mais je pris aussitôt la résolution de n'y rester que peu de jours et de revenir près de mes deux amies. » Ce devoir impérieux n'était autre qu'une dette, car depuis la déconfiture du *Monde dramatique* Gérard traînait un créancier à ses trousses. Le 3 janvier, il écrit à son ami Stadler : « J'aurai l'argent ! »

Alors éclate le drame que rien en vérité ne pouvait faire soupçonner. « Il y avait longtemps sans doute que l'équilibre mental était dérangé chez Gérard, avant qu'aucun de nous s'en fût aperçu », avoue Gautier. L'excentricité était à la mode, et chacun appréciait la fantaisie de Nerval, le charme de ses propos divagants ou de ses gestes insolites. Gautier encore suppose que promenades et voyages étaient pour le malheureux une détente lorsqu'il se sentait trop exalté. « J'ai déjà éprouvé il y a longtemps de semblables attaques de nerfs », écrira Gérard au cours de son premier internement. Mais il déclarera aussi bien à son père que le mal l'a pris au dépourvu. Avec M.-J. Durry, nous reconnaîtrons honnêtement que « nous ne pouvons pas plus suivre la marche intérieure de la maladie que sa préparation avant la crise ».

Sur la première atteinte, les témoignages sont rares et contradictoires, mais la révélation en 1962 d'une première version d'*Aurélia* a permis de préciser et de confirmer la version due à Janin.

La première crise fut précédée d'hallucinations. Vers minuit, passant devant le n° 37 de la rue N.-D. de Lorette : « je vis, dit-il, sur le seuil de la maison une femme encore jeune dont l'aspect me frappa de surprise. Elle avait la figure blême et les yeux caves : Je me dis : « C'est la Mort. » Je rentrai me coucher avec l'idée que le monde allait finir. » Le lendemain 23 février, il rejoint au café ses amis Chenavard et Morel. A minuit il va en compagnie de Chenavard jusqu'au carrefour Cadet. Il s'assied au coin de la rue Coquenard et refuse de bouger malgré les efforts de son ami. Celui-ci le quitte vers une heure du matin. Se voyant seul, il appelle à l'aide Gautier et Karr qu'il croit reconnaître dans l'ombre! C'était une nuit de Carnaval, et la vue des masques l'impressionnait. « Enfin au-dessus de la rue Hauteville, je vis se lever une étoile rouge entourée d'un cercle bleuâtre. Je crus reconnaître l'étoile lointaine de Saturne et, me levant avec effort, je me dirigeai de ce côté. J'entonnai dès lors je ne sais quel hymne mystérieux qui me remplissait d'une joie ineffable. En même temps je quittais mes habits terrestres et je les dispersais autour de moi. » Une patrouille l'arrête. Il passe la nuit au cachot. Le lendemain, il fut conduit chez Mme de Saint-Marcel, qui dirigeait une maison de santé rue de Picpus. « L'attaque » dont il avait été victime émut le petit monde des amis et connaissances, Gautier, Karr, Chenavard, Bocage, A. Weill,

F. Wey, et ses relations du ministère, Leclerc, Texier, Mallac. Janin là-dessus prit une initiative d'un goût douteux : le 1er mars, jour où la *Revue de Paris* publiait le délicieux récit des *Amours de Vienne*, le journaliste des *Débats* consacrait un long article nécrologique à « l'esprit de Nerval ».

« Anéantissement cataleptique et aphasie » avaient marqué le début de son séjour à la clinique. Mais l'amélioration fut rapide. Dès le 5 mars, Gérard peut écrire à son père, à ses amis : il se dit en pleine convalescence. Weill, qui a entendu pendant quatre heures ses propos délirants, en doute fort, et l'on partage son appréhension à lire la lettre extravagante qu'il écrivit à Bocage à la veille de quitter la maison de santé. Il put jouir de cinq jours de liberté, et c'est alors qu'il adresse à Janin les mots adorables : « Il fait si beau que l'on ne peut se rencontrer ni s'embrasser dans les maisons. » Survient une nouvelle crise. Il est conduit à Montmartre dans la maison de santé du docteur Esprit Blanche, où il reste du 21 mars au 21 novembre. Une amélioration ne tarde pas à se produire, mais le médecin ne le laisse partir que lorsqu'il le juge complètement rétabli, après lui avoir toutefois permis au début de novembre un petit voyage « jusqu'à la mer ».

Scrupuleux en matière d'argent, il n'était pas sans appréhender les conséquences d'une maladie qui le privait de son gagne-pain. En avril, il publie dans *l'Artiste* les *Mémoires d'un Parisien*, *Sainte-Pélagie en 1832*. Ces pages, que le recueil posthume de *la Bohème galante* intitulera *Mes Prisons*, retraçaient avec humour son double séjour sous les verrous au temps du Petit Cénacle. Leur date de rédaction reste incertaine. Son internement lui remit-il en mémoire ses expériences de prisonnier? On croirait plutôt à l'utilisation d'un fragment non encore publié. Sa production en effet cesse là-dessus. Dès qu'il se sent mieux, il songe à trouver du travail au plus vite. Des deux voies possibles, s'entendre avec un directeur de revue ou se faire attribuer une mission par un ministère, celle-ci lui semble la plus rapide. Le 31 mars, il adresse à Cavé, directeur des Beaux-Arts au ministère de l'Intérieur, une longue missive, moins étrange qu'elle ne paraît d'abord. Il sollicite en premier lieu une nouvelle mission en Belgique pour compléter son « travail sur les contrefaçons, dont M. Villemain avait paru content »; en second lieu une mission en France, de caractère archéologique et linguistique, pour laquelle, dit-il, le qualifie l'étude « qu'(il) a faite depuis quinze ans des histoires et des littératures orientales ». Ses amis en place ne l'ont pas abandonné. « On avait payé sa dépense chez Mme de Saint-Marcel, précise J. Richer, ce qui n'alla pas sans éveiller ses scrupules, et on lui laissa entendre qu'à sa guérison d'autres travaux lui seraient confiés. » Puis comme le docteur Blanche était partisan d'un séjour dans le Périgord, Janin et Mme de Girardin demandent un secours au ministre. Le 18 octobre, Villemain lui accorde un secours de trois cents francs sur le fonds d'encouragement aux sciences et aux lettres.

⁂

« M. G. de Nerval, déclarait-on dans la note confidentielle adressée à Villemain, a été atteint... d'une complète aliénation mentale. » Rappelons pour mémoire la thèse extravagante d'Auriant, selon laquelle Nerval n'aurait jamais été fou : « Ce qu'on prit pour de la folie était l'exaltation où le jetait le haschich dont il abusait. » Mais en 1907, dans sa thèse de doctorat, un médecin ne soutenait-il pas l'hypothèse d'une psychose par intoxication éthylique ! Pour les psychiatres, il s'agit d'un cas classique : excitation maniaque et cyclothymie. L'évolution de la psychiatrie, observerons-nous au passage, a entraîné quelques variations dans le diagnostic des spécialistes. Si cette incertitude nous dispense de nous attarder sur ce terrain mouvant, il n'importe pas moins de mesurer le retentissement de la psychose sur l'imagination du névrosé. Et d'abord dissipons un malentendu. On imagine trop souvent Nerval dans sa folie sous les traits d'un doux maniaque tenant des propos extravagants et se livrant à des manifestations excentriques. Inévitablement sont rappelées deux anecdotes : on l'évoque promenant un homard en laisse au Palais-Royal, imposant les mains à ses compagnons d'asile pour les magnétiser. Mais sa folie, observe judicieusement M.-J. Durry, « a été la dure, la sinistre aliénation où l'on brise des glaces et des chaises, où l'on se cache derrière un arbre pour lancer une pierre sur un visiteur, où l'on gifle un inconnu qui n'en peut mais, où l'on n'est maîtrisé que par la camisole de force ». Plus précisément les crises comportaient une alternance d'excitation maniaque et de dépression mélancolique. A la violence, à l'exaltation, à la mégalomanie succédaient le désespoir, le remords, l'auto-accusation, la hantise de l'impuissance, laissant place, dans les moments calmes, à une sorte de docilité, de douceur un peu passive. La crainte de la rechute pouvait faire de sa vie un enfer. Mais le plus étonnant est que cette menace n'a pas tari en lui les sources de la gaieté. « Sa légèreté, son badinage, sa drôlerie émouvante, Gérard a le don et la bravoure de les préserver autant que ses forces le lui permettent. »

L'essentiel demeure le phénomène que désigne la formule à jamais fameuse : « Ici a commencé pour moi ce que j'appellerai l'épanchement du songe dans la vie réelle. » « L'excitation maniaque, commente J.-H. Sébillotte, a déclenché l'onirisme hallucinatoire qui a pour Gérard les caractères du rêve, mais d'un rêve qui se prolonge pendant la veille, se mélange plus ou moins à la réalité, s'en dégage à demi dès le crépuscule et reprend son autonomie au cours de la nuit. » Le psychiatre Moreau de Tours proclamera l'année de la mort de Nerval : « La folie est le rêve de l'homme éveillé »; mais pour un lecteur de Hoffmann la remarque est banale. Nous ne constatons pas moins un tournant capital. Sur le plan social, ce qui n'était pas sanctionné se trouve identifié, classé, noté. Sur le plan personnel, ce qui demeurait prémonition et prescience se réalise. Ce qui pouvait passer pour acquis livresque, curiosité, fantaisie, rêverie, devient objet d'expérience. Nerval vit son Romantisme; et, comme il se vante d'avoir gardé toute sa lucidité, le voici fasciné par son propre mystère.

❧❧❧

Selon J. Richer, « l'univers interne de Nerval semble s'être figé, s'être cristallisé à la date de 1841 ». Sans doute jugera-t-on cette cristallisation trop hâtive, et l'on mettra plutôt l'accent, pour employer le langage nervalien, sur les phases de la Vita nuova. A comparer entre eux les divers documents et les versions d'*Aurélia*, il apparaît que les souvenirs ont été recomposés. Les versions d'*Aurélia* ne portent pas trace de l'accès de mégalomanie qui caractérise la crise de 1841. C'est alors qu'il se forge une ascendance merveilleuse : les Labrunie sont rattachés à une famille de paladins, chevaliers de l'empereur Othon, passés en France et établis l'un dans le Poitou, l'autre dans le Périgord, le troisième aux environs de Nîmes. En même temps il se croit issu de Napoléon et le duc de Reichstadt devient son frère. Le 16 mars il signe une lettre à Janin en combinant les deux thèmes : G. Nap. della torre Brunya.

D'autre part le mythe de l'Éternel Féminin semble le produit d'une élaboration tardive. On lit dans la première version d'*Aurélia* : « Une femme vêtue de noir apparaissait devant mon lit, et il me semblait qu'elle avait les yeux caves! Seulement, au fond de ces orbites vides, il me sembla voir sourdre des larmes, brillantes comme des diamants. Cette femme était pour moi le spectre de ma mère morte en Silésie. » Tirons-en la conclusion qui s'impose : le visage de la mère est un visage spectral, donc une source d'angoisse. En outre, si Gérard est convaincu de « la sympathie immortelle des esprits qui se sont choisis ici bas », comme il l'écrit à Mme Dumas, il n'exploite pas cette conviction. En conséquence, le mythe de la femme rédemptrice, comme aussi l'attribution à Jenny de ce rôle privilégié, représentent des développements ultérieurs ayant entraîné toute une série d'ajustements. La première phase de la *Vita Nuova* se déroule en fait hors de Jenny, et la nouveauté d'*Aurélia* consistera précisément à rattacher le destin du Poète à un visage de femme.

Disons en forçant un peu que si Nerval vient d'expérimenter pour son compte « l'épanchement du songe dans la vie réelle », le thème du rôle rédempteur de la femme, développé aussi bien par Hoffmann que par Gœthe, reste encore du domaine littéraire. Il ne s'assimilera qu'au cours des années suivantes. Il faut donc suivre de très près la formation du mythe nervalien de l'Épouse-Mère divine. Par une sorte de chassé-croisé, le mythe prend corps au moment où Nerval semble renoncer à exploiter son expérience de « l'épanchement du songe dans la vie réelle ». Cet autre point est à souligner en effet, car il prouve que, même si l'univers de Nerval s'est figé après 1841, le poète a tenté, comme le cygne mallarméen, d'échapper à sa prison de glace. Le 5 juin 1842 Jenny Colon mourut à l'âge de trente-quatre ans. Ayant cru lire des présages de mort, il s'était dit qu'il allait mourir bientôt; il se trouva par la mort de Jenny libéré de sa hantise. Il doit donc vivre. Vivre? entendons en langage social, voire commercial, reprendre sa place dans le monde des lettres. Sa valeur a baissé sur le marché : il doit prouver à ceux qui l'ont enterré prématurément que sa puissance d'écrivain reste entière.

Mais le débat intime est plus émouvant. Débat complexe, dont se perçoivent les échos dans les lettres à Mme de Girardin et à Mme Dumas. Il se traduit par des sautes d'humeur et des réactions contradictoires, des hésitations et des craintes qu'il justifiera plus tard en ces termes saisissants : « Si les mortels ne peuvent concevoir par eux-mêmes ce qui se passe dans l'âme d'un homme qui tout à coup se sent prophète, ou d'un mortel qui se sent dieu, la Fable et l'histoire du moins leur ont permis de supposer quels doutes, quelles angoisses doivent se produire dans ces divines natures à l'époque indécise où leur intelligence se dégage des liens passagers de l'incarnation. » Nerval se retrouve à la croisée des chemins. L'asile, comme l'Allemagne, apparaît ambigu : tantôt paradis, tantôt enfer. Le poète, victime de la société, enfermé sans raison, nie éperdument sa folie : « J'ai le malheur de m'être cru toujours dans mon bon sens... Je suis toujours et j'ai toujours été le même... » Mais ici du moins, réplique une voix de sirène, il peut se permettre « l'illusion d'un rêve continuel ». « Au fond, j'ai fait un rêve très amusant et je le regrette », confie-t-il à la femme de son ami en se laissant aller à jouer son rôle favori de Pierrot. Mais aussitôt il se reprend et s'insurge : « La science a le droit d'escamoter ou réduire au silence tous les prophètes et voyants prédits par l'Apocalypse dont je me flattais d'être l'un ! » La contradiction essentielle est celle qui demeure inexprimée. « Il me sera resté du moins, avait-il écrit à Mme Dumas, la conviction de la vie future. » Si « l'épanchement du songe dans la vie réelle » a mis un terme à son angoisse religieuse, pourquoi ne pas persévérer dans cette voie qui lui a permis dès 1841 cette certitude? Pourquoi ne pas forcer les portes d'ivoire ou de corne, comme il osera le faire en 1854? C'est que la voie du rêve, qui mène au salut, mène aussi bien à la perdition. C'est que le charme du rêve est fatal, comme celui de Lorely. Pour le poète qui doit vivre, le romantisme du rêve et de la folie porte un visage de mort ou de morte; et Nerval, qui refuse de se croire voué à l'échec, s'évade de la nef des fous, comme il s'évada naguère de la maison paternelle : pour défier le Destin, ce père terrible.

# LA MACHINE INFERNALE 4

« L'ANNÉE 1842 (celle où mourut Jenny), note le biographe le plus précis, demeure par excellence l'année mystérieuse de la vie de G. de Nerval... Sur les mois qui précèdent le départ pour l'Égypte, on ne sait rien de certain. » Quelque attention à la chronologie permet néanmoins de suivre le poète au cours de cette année sombre.

Rendu à la vie normale, il cherche à reprendre sa « position littéraire ». Mais, comme il l'observe lui-même, il ne peut encore travailler qu'avec ménagement. Évoquant en 1843 ses dispositions de l'année précédente, il se peindra « malade, chagrin et aplati ». Ses amis s'entremettent pour lui venir en aide. « C'est une grande consolation que j'ai, reconnaît-il avec ferveur, d'avoir trouvé tant de sympathies, et cela surtout m'engage à rentrer avec ardeur dans la vie et dans le travail. » Sur l'intervention de Hugo, il obtient du ministre de l'Instruction publique une nouvelle allocation de trois cents francs, le 23 avril. En ce début d'année, ses relations avec le grand poète semblent des plus cordiales. Hugo lui a offert un exemplaire du *Rhin*, paru en janvier 1842, sachant bien que ce sujet était cher à son frère malheureux, et Gérard le remercie par un court poème, qui s'achève sur un hommage ému :

> Moi je sais que de vous, douce et sainte habitude,
> Me vient l'Enthousiasme et l'Amour et l'Étude,
> Et que mon peu de feu s'allume à vos autels.

Avant son départ pour l'Orient à la recherche d'une flamme nouvelle, le génie solaire de Hugo l'a déjà réchauffé.

Si Perrot et Cavé, fonctionnaires au ministère de l'Intérieur, sont intervenus efficacement, comme Gérard le leur demandait avec instance en novembre 1841 à la veille de sortir de la clinique, le Gérard qui émargea aux fonds secrets du ministère de l'Intérieur au cours de l'exercice 1842 est bien sans doute notre poète, et non son homonyme.

Encouragé, il se remet au travail. A. Marie mentionne dans sa bibliographie un article inattendu sur les tentures de cuir doré et leur fabrication paru dans *le Cabinet de l'amateur.* J. Richer a exhumé récemment un ouvrage en collaboration publié en février 1842, *l'Ane d'or, recueil satirique par Pérégrinus.* Ce petit volume anonyme a été attribué à E. Texier, ami de Gérard; mais le pseudonyme de Pérégrinus cache plusieurs écrivains parmi lesquels Nerval lui-même, à qui J. Richer attribue sûrement cinq chapitres. L'aventure du « pauvre philosophe pythagoricien, sceptique, cynique, épicurien, mystique et apocalyptique », qui portait le nom de Pérégrinus, « l'inventeur du suicide le plus extraordinaire qu'on ait vu sur ce globe », avait inspiré tour à tour Lucien et Wieland. Nerval trouve en lui un nouveau sosie. Il suppose que l'âme de Pérégrinus vient ranimer le corps d'un gentilhomme décédé en 1840, et le cynique « redivivus », s'attribuant la mission de recueillir les fautes de la création, part à la découverte dans Paris. Le titre, qui révèle un lecteur d'Apulée, comme aussi « le thème des transmigrations déjà occultiste », amènent J. Richer à trouver dans ces pages la preuve de « l'unité et de la continuité de l'œuvre de Gérard ». Celui-ci reprendra le thème, en effet, dans une nouvelle ébauchée en 1853, puis abandonnée, *le Comte de Saint-Germain.* Mais ici il s'agit d'un recueil satirique. Le ton léger, ironique, rentre dans la tradition des contes philosophiques du XVIII$^{e}$ siècle. Ainsi, tout en révélant une insatiable curiosité pour toutes les formes aberrantes du mysticisme, Gérard n'en fait pas moins la satire. Chemin faisant, il tourne en dérision les prophètes contemporains, tel Fourier ou les fondateurs de religion, le Mapah et son disciple Ganeau, théoricien de l'évadaïsme. On peut voir en cette ironie une défense. M.-J. Durry observe plus profondément que Nerval toujours incertain « n'est l'orthodoxe ni d'une religion, ni d'une hérésie ».

En 1840, Villemessant avait fondé *la Sylphide*, revue qui s'adressait surtout à une clientèle féminine. En 1842 il compta Gérard parmi ses collaborateurs les plus assidus, puisqu'il reçut de lui un article, un poème, et deux nouvelles qui parurent, l'une à l'heure de son départ, l'autre durant son absence.

L'article consacré aux vieilles ballades françaises, plusieurs fois republié par la suite, sera, après coupures et remaniements, mis en appendice à *Sylvie* dans *les Filles du Feu* sous le titre *Chansons et légendes du Valois*. P. Audiat fait à ce sujet une remarque judicieuse. Le texte de l'article primitif, *Vieilles Ballades françaises*, prouve que Gérard s'est intéressé à ces œuvres pour l'amour, non du Valois, mais des chansons populaires. « En 1842, ni le mal du pays ni l'attendrissement sur les souvenirs de la jeunesse n'ont encore paru dans l'âme du poète. »

Le même tome de *la Sylphide* contient *la Rêverie de Charles VI*. La date de composition de ce poème est inconnue, puisqu'il se rattache au projet qui, selon J. Richer, occupa Nerval pendant vingt ans. Est-il certain que retentisse ici l'écho de la crise de 1841, quand Gérard crut à sa mort prochaine :

Il semble que Dieu dise à mon âme souffrante :
Quitte le monde impur, la foule indifférente,
Suis d'un pas *assuré* cette route qui luit,
Et — viens à moy, mon fils... et — n'attends pas LA NUIT !!!

Il est hors de doute toutefois, comme le prouve un manuscrit de la collection Lovenjoul, enrichi d'annotations autographes, que par la suite Nerval trouva dans ce poème la confirmation de sa croyance à une mort imminente.

Le 26 décembre 1842, *la Sylphide* publiait sans nom d'auteur *le Roman à faire.* C'est la veille sans doute que Gérard avait quitté Paris pour un voyage de douze mois. La nouvelle est formée de six lettres d'amour, encadrées d'un prologue et d'un épilogue plus ou moins adroits. L'érudition capricieuse de Gérard lui a fait découvrir un certain Duburgua (camarade de collège de son père), mort à Saint-Domingue en 1803, et auteur de *Lettres philosophiques sur la lumière.* Dans la nouvelle, ce Duburgua devient le chevalier Dubourjet, et, s'il reste l'auteur d'un ouvrage à la Fontenelle, il meurt en 1808 après avoir été le héros d'une aventure amoureuse. Épris d'une comtesse italienne, il lui aurait adressé des lettres passionnées, qui sont surprises par le mari et retournées à l'envoyeur après la mort de la comtesse. Nerval se présente comme l'héritier de ce dépôt précieux. Or, les six lettres en question ne sont autres que six lettres adressées à Jenny. Ainsi, aussitôt après la mort de sa bien-aimée en juin, Nerval s'est hâté d'utiliser sa correspondance amoureuse. Stérilité, comme le croit P. Audiat? Croyons plutôt que, devant la beauté lyrique de ces pages, il eut l'idée d'un roman par lettres, que justifie assez son admiration pour *la Nouvelle Héloïse* ou *Werther.* Quand on songe à la date où la nouvelle fut écrite, on découvre avec quelque surprise les jugements, mélange savoureux d'humour et d'objectivité, que l'auteur porte sur ses propres missives : « Ces lettres n'ont de particulier que le cachet d'un temps où Saint-Preux et Werther enivraient les âmes de leurs sombres aspirations. » Dans ces « citations », ajoute-t-il, « apparaît l'éclosion d'une âme qui a réellement pensé et souffert »; et, bon apôtre, il conclut : « On ne peut mêler le faux au vrai sans risquer une sorte de profanation. » S'est-il laissé prendre au jeu? De la mystification au mythe la route est sans coupure.

Il importe de relever surtout le travail d'élaboration subi par la correspondance originelle. La troisième lettre retrace l'aventure de Naples avec la brodeuse galante : aventure que Gérard avait éprouvé le besoin de conter à Jenny, en mettant l'accent sur sa ressemblance avec l'Italienne. Mais le récit de la lettre originale, dont on peut voir à Chantilly le brouillon raturé, a été savamment retouché : l'aventure galante se corse, et dans un sens qu'il faut bien appeler nervalien. La chambre a « quelque chose de mystique ». Des statues de la Vierge Noire et de sainte Rosalie couronnée de roses violettes ornent ce lieu de rendez-vous. La brodeuse facile est dotée d'une mère; mais celle-ci apparaît sous les traits d'une magicienne de Thessalie « à qui l'on donnait son âme pour un rêve », et les deux femmes s'entretiennent dans un idiome inconnu. Nous assistons sur un exemple privilégié à l'épanchement du songe dans la vie réelle.

La seconde nouvelle ne nous arrêtera pas, bien que Nerval l'ait retenue par la suite pour *les Filles du Feu*. Elle ne ressortit qu'à la besogne littéraire. De même qu'il avait donné avant son départ à *la Revue pittoresque* son conte du Bousingo, *la Main de Gloire*, il s'était hâté d'imiter librement sous le titre de *Jemmy O'Dougherty* une nouvelle allemande de Ch. Seasfield publiée en 1834 à Zurich, *Christophorus Bärenhaüter im Amerikanerland.*

Des découvertes récentes nous invitent enfin à envisager sous un jour tout différent cette période de relative stérilité. Alors que l'on datait de 1853 le manuscrit Dumesnil de Gramont (c'est-à-dire la brève lettre accompagnant les six sonnets : *A Madame Aguado*, *A Madame Ida Dumas*, *A Hélène de Mecklembourg*, *A J-y Colonna*, *A Louise d'Or*, *Reine*, *A Madame Sand*) P. Benichou a démontré que cette lettre — selon toute vraisemblance adressée à Gautier — faisait allusion à Lingay (désigné sous la forme abrégée L-y), le protecteur de Gérard qui vint le visiter au début de sa crise en 1841. S'il faut interpréter la formule ironique « révoquer la lettre de cachet » comme une façon de désigner l'internement, ce n'est pas entre 1840 et 1845, comme le propose P. Benichou, qu'il faudrait situer la composition des sonnets; ils seraient tous déjà écrits en 1841. C'est autour de la première crise que se place ce renouveau poétique.

Mais faut-il rattacher à la même période la rédaction de la première version d'*Aurélia* révélée en 1962?Ce point de vue est défendu avec force par J. Richer, qui ferait même remonter jusque-là la rédaction des *Mémorables*. Cette thèse a toujours des adversaires, bien que J. Richer ait élargi la période de la rédaction de 1841 à 1845. On saisit l'importance de cette découverte : Aurélia ne serait plus le testament écrit *in articulo mortis*, mais une œuvre méditée durant quinze années d'une vie brève. Il faut se garder cependant de perdre de vue l'écart immense qui sépare ces brefs morceaux correspondant aux premiers chapitres de l'œuvre achevée. Si Gérard a déjà eu l'idée de noter ses rêves ou de raconter sa vie de rêveur, il ne fait pas encore la théorie de son expérience; pour employer son langage, il n'a pas encore saisi le fil d'Ariane.

Cette mission en Orient, Gérard l'avait-il sollicitée? ou lui fut-elle proposée par le ministère? Nous l'ignorons encore. « Le dossier concernant cette mission, rapporte J. Richer, n'a pas été retrouvé, mais à défaut de documents indiscutables on relève à ce sujet quelques discrètes allusions dans ses lettres. En particulier, il était autorisé à voyager sur les bateaux de l'État en payant seulement le prix de sa nourriture. L'argent nécessaire pour le voyage semble avoir été fourni par des avances consenties par un libraire, peut-être le libraire belge Hauman, et par des journaux. »

Sur le voyage lui-même, notre ignorance est presque aussi grande. Le récit qu'en a donné Gérard est truqué d'un bout à l'autre, et, malgré les documents sûrs représentés par le Carnet et la Correspondance, subsistent pour certaines périodes des lacunes énormes. G. Rouger a procuré du *Voyage en Orient* une monumentale édition critique, où se trouvent rassemblées nos connaissances actuelles sur l'itinéraire de Gérard et la genèse de son grand ouvrage. Nous renvoyons le lecteur à cette étude, véritable modèle du genre, et ne donnerons ici que les indications essentielles.

Gérard ne partait pas seul : il avait trouvé un compagnon disposé à partager les frais, un certain Fonfrède, de qui on ne sait rien. Il s'était muni non seulement de multiples lettres de recommandation, mais encore d'un bagage considérable, lits de camp, lingerie, appareil photographique qu'il ne put guère utiliser, les produits chimiques s'étant décomposés dans les climats chauds. Parti de Paris le 23 décembre, il descend le Rhône de Lyon à Avignon sur un bateau à vapeur. A Marseille, il est accueilli par son ami, le poète Méry, bibliothécaire de la ville, et s'embarque sur le *Mentor* le 1er janvier 1843, après avoir ajouté à son bagage des manuels de conversation. Le *Mentor* le mène à Malte, où il fait une brève escale. Puis il s'embarque sur le *Minos*, qui lui permet d'entrevoir un matin l'île de Cérigo : Nerval n'a jamais débarqué à Cythère ! Après une halte à Syra, il arrive à Alexandrie le 16 janvier. Sans s'y attarder, il remonte le Nil et parvient au Caire à la fin du mois.

« L'usage de Nerval (était) de vivre partout conformément aux habitudes du pays », souligne G. Rouger : il s'habille donc à l'orientale et se fait raser la tête. Après un séjour le plus bref possible à l'hôtel, il s'installe dans le quartier franc, puis, en mars, dans une maison isolée du quartier copte. Il se fait son propre intendant et, jusqu'à la fin d'avril, il tiendra très soigneusement un livre de comptes. Fonfrède, ce « mufle », a acheté une femme jaune; mais « on a d'autres femmes tant qu'on veut », écrit-il lui-même à Gautier. Nous ne savons rien de précis toutefois sur ses expériences féminines en Égypte. La capitale offrait avec ses cinquante-trois quartiers un terrain privilégié au vagabond épris de courses capricieuses et qui cherche à se perdre « sans interprète et sans compagnon ». Les spectacles hauts en couleurs ajoutent à l'attrait de ces promenades à pied ou à dos d'âne : alors que, le soir de son arrivée, il se disait « mortellement triste et découragé », il est enchanté maintenant par Le Caire. Il n'a pas la passion des ruines et des nécropoles. S'il fait comme tout bon touriste une excursion aux Pyramides, il ne s'entête pas à voir Thèbes et Louqsor. « Les mœurs des villes vivantes, écrit-il en toute simplicité, sont plus curieuses à observer que les restes des cités mortes » : attitude qui s'accorde fort bien avec une curiosité passionnée pour « l'initiation égyptienne », car il s'agit ici d'un attrait, non pour le passé, mais pour une réalité bien présente. De même, il a beau s'habiller à l'orientale, il ne dédaigne pas les plaisirs des quartiers francs, théâtre, bals et relations mondaines. Utilisant ses lettres de recommandation, il fréquente la colonie franque, éprouve pour le consul Gauttier d'Arc une sympathie que la maladie et la mort interrompront trop tôt, lie connaissance avec des orientalistes comme le D^r^ Perron, des disciples d'Enfantin fixés en Égypte, ou des aventuriers devenus des seigneurs musulmans, tel le fameux Clot-Bey. Mais ce grand travailleur se plonge surtout dans les livres. S'il était réellement parti pour l'Orient « avec les seuls souvenirs déjà vagues de son éducation classique » (mais ne se vantait-il pas en mars 1842 d'avoir consacré quinze ans de sa vie à l'étude des histoires et des littératures orientales?), il se rattrape durant le séjour au Caire. Inscrit au cabinet de M^me^ Bonhome, admis grâce à Perron dans la « Société égyptienne », il accumule les lectures les plus austères, dont le carnet n'enregistre qu'une faible partie, complétant sa documentation par des conversations avec les spécialistes.

De même qu'il renonce à se rendre en Haute-Égypte,

il ne réalise pas son projet d'être à Jérusalem pour Pâques, et quitte l'Égypte après un séjour de trois mois. Alors que de nombreuses lettres adressées à son père nous renseignent sur le début de son voyage, la correspondance s'interrompt entre le 2 mai et le 25 juillet, et si nous pouvons le suivre de nouveau depuis l'instant où il découvrit en arrivant à Constantinople « le plus beau coup d'œil de la terre », l'entre-deux reste très vague. Cette incertitude est d'autant plus irritante que se situe au cours du séjour en Syrie un épisode amoureux, l'histoire de Saléma. Quand nous lisons dans le *Voyage :* « La femme idéale que chacun poursuit dans ses songes s'était réalisée pour moi », avons-nous le droit d'affirmer qu'aucune réalité ne répondait à ce rêve? On trouve, il est vrai, dans une lettre à son père cette plaisanterie : « On voulait me marier au Caire avec une Syrienne de douze ans; mais je l'ai trouvée un peu trop jeune. » Que ce rien lui ait suffi pour bâtir tout un roman, nous l'en savons bien capable. Et comment ne pas songer au *Voyage en Orient* de Lamartine et à l'épisode de Mlle Malagamba, en qui le poète voyait « le type de la beauté et de l'amour pur »? Mais n'oublions pas non plus que celle que l'on considérait comme « une incarnation orientale de la Muse » a bel et bien existé.

Deux lettres à son père, datées de Constantinople, fournissent quelques données précises sur l'itinéraire. Après avoir descendu le Nil et vu « la plus belle partie du Delta », il s'embarque le 8 mai à Damiette sur un navire grec. Son intention était de se rendre à Beyrouth avec diverses escales à Jaffa, Saint-Jean-d'Acre et Saïda. On ignore la date de son arrivée dans la capitale du Liban et son emploi du temps au cours de son séjour en Syrie. « J'ai vécu un mois au milieu des Maronites, écrira-t-il à son père, faisant des excursions dans le Liban. Mais je n'ai pu voir ni Damas où était la peste, ni Balbeck dont la route était coupée par les Druses et les Métualis, toujours en révolte. » Les montagnes du Liban ne l'ont guère séduit, car il n'a de goût ni pour les promenades à cheval, ni pour les couchers sous la tente. Les « fièvres de Syrie », par surcroît, le décident à ne pas s'attarder, et c'est ainsi qu'il s'embarque sur un paquebot autrichien, qui, après escale à Chypre, Rhodes et Smyrne, l'amena en vue de la Corne d'Or.

Depuis Le Caire, sa nostalgie des plaisirs de la civilisation n'avait fait que croître. Avec quelle joie il retrouve à Péra les cafés et les journaux! Le destin dans sa munificence lui permet même de rencontrer un compagnon de bohème, le peintre C. Rogier, émigré en Orient et qui vivait somptueusement de la vente de ses tableaux. Aurait-il pu souhaiter meilleur compagnon ou meilleur cicerone? Rogier mit en outre à sa disposition l'indispensable bibliothèque. Gérard est d'abord déçu : le panorama prestigieux de Constantinople ressemble à une décoration de théâtre; il vaut mieux ne pas le voir de trop près. Puis il ne retrouve pas dans les rues le spectacle coloré du Caire. Il tient cependant à profiter des réjouissances nocturnes du Ramadan. Laissant Fonfrède, qui depuis le départ de Beyrouth s'est débarrassé de sa femme jaune, regagner la France par l'isthme de Corinthe, il va, pour être au cœur de l'Orient, s'installer dans un caravansérail de Stamboul portant un nom prédestiné, le Khan de l'Étoile. Plus que la fatigue, le manque d'argent — malgré un emprunt fait à Fonfrède — l'oblige à mettre un terme à ces divertissements, et même à renoncer à voir Belgrade et le mont Olympe. Il se contente d'une promenade aux Eaux Douces d'Asie. Le chemin du retour lui offrait de nouvelles occasions de découverte, à condition d'opter pour la voie de terre, mais il doit choisir la voie la plus rapide et la plus économique. Le 28 octobre, en compagnie de Rogier, qui regagne lui aussi la mère patrie, il s'embarque sur l'*Eurotas*. Bien que retenu dix jours au lazaret de Malte, il ne se refuse pas la joie de revoir le décor italien, qui depuis neuf ans enchantait son imagination. Hélas! en dix ans Naples a changé de visage. Mais si l'amateur de mœurs populaires est déçu, l'homme du monde et l'érudit trouvent une compensation dans l'accueil délicat de l'humaniste napolitain Tommaso Gargallo, et de ses sœurs aussi savantes que belles. C'est ainsi qu'il put visiter Pompéi à loisir.

Le 1er décembre, il s'embarque sur le *Francesco Primo* et le 5 arrive à Marseille. Rogier, qui l'avait précédé, l'accueille avec l'exubérant Méry, et celui-ci l'entraîne dans le salon de lady Craig, où la verve de Gérard fait merveille. Le bon fils aurait voulu être de retour à Paris pour la Saint-Étienne, le 26 décembre ; mais « les antiquités curieuses » du Midi le retiennent. Il visite Arles, Beaucaire et Nîmes, revient par Lyon et ne reprend pied dans la capitale que le 1er ou le 2 janvier 1844.

Il était parti pour confirmer sa guérison et rapporter une manne de sujets nouveaux. Aller vers l'Orient, c'était tourner le dos aux ténèbres, à l'Allemagne [1], à la mélancolie, à la vieillesse, à la mort, afin de chercher le soleil au berceau même du monde. En le retrempant à ces lointaines origines, le voyage devait le faire renaître et lui restituer toute son ardeur : véritable palingénésie. La Grèce, l'Égypte, l'Asie Mineure, lui apparaissent tour à tour avec un visage maternel. Il se complaît dans le spectacle du soleil levant, car, dirons-nous avec J.-P. Richard, « c'est bien le soleil qui entretient le feu sacré », dans l'émerveillement d'un panorama de lumière.

Certains passages sonnent comme un bulletin de victoire. « Ah ! vois-tu, s'écrie-t-il à l'adresse de Gautier, nous sommes encore jeunes, plus jeunes que nous ne le croyons... » Il note finement l'effet bienfaisant de l'exotisme : la foule bigarrée, qui semble dater de deux siècles, entraîne l'esprit dans le passé

**1.** Cependant cette quête de la lumière peut se rattacher encore au « germanisme » de Nerval. Gœthe lui disait par la bouche de Faust : « Tourne tes yeux vers les terres des ancêtres, cherche un refuge en Orient. »

et le libère de la hantise du temps. Il envie ces gens aisés du Liban qui peuvent vivre « au milieu d'un éternel printemps », et il croit à la vertu d'un traitement homéopathique : au sein de l'éternelle jeunesse on ne peut que redevenir jeune. En débarquant sur le rivage d'Asie, il ose affirmer : « Je me sens plus jeune, en effet je le suis, je n'ai que vingt ans! » D'une façon plus prosaïque, il écrit de Constantinople à son père : « Je n'ai pas été malade un seul jour depuis mon départ... Ce voyage me servira toujours à démontrer aux gens que je n'ai été victime, il y a deux ans, que d'un accident bien isolé. »

Cependant cet enthousiasme ne va pas sans interruptions. De ses lettres ou de son récit pourrait se dégager toute une psychologie de la vanité du divertissement. La lettre ouverte à Gautier n'est qu'un exercice de style où le paradoxe est cultivé pour le plaisir : la civilisation a donné au monde moderne un aspect uniforme; ce n'est pas en Orient, mais à Paris que se trouve l'Orient de nos rêves. Nerval apparaît plus sérieusement comme un parfait exemple de l'insatisfaction humaine lorsqu'il s'applique à lui-même l'apologue de Heine : le sapin du Nord a la nostalgie du soleil, le palmier du Midi a la nostalgie de la neige; ou lorsqu'il reprend le thème d'un autre point de vue dans une lettre à son père : « Je sens toujours le besoin de revenir au nid, dès que j'en suis loin, et le regret de n'y être point resté. » Le voici pris dans un fatal engrenage. Il se dit à la fois déçu parce que l'Orient n'est pas conforme à son rêve, et déçu parce que l'Orient est conforme à son rêve. Il découvre que l'Égypte est « une vaste tombe ». Horreur! Le pays du soleil rappelle l'Allemagne : « Le soleil noir de la mélancolie, qui verse des rayons obscurs sur le front de l'ange rêveur d'Albert Dürer, se lève aussi parfois aux plaines lumineuses du Nil, comme sur les bords du Rhin, dans un froid paysage d'Allemagne. J'avouerai même qu'à défaut de brouillard, la poussière est un triste voile aux clartés d'un jour d'Orient. » Le rêveur joue au blasé devant la splendeur orientale. « Si admirables que soient certains aspects et certaines contrées, il n'en est point dont l'imagination s'étonne complètement et qui lui présentent quelque chose de stupéfiant et d'inouï. » Plus nettement encore, à l'heure du retour, il déclare à Janin : « En somme, l'Orient n'approche pas de ce rêve éveillé que j'en avais fait il y a deux ans, ou bien c'est que cet Orient-là est encore plus loin ou plus haut. »

Il lui est arrivé pourtant de se déclarer satisfait et d'éprouver sans déception le sentiment du déjà vu, tant le paysage découvert était conforme à son rêve d'enfant. Mais le bourreau de soi-même chicane son plaisir. Il voit dans le besoin de voyager une forme du mal. Il est l'enfant d'un siècle « déshérité d'illusion, qui a besoin de toucher pour croire ». Et la joie de la découverte comporte son revers : « C'est une impression douloureuse, à mesure qu'on va plus loin, de perdre, ville à ville et pays à pays, tout ce bel univers qu'on s'est créé jeune, par les lectures, par les tableaux et par les rêves. » De toute façon, le retour apporte avec lui le sentiment du révolu : « Déjà l'Orient n'est plus pour moi qu'un de ces rêves du matin auxquels viennent bientôt succéder les ennuis du jour. » La déception se concentre dans la question lancinante : « Ne valait-il pas mieux conserver l'illusion ?»

Cette expérience ne le guérira pas de cette humeur errante qu'il tient, assure-t-il, de son père, et jusqu'à son dernier jour il éprouvera le besoin de « partir ». Même s'il renonce aux expéditions lointaines, et si ses voyages finissent par se limiter à des tours en banlieue, à des flâneries dans Paris, il restera toujours « un homme aux semelles de vent ».

L'invitation au voyage est une invitation à l'amour. Pour mystérieuses que soient ses tentatives amoureuses au cours de sa randonnée, le carnet du voyage contient quelques notations qui permettent de suivre le développement du mythe. Note légère : « Mariage avec Fanchon... dernier sourire à Marseille. » Note mélancolique : « Amours laissées dans un tombeau. » Note angoissée : « Amoureux d'un type éternel. La fatalité. »

L'Orient, berceau de l'humanité, est aussi le berceau de la foi. « Dans ce pays, se dit-il, on sent que la religion est tout. » L'inquiétude mystique tient une place capitale dans les motifs de son voyage aussi bien que dans le récit qu'il en donne. Il ne cesse de poursuivre sa quête, et, s'il semble renoncer au royaume du rêve, il n'en reste pas moins fidèle à lui-même. Sur ce point encore, il pourrait demander à Janin : « Qu'y a-t-il donc de changé? » Il est toujours l'homme aux dix-sept religions. Qu'il se soit dispensé de visiter le berceau du Christ n'a pas la valeur d'une manifestation; de même on aurait tort d'interpréter tel aveu comme une profession de scepticisme : « Oui, je me suis senti païen en Grèce, musulman en Égypte, panthéiste au milieu des Druses et dévot sur les mers aux astres-dieux de la Chaldée, mais, à Constantinople, j'ai compris la grandeur de cette tolérance universelle qu'exercent aujourd'hui les Turcs. » Ce n'est pas un disciple de Voltaire qui parle, ni un champion du relativisme. Chaque religion, si elle varie de forme, n'en découle pas moins selon lui de la source première, et son attitude propre est le syncrétisme cher aux maçons mystiques du XVIII^e^ siècle et qu'il prétend retrouver chez les Druses. Mais n'asséchons pas non plus cette théosophie pour en faire une source aride. A la manière de F. Colonna, ne se veut-il pas « païen par le génie, chrétien par le cœur »? Derrière la parade érudite, un cœur épris d'amour ne cesse de battre. Sa prière est « celle des rêveurs et des poètes, c'est-à-dire l'admiration de la nature et l'enthousiasme des souvenirs ».

Était-il guéri? Il le crut du moins, et c'est méconnaître l'évolution de sa vie que de confondre le Nerval de la première crise avec celui de la rechute en 1853. Il a voulu de toute sa volonté échapper à l'emprise de la folie et il a eu la conviction d'être parvenu à ses fins. Cependant ce voyage reposait sur une sorte de quiproquo. Alors qu'il croyait opter pour la vie contre le rêve, il ne s'était pas aperçu qu'en voyageant il continuait de rêver, d'autant plus que ce départ pour l'Orient satisfaisait le désir formulé au début de la première crise. S'il n'est pas sorti de son monde fantasmagorique, du moins le voyage a-t-il renouvelé son inspiration et revigoré son pouvoir créateur. « J'ai acquis de la besogne pour longtemps », annonce-t-il à son père. Dans une autre lettre il précise son ambition : il tirera de son voyage deux volumes qui formeront un diptyque, Le Caire-Constantinople; et non seulement il se créera une spécialité, mais encore il pourra peut-être se « passer des journaux et faire paraître directement dans la librairie ». Il sent que le travail accompli jusqu'ici pèse peu. Pour achever de se poser dans le monde des lettres, il lui faut une œuvre, un livre. Ce livre, il l'a écrit : le *Voyage en Orient* est bien une somme nervalienne. Mais, contrairement à son espérance, il ne put pas se « passer des journaux ». Non seulement le grand voyage ne vit le jour qu'en 1851, mais encore il subit, comme les *Mémoires d'Outre-tombe*, l'épreuve humiliante de la publication fragmentaire dans les périodiques. En outre, le réveil de l'inspiration entraîna une production concomitante, si bien qu'on l'admire d'avoir fait dans le *Voyage en Orient* ce qu'il a voulu, mais plus encore d'avoir écrit ce chef-d'œuvre dans les moins favorables conditions.

Les années qui suivent le retour à Paris sont en effet celles d'un labeur forcené, qu'accompagnent les excès d'une vie dissipée. Ces écarts eurent du moins un effet heureux : sa liaison avec Baudelaire. Mais désormais la vie mondaine de l'homme de lettres et du journaliste ne compte guère auprès de l'angoisse de l'auteur hanté par son œuvre et du rêveur en proie à ses chimères. Revenu à la vie, Gérard manifeste son ardeur avec une telle exubérance que la multitude et la diversité de ses tentatives laissent le biographe essoufflé. C'est un tourbillon de titres où le meilleur se mêle au pire, et l'écrivain aspirera même en 1844 à la gloire de l'inventeur. Le plus terrible est que le tout premier il se laisse emporter par le tourbillon. En proie à la fièvre des projets, convaincu qu'il a atteint désormais l'apogée de son talent, il retombe dans les erreurs passées. De nouveau, il veut conquérir la gloire dramatique. De nouveau il voit reparaître sous la forme du « four » l'ancien guignon. De nouveau le destin le livre au délire. L'épreuve qu'il croyait surmontée, voici qu'elle recommence. Les années, comme les heures, décrivent un ballet circulaire. Le temps ne s'écoule pas, mais l'heure qui sonne de nouveau, son heure, la seule, est l'heure fatale. Histoire atroce, à laquelle nous avons donné un titre de tragédie.

En cette lutte contre le destin, la révolution de 1848 permet de distinguer deux phases. De 1844 à 1848, Gérard trouva le moyen de faire chaque année un voyage, qui lui fournit des sujets, soit immédiatement, soit à plus longue échéance. En septembre 1844, un séjour en Hollande avec son ami Houssaye lui permet de réaliser le désir, non satisfait en 1840, de visiter La Haye, Harlem, Rotterdam, Amsterdam. En août 1845, il passe huit jours à Londres. En 1846, si le voyage est moins lointain, il n'en exerce pas moins une influence décisive sur l'œuvre future, car Gérard commence alors ses randonnées aux environs de Paris, auxquelles il ne renoncera plus jusqu'à sa mort. En août 1847, il se contente d'un voyage au Havre, mais sans doute rêvait-il davantage. Le traité conclu avec Furne en décembre 1847 pour un ouvrage sur la Méditerranée, ses côtes et ses îles, laisse croire qu'il souhaitait repartir pour le Midi et visiter des régions qu'il ne connaissait pas encore. Mais il n'écrira jamais cet ouvrage, et la révolution explique certainement l'abandon du projet.

Au cours de ces quatre années, importante est son activité de journaliste. Il fournit des articles de critique théâtrale à *l'Artiste* et à *la Presse*, car l'absence de Gautier en 1845 l'oblige à une suppléance accaparante. Ce commentaire d'une actualité souvent médiocre réserve d'heureuses surprises à ceux qui aiment Nerval : au détour d'un compte rendu ils peuvent découvrir quelque remarque témoignant du goût le plus fin, ou parfois des confidences bouleversantes, telle cette interprétation du caractère d'Hamlet, que J. Richer a mise en valeur : « C'est l'hallucination qui domine dans ce caractère, sa folie n'existe que relativement aux autres », ou cette rêverie qu'inspirait à Gérard un ballet de son ami Gautier : *Giselle*, morte pour avoir trop aimé la danse, fait partie de la troupe des « Willis », qui égarent aussitôt après la mort les âmes timides; mais parmi celles-ci toutes ne succombent pas « à l'attrait séduisant de ces beautés fatales... Un amant vrai se présente et résiste à la fascination en triomphant par la constance et par le sacrifice... Si les âmes sont ainsi ballottées au sortir de la vie, par des prestiges trompeurs, ajoute l'amant de Jenny, n'est-il pas heureux de penser que l'étoile qui viendrait le guider serait celle de l'amour pur? »

Aux articles de critique théâtrale, à la reprise des textes anciens (*Corilla*, *Raoul Spifame* et, sous le titre significatif *l'Illusion*, la troisième lettre du *Roman à faire*, retraçant l'aventure de Naples), s'ajoutent, toujours dans les revues, nouvelles, essais, poèmes et fragments du *Voyage en Orient*. N'insistons pas sur les « reportages » : le boulevard du Temple, le Bœuf gras, un jour à Munich, une nuit à Londres, où il se laisse aller au plaisir de conter et à l'attrait du pittoresque. En 1844 et 1845 il donne à *l'Artiste* ses premières impressions sur son voyage en Orient. Les souvenirs de Syra sont combinés avec l'évocation imaginaire d'une escale à Cythère [1] et l'utilisation

1. On sait que le gibet mythique de Cythère inspira tour à tour Baudelaire et Hugo.

du *Songe de Poliphile*, que la dernière nouvelle de Nodier, publiée en 1844, *Franciscus Columna*, venait de lui remettre en mémoire. Le rêve se nourrit de « ce livre d'amour platonique (qui) fut longtemps l'évangile des cœurs amoureux ». A l'évocation du rivage où, « comme dit Gœthe, le féminin céleste régnera toujours », s'associe la distinction des trois Vénus, que couronne l'hommage orphique à la Vénus « austère, idéale et mystique... souveraine de la nuit ».

Le texte le plus révélateur touchant le mythe féminin est *le Roman tragique*, paru dans *l'Artiste* du 10 mars 1844. Il s'agit encore d'un roman par lettre. Mais une note laconique de la revue indique : « Cette lettre est l'entrée en matière d'un conte qui fera suite au *Roman comique*, en cherchant à peindre les mœurs des comédiens du temps de Louis XIV. » Nerval et Gautier admiraient le roman de Scarron, et tous deux ont prétendu lui donner une suite. Brisacier est le capitaine Fracasse de Gérard. Son aventurier, à la façon de Dubourjet, n'était pas purement imaginaire. Mentionné par Mme de Sévigné, ce Brisacier essaya de se faire passer à la cour de Louis XIV pour un fils naturel de Jean Sobieski, et fut emprisonné à la Bastille. Il fut libéré parce qu'il était fou. Origine inconnue ou glorieuse, folie, expliquent assez l'attrait exercé par ce personnage sur l'imagination de Gérard. Il l'utilisa une première fois, en métamorphosant du reste complètement la donnée authentique, dans un scénario de drame intitulé *la Forêt Noire*, que Monselet a conservé. Brisacier, enfant trouvé, est devenu militaire. Il combat dans le Palatinat. Au cours d'une scène semi fantastique en un château hanté, il se croit transporté dans un monde magique où lui apparaît un visage idéal de femme, dont il croit se souvenir. Il ne s'agit que d'une représentation théâtrale, mais ce spectacle ravive les souvenirs d'enfance. Les pseudo-enchanteurs sont des protestants français réfugiés, et les parents même de Brisacier, qui en son jeune âge avait été victime d'un rapt.

Brisacier connaît un nouvel avatar, et dans *le Roman tragique* le voici comédien, amoureux d'une « froide étoile » qui reçoit le nom germanique d'Aurélie. Le départ de l'intrigue paraît plus comique que lyrique. Brisacier s'est engagé par amour dans une troupe de comédiens de province, mais il est laissé en otage à un aubergiste par ses camarades incapables de payer leur écot. Mis en prison, abandonné de celle qu'il aime, il écrit à une femme compatissante pour dépeindre son état pitoyable. Est-ce bien pour Gérard une occasion de retracer le portrait idéal d'Aurélie, ainsi qu'il le déclare dans une note manuscrite? Il ne faut pas espérer trouver là une évocation de ses amours et de sa rupture avec Jenny, bien que le héros s'accuse véhémentement d'une faute et se voie délaissé « pour un débutant d'amour ». Mais nous y trouvons un portrait des plus saisissants de Gérard lui-même, « le banni de liesse », dont les éclats ne se traduisent que par des velléités et qui ne peut malgré tout que pardonner. Le souvenir de Racine plane sur ces confidences à moitié délirantes. Aussi bien le portrait d'Aurélie n'a-t-il rien d'idéalisé. L'étoile est froide et cruelle, et comme le dit si bien le texte, celui qui se voit pris dans ses rets est une victime.

Si ce fragment fut écrit peu avant sa publication il révèle au retour d'Orient une phase d'inquiétude, que Gérard masque de son mieux en rédigeant le *Voyage*, mais laisse transparaître dans les œuvres contemporaines. Quant à l'opposition de ton entre cette vision tragique de la femme et l'accent mystique des pages consacrées à Polia, elle ne saurait surprendre : l'imagination de Gérard a toujours été ballottée entre ces deux pôles. Faut-il souligner que l'on retrouvera la même opposition entre *Aurélia et Pandora*?

Bien que Nerval atteste à l'occasion, pour parler comme J. Marsan, « sa fermeté d'esprit, sa netteté française », par exemple lorsqu'il publie des maximes et réflexions sous le titre *Paradoxe et vérité*, sa curiosité de reporter ou d'érudit s'oriente plus volontiers vers les grimoires ou les sectes étranges qui pullulent à Paris. Dans *l'Artiste* de juillet 1844, une *Lithographie mystique* lui permet d'ajouter à Ganeau, à Caillau, à Michel Vintras, le Polonais Towiansky, auteur d'un *Banquet* dont il souligne la tendance pythagorico-swedenborgienne; mais cet illuminé se singularise en rendant un culte à Napoléon, qui aurait été le « Verbe véritable de Dieu ».

Qu'il décrive le Diorama de Bouton en septembre, c'est pour lui l'occasion d'invoquer Kircher, Court de Gébelin, Fabre d'Olivet et Lacour. A propos de la chute des anges, il mentionne le livre d'Enoch, qui inspira Byron et Moore : déjà sans doute songe-t-il à évoquer la ville bâtie par Caïn.

Ces articles ne sont pas exempts de désinvolture, et le premier s'achève sur une pirouette. Mais il est capable de sérieux et montre alors combien ces problèmes lui importent. Certes sur ce plan encore il est ballotté d'un pôle à un autre, oscillant entre la ferveur et l'ironie. En 1845, il collabore au recueil collectif, *le Diable à Paris*, avec une *Histoire véridique du canard.* Que cette fantaisie « se rattache au genre des « Physiologies » alors à la mode, elle n'en constitue pas moins une étude sur la formation des mythes dans le monde moderne et sur le rôle éminent joué en ce domaine par la presse. On saisit sur le vif la transition vers le sérieux dans la préface à une réédition du *Diable amoureux* publiée en 1845. « Ce volume, constate J. Richer, fut le seul publié par une maison d'édition annexée à la *Revue pittoresque*, que Deschères venait de fonder avec le concours de P. Borel et de Gérard lui-même. » Cazotte, comme lui, est un écrivain humoristique et un illuminé. Comme lui, il s'est laissé aller au plus terrible danger de la vie littéraire, celui de prendre au sérieux ses propres inventions. On voit s'annoncer déjà le thème longuement développé dans la préface des *Filles du Feu.* Tout en explorant lucidement les sources occultes du romantisme, Nerval, heureux de rencontrer une âme fraternelle, qui lui rappelle en outre celle de Hoffmann, légitime « les préoccupations d'un mystique, qui lie à l'action du monde extérieur les phénomènes du sommeil ».

En mars 1844, parurent dans *l'Artiste* sept sonnets repris plus tard dans les *Chimères : le Christ aux oliviers*, *Delfica* et *Vers dorés* [1]. Mme de Staël avait fait connaître le *Discours du Christ mort* de Jean-Paul, et ce texte avait fortement impressionné Nodier, Hugo, Balzac, Musset et Vigny. Gérard put, semble-t-il, se reporter à l'original, mais il ne s'ensuit pas qu'il soit plus fidèle au texte de Richter. Les premier, quatrième et cinquième sonnets sont purement nervaliens. S'il proclame lui aussi la mort de Dieu, c'est pour s'identifier aux hommes divins, aux insensés sublimes qui, dans l'univers athée, sont fatalement sacrifiés : Icare, Phaéton, Jésus, et « ce bel Atys meurtri que Cybèle ranime ». Mais, comme Vigny plus tard, il ne s'arrête pourtant pas à cette vision pessimiste du monde. La chanson d'amour toujours recommence, et, si le renouveau du paganisme semble interdit pour l'instant, le poète, par son adhésion à la théosophie pythagoricienne, finit par croire à un univers sensible et harmonieux. Suivant l'analyse de G. Poulet, « l'être divin passe par l'épreuve de la mort et des ténèbres pour retrouver soudain dans un sentiment d'harmonie avec la nature entière sa jeunesse renouvelée, et sa divinité un instant obscurcie et crucifiée dans l'humain ». En sorte que la nouvelle oscillation décrite en ces poèmes est de toutes la plus caractéristique. A la négation totale du second sonnet :

> ... nul esprit n'existe en ces immensités,

s'oppose l'affirmation du dernier vers de la série :

> Un pur esprit s'accroît sous l'écorce des pierres.

**1.** Nerval ne cesse, on le sait, de modifier ses titres : dans *l'Artiste*, c'est *Delfica* qui s'intitule *Vers dorés*, cependant que *Vers dorés* s'intitule *Pensée antique*.

Indépendamment de toute valeur littéraire, le témoignage essentiel de cette inquiétude religieuse est fourni par l'œuvre parue dans *la Phalange*, *le Temple d'Isis, souvenir de Pompéi*. La présence d'un tel article dans la revue fouriériste ne pose pas de problème, car les prophètes de l'Harmonie ne pouvaient qu'accueillir avec faveur un essai qui se caractérisait par son syncrétisme. Faut-il s'étonner davantage de la volte-face de Nerval, qui naguère tournait en dérision les fondateurs de la secte? Considérant, qu'il fréquentait alors, a pu travailler à sa conversion. Cet article, repris après remaniement dans *les Filles du Feu*, n'est qu'un plagiat plus ou moins bien déguisé. Gérard avait trouvé dans *Minerva*, *Taschenbuch für das Jahr 1809*, un article de l'archéologue allemand Carl Böttiger, qui décrivait la fresque d'Herculanum, « la cérémonie du soir ». A un début romancé, auquel on ne saurait attribuer la moindre valeur biographique, se rattachent non sans maladresse des considérations sur l'établissement du culte d'Isis en Italie. L'appareil érudit vient de Böttiger et n'appelle qu'une remarque : Nerval a traduit le texte sans soin, et il est aisé de relever plusieurs bévues qui prouvent une lecture très hâtive. Mais une méditation personnelle, à la manière de Volney, donne brusquement à ce travail bâclé une résonance émouvante. L'enfant du siècle confesse son déchirement à voir que toutes les religions sont mortelles. Cet aspect si pathétique de la mort universelle le contraint à une question profondément révélatrice : « Si la chute successive des croyances conduisait à ce résultat, ne serait-il pas plus consolant de tomber dans l'excès contraire et d'essayer de se reprendre aux illusions du passé? » « L'incorrigible Gérard » essaie de réagir contre cette vue désespérante, en se disant que chaque religion défunte se perpétue dans la religion qui la suit. Le culte de la Vierge Marie n'est autre que le culte d'Isis. Mais ce syncrétisme, banal pour nous dans l'histoire intérieure de Nerval, s'enrichit ici du fait qu'il se concentre sur la figure de la femme divinisée, en son rôle de mère. Telle elle apparut à Lucius, le héros de *l'Ane d'or*. Lui aussi adore à son tour cette Mère céleste, dont l'enfant est l'espoir du monde. C'est à elle désormais qu'il demandera ce qu'il a cherché en Orient, « la fête renouvelée de la jeunesse et du printemps ». Pour que le Rêve d'amour se réalise en sa plénitude, il faudra que l'exigence platonique et le culte de la Déesse Mère se rejoignent dans l'adoration d'Aurélia.

❧❧❧

On constaterait au cours des années 1846-1847 une certaine détente, par rapport aux oscillations fiévreuses des mois précédents, s'il ne fallait se défier des diagnostics rapides. C'est en 1846 que Berlioz donna *la Damnation*, hommage indirect au traducteur de *Faust*, mais que ce dernier ne goûta guère. Gérard continue de collaborer à *l'Artiste*, à *la Presse*. Il ressort, cela va sans dire, des œuvres déjà publiées. Il accepte de joindre un texte descriptif à l'album de lithographies de la Turquie publié en 1846 par son ami Rogier. Et comme l'a révélé J. Bonnerot, il prend en octobre 1847 la défense de son ami Houssaye contre A. Michiels dans une brochure intitulée *Un Martyr littéraire*. Sous le titre hoffmanien *Sensations d'un voyageur enthousiaste*, il tente dans *l'Artiste* un premier groupement de ses impressions en Suisse allemande et du Rhin au Main. Puis il commence à détailler dans la *Revue des Deux-Mondes* ses souvenirs d'Égypte et de Syrie. Du 1er mai 1846 au 15 octobre 1847, les lecteurs de la *Revue* ont donc la primeur de ce récit alerte, humoristique et tendre, et pas plus que ceux de *l'Artiste* ils n'auraient pu supposer que ce conteur délicieux avait été la proie du délire, si dans les dernières livraisons n'avait paru l'histoire du calife Hakem. Mais quel lecteur se serait douté que la verve orientale du cheik Eschérazy était une feinte, et que, sous le nom du calife Hakem, Nerval révélait son secret? Il avait une fois encore fait choix d'un personnage historique. Qu'importent ici l'histoire et les ignorances ou injustices de Gérard, puisque l'essentiel était pour lui d'attribuer au calife, qui se prenait pour un messie, son internement au milieu d'aliénés, ses visions, ses extases et ses hantises? Avant *Aurélia*, Nerval décrit la plus terrible de ses peurs. Il assiste au mariage de son double avec sa bien-aimée. Il chante celle qu'il aima d'un amour « ressenti de toute éternité ». La sylphide du Nil représente une étape essentielle du mythe de la Femme, puisque l'on découvre en elle la préfiguration de la sainte « aux mains pleines de feu » et du fantôme d'*Aurélia*.

Selon Champfleury, la *Revue des Deux-Mondes* paya chichement son collaborateur. Mais Gérard avait gardé le droit de publier le *Voyage en Orient* en librairie. Il peut donc traiter avec Sartorius pour l'édition d'un premier volume groupant les souvenirs de l'Archipel et du Caire. Le sous-titre aguichant, *les Femmes du Caire*, devait attirer le public. Mais le succès ne répond à l'attente, ni de l'écrivain, ni de son éditeur. L'ouvrage, qui devait sortir en décembre 1847, ne paraît qu'en février 1848. On ne pouvait choisir une date moins opportune.

Au cours de cette même période, il avait été repris par la fièvre du théâtre. Le succès de *Piquillo* était-il devenu dans son souvenir un événement prodigieux? C'est à un livret d'opéra-comique qu'il songe encore. Il se mit dès 1846 d'accord avec le musicien belge Limnander et trouva un collaborateur, le librettiste Alboize. Le livret des *Monténégrins* révèle l'influence de Nodier, par le choix du lieu de l'action aussi bien que par le thème principal qui rappelle *Inès de las Sierras*. Mais, par-delà Nodier, on distingue l'inspiration gœthéenne : sous un déguisement, c'est l'épisode d'Hélène qui demeure obsédant. Le manuscrit fut déposé à la censure le 19 février 1848. Une fois encore, on ne pouvait tomber plus mal.

La Révolution de février ne retentit pas seulement dans la vie de Nerval sous forme de contretemps. Le 29 février, avec ses amis Esquiros, Fournier et Weill, il fondait le Club des Augustins. Mais si Esquiros quitta l'occultisme pour la politique, la tentation pour lui se borna à cette fondation éphémère. Ne vit-il dans les événements qu'un spectacle curieux, comme le veut J. Richer? Les informations sur ce point restent bien réduites, et le poncif du poète au-dessus de la mêlée ne laisse pas de s'imposer. Il y avait certes en Nerval un badaud et un gavroche. Mais sa bonté d'âme le rendait sensible à la misère populaire, comme son besoin de justice sociale le poussait à souscrire aux revendications socialistes, d'autant que l'illuminisme imprégnait alors les théories sociales. Il risquait même de renchérir à cet égard. En revanche, cet esprit raffiné, cet amateur de livres rares, ne pouvait pas ne pas redouter les violences du peuple, auquel manquent le respect de la tradition et le culte du passé. Nerval est de tout cœur avec le bibliophile d'*Angélique*, qui, le 24 février, lors du sac du Palais-Royal, s'inquiète uniquement du *Perceforest*.

La nouvelle révolution, comme le souligne P. van der Linden, biographe d'Esquiros, avait beau prendre « le caractère d'un événement religieux aux yeux de beaucoup de camarades », l'attention ne s'en détournait pas moins de la littérature, pour le malheur des hommes de lettres privés de leur gagne-pain. Gérard dut considérer l'avenir avec angoisse, si l'on accorde cette signification au visible ralentissement de sa production en 1848 et 1849. Mais nous ne savons rien de sûr touchant son état d'esprit après la révolution. Le changement de régime n'entraîna pas sa mise à pied. Il gardait des relations dans le rang des vainqueurs, et les grandes revues continuaient de paraître. Karr fit appel à son aide pour la direction du *Journal*. Il reprit le livret des *Monténégrins*, dont il rédigea une deuxième version. Sa seule publication intéressante est la traduction des poésies de Heine dans la

*Revue des Deux-Mondes*, en juillet et septembre 1848, encore qu'il ait fait appel à Gautier pour rédiger l'introduction. La traduction elle-même n'était pas nouvelle, puisqu'elle remontait au séjour à Bruxelles en 1840. Cependant elle fut mise au point au cours de l'année 1848, sous le contrôle direct de Heine. En mars, conte celui-ci, Gérard venait tous les jours le trouver dans sa retraite, à la barrière de la Santé. Les poésies traduites sont des pièces détachées du *Buch der Lieder* et des *Zeitgedichte*, *la Mer du Nord* et *l'Intermezzo.* Nerval avait trouvé en Heine plus qu'un confrère et un ami : un sosie spirituel. « Il y avait entre eux communion de douleur », souligne Popa qui a finement comparé ces deux âmes. « Je me vois en lui », déclarait de son côté le poète allemand. La conception de l'amour telle qu'elle ressortait des poésies de Heine risquait d'entraîner une conception pessimiste de la féminité, lorsque l'instable imagination de Nerval s'éloignait des « amours imprégnées de supernaturalisme », comme celles de Faust. Il devait savourer avec un âcre plaisir cette « analyse patiente et maladive d'un amour ordinaire, mais douloureux et fatal ». Avec quelle conviction il répète les paroles de Heine : « La femme est la chimère de l'homme ou son démon, comme vous voudez, — un monstre adorable, mais un monstre... Tout cela est fatal! » Cependant, ce qui impressionne le plus Gérard dans l'œuvre de son ami, « c'est l'idée de l'amour racheté par la mort ».

Il finit par se remettre au travail avec ardeur pour assurer son existence. Il avait espéré faire paraître un second volume de son *Voyage en Orient*, groupant les articles antérieurs sur la Syrie et le Liban; mais l'éditeur Sartorius, refroidi par l'échec du premier volume, ne veut rien entendre, et Gérard ne peut que s'adresser aux journaux. Pendant plus d'un an, de janvier 1849 à janvier 1850, *la Silhouette* publie chaque semaine ses souvenirs d'Orient sous le titre *Al-Kahira.* Il fait tout son possible pour accroître le nombre des articles. Au texte du volume édité par Sartorius sont ajoutés les articles parus dans la *Revue des Deux-Mondes*, outre un interminable appendice d'allure érudite, mais plagié de l'Anglais Lane. Le seul intérêt de cette nouvelle mouture est qu'au voyage en Orient se soude le récit du voyage de 1839 en Autriche. La nécessité matérielle semble ainsi commander le truquage le plus important du récit. Adroitement, il introduit avant la navigation dans l'Adriatique l'itinéraire de Paris à Trieste par l'Allemagne et Vienne; à cet effet, il regroupe et refond divers articles éparpillés dans *la Presse*, *l'Artiste*, la *Revue de Paris* de 1840 à 1845, et démembre les *Sensations d'un Voyageur enthousiaste* publiées en 1846.

Le 31 mars 1849, *les Monténégrins* sont créés sur la scène de l'Opéra-Comique après un an d'attente. Le public leur fait un accueil favorable : malheureusement, ajouterons-nous, car Gérard se croit revenu à la belle époque de *Piquillo* et s'entête au cours des mois suivants à chercher le succès au théâtre. Or, dans le cas présent, le succès s'expliquait par des motifs extra-musicaux. « Il soufflait dans *les Monténégrins*, note L. Guichard, un vent de liberté qui était alors tout à fait de circonstance. »

Le 1er mars, avait commencé de paraître dans *le Temps* un roman-feuilleton, *le Marquis de Fayolle*, Gérard tentait une nouvelle voie. Mais la publication ne se poursuit pas régulièrement. Après un mois d'interruption, elle reprend, continue jusqu'au début de mai, puis s'arrête définitivement, bien que, suivant l'annonce, elle dût se prolonger jusqu'en juin. Le roman demeure inachevé. Ne nous hâtons pas de déclarer que l'auteur de *Sylvie* n'attachait aucun prix à cette besogne. S'il sacrifie aux lois du genre, il suffit de lire avec attention, comme l'a fait R. Jean, les chapitres rédigés, pour découvrir que les hantises de Gérard se font jour à travers cette banale évocation de la lutte des Chouans contre les Bleus. Sous prétexte de peindre le XVIIIe siècle finissant, Gérard confesse sa passion pour l'illuminisme, et son intérêt pour le problème de la race et de l'hérédité, pour celui du hasard. Mais les péripéties du feuilleton trahissent des angoisses plus profondes : rivalité du père et du fils, abandon de la mère, croyance au double. « Un pont doit être jeté, conclut R. Jean, entre 1853 et 1849, entre *les Filles du Feu* et *le Marquis de Fayolle*, entre Gérard nouvelliste et Gérard romancier. »

Ce n'est pas par dégoût, mais par force que Nerval avait abandonné son roman. Grâce aux recherches patientes de J. Richer, on sait aujourd'hui qu'il eut une rechute en avril 1849. Son internement fut de courte durée : en mai et juin il fait un voyage à Londres, alors que le choléra sévissait à Paris. Il revient assez tôt pour assister à l'émeute du 13 juin, dont il fait le récit à Théophile, à son tour parti pour l'Angleterre. Il comptait des amis parmi les organisateurs de cette journée, tel V. Considérant. Il n'en juge pas moins l'échauffourée « absurde », et il ajoute : « Tout est fini, et pour longtemps selon les apparences », montrant par là qu'il ne croit plus désormais à la possibilité d'une insurrection populaire. Si son rétablissement ne le conduit pas à reprendre son feuilleton, il n'en accumule pas moins les projets et les travaux dans les derniers mois de 1849 et les premiers de 1850.

Bien que sa collaboration au *Musée des Familles* et à divers almanachs ne soit que besogne de librairie, pour peu que l'on y prête attention, ces fragments, tel *le Marquis de Fayolle*, se révèlent riches d'enseignements. Dans *l'Almanach pour rire* figure un texte intitulé *Deux utopies*, où, continuant de railler les prophètes de son temps, Gérard s'égaie à la fois sur la ruée des chercheurs d'or en Californie et sur l'émigration au Texas des icariens disciples de Cabet.

Plus intéressante est sa contribution à l'almanach cabalistique, *le Diable rouge*. D'abord parce qu'il eut comme collaborateur H. Delaage. Pour ceux qui n'ignorent pas l'histoire de l'ésotérisme en France, c'est un nom familier que celui de Delaage, auteur de nombreux ouvrages de vulgarisation sur le magnétisme, les sciences occultes, les sociétés secrètes. Ce maçon mystique fait figure de maître, après avoirs été lui-même guidé par Esquiros; et nous tenons en lui un des informateurs de Nerval les plus avertis. L'appartenance de notre poète à la franc-maçonnerie est encore objet de discussion : une lettre découverte par Cl. Pichois semble indiquer qu'il ne s'attribue pas indûment des grades maçonniques, et si l'on prend au sérieux les divagations contenues dans la fameuse lettre du 17 octobre 1854 au docteur Blanche, « Je ne sais si vous avez trois ans ou cinq ans, mais j'en ai plus de sept », c'est en 1847 que remonterait son entrée dans la Maçonnerie. Grâce à E. Peyrouzet l'attention a été attirée sur le docteur Vassal (Jean-Baptiste Dublanc était devenu son gendre), auteur d'un *Cours complet de Maçonnerie.* En outre la plupart de ses amis et connaissances sont des Frères. *Le Diable rouge* contient quatre fragments où l'on peut déceler l'apport de Delaage, qui était à la fois occultiste et hostile aux socialistes. Nerval sacrifie d'abord au mythe de la fin de Satan, puis il définit nettement la tradition théosophique : ces chapitres seront repris du reste dans *les Illuminés*, où ils forment la partie sérieuse de l'étude sur Cagliostro. Enfin, sous le titre *les Prophètes rouges*, sont évoqués — de façon sommaire à dire vrai — Buchez, Lamennais, Towiansky, Leroux, Proudhon et Considérant. L'influence dûment soulignée de l'illuminisme sur les théoriciens du socialisme explique le sous-titre surprenant donné en 1852 aux *Illuminés : Les Précurseurs du socialisme.* Il semble que Gérard ait alors conçu l'idée d'une vaste enquête, qui annonce curieusement, sinon la thèse d'A. Viatte, du moins *la France mystique* d'Erdan. Une fois de plus, le projet n'aboutit pas.

Enfin il publie à trois reprises en cette fin d'année la facétie intitulée *le Monstre vert.* A la manière de Nodier, il s'amuse à une diablerie, mais qui n'en touche pas moins au folklore parisien et à la sémantique, puisqu'il se propose d'expliquer l'expression proverbiale « allez au diable vauvert », devenue « allez au diable vert ». Dans une note, il se rattache en quelque sorte à une famille d'écrivains, lorsqu'il invite son lecteur à lire assidument *le Comte de Gabalis* de l'abbé de Villars, et *le Monde enchanté* de Bekker.

C'est entre les mois de mars et de mai 1850 que parut dans *le National*, sous le titre *les Nuits du Ramazan*, la suite du *Voyage en Orient*. Tout en évoquant ses souvenirs de Turquie, il publiait pour la première fois les chapitres sur les mystères des Pyramides, où étaient décrites les épreuves imposées aux initiés. Si banal que soit ce thème depuis le *Sethos* de l'abbé Terrasson jusqu'à *l'Épicurien* de Moore ou *l'Orphée* de Ballanche en passant par *la Flûte enchantée* de Mozart, ils offrent un nouveau témoignage de l'intérêt qu'il porte alors aux mystères et aux initiations. D'autre part, c'est dans les colonnes du *National* qu'apparaît *l'Histoire de la Reine du matin et de Salomon, prince des Génies*, une de ses œuvres capitales. Le sujet de la reine de Saba trouve enfin son expression. La disparate du ton, le bariolage du merveilleux ne doivent pas empêcher de voir qu'il donne forme ici à son mythe essentiel. A Salomon, au grand Soliman qui se trouve caricaturé à plaisir — le Nerval voltairien se plaît à rabaisser la sagesse du monarque biblique, et le Nerval romantique s'amuse à faire d'un roi, si l'on peut dire, le type même du philistin — est opposé le couple idéal formé par la reine de Saba et l'architecte du temple, Adoniram : couple prédestiné, fils et fille du feu, enfants de Caïn voués aux amours fatales par leur commune ascendance. En Adoniram Nerval se peint avec complaisance, et le portrait de l'architecte apparaît de tonalité toute moderne. Qu'on ne se laisse pas arrêter non plus par quelque outrance byronienne. Le personnage se révèle plus complexe et plus vrai que le héros romantique traditionnel, et son rôle ne se réduit pas à servir de cible à la Fatalité. Adoniram est un voyant qui par ce don exceptionnel pressent l'avenir sur le plan politique aussi bien qu'esthétique. « L'enthousiasme socialiste et saint-simonien colore ses aspirations généreuses... (il est) convaincu que « la phalange des travailleurs » vaincra bientôt « la puissance aveugle » des despotes », et, comme le note encore G. Rouger, « ses conceptions artistiques effaroucheraient, par leur audace, le romantique le plus hardi »; au jeune Bénoni, qui copie la nature avec exactitude et froideur, il conseille de chercher « des formes inconnues, des êtres innommés, des incarnations devant lesquelles l'homme a reculé, des accouplements terribles ». Plus que le *Fortunio* de Gautier, Adoniram devance Maldoror aussi bien que des Esseintes.

Au même moment, s'obstinant à publier son *Voyage en Orient*, il avait trouvé un éditeur plus hardi que Sartorius. Le libraire Souverain racheta les exemplaires invendus du premier volume (et il s'en fallait de beaucoup que l'édition fût épuisée) et fit les frais d'un second volume de *Scènes de la vie orientale*, identique au premier pour la présentation. Après les Femmes du Caire, voici les Femmes du Liban! Mais cet appel plus ou moins équivoque ne fut pas entendu, malgré l'enthousiaste publicité des camarades Lucas ou Champfleury.

Au théâtre, la déception est pire. Le succès des *Monténégrins* l'avait décidé à poursuivre en cette voie, et dans sa tête les projets foisonnent. Au début de 1850, il songe à tirer un livret d'opéra-comique de son conte *la Main enchantée*, qu'il rebaptise *la Main de Gloire*. Le scénario, conservé parmi les papiers de Maquet, prouve qu'il ne s'était pas contenté de changer le titre, et la comparaison avec le conte permet de saisir sur le vif, suivant les termes de J. Richer, la « subjectivisation » du récit. Maître

Gonin a été remplacé par Cyprien, c'est-à-dire par une incarnation de Gérard lui-même. Le jeune mage ignore son origine. Il est épris d'une grande dame, la comtesse de Soissons. Mais il ne mésusera pas de ses pouvoirs magiques, et, parce qu'il aura « triomphé du mal en résistant trois fois à la tentation », il épousera la comtesse, découvrira sa véritable origine qui est de la plus haute noblesse, et recouvrera ses biens. « Le ciel pardonne, dit le texte, et la destinée de Cyprien, obscurcie auparavant par ses mauvaises pensées, va se dérouler avec éclat. »

La liste de ses œuvres complètes, qu'il dressera avant sa mort, mentionne une douzaine de « sujets », entre autres *la Mort de Rousseau*, dont il publiera le résumé dans *les Faux-Saulniers*. Il vend aux frères Coignard l'idée d'un vaudeville en un acte, *Pruneau de Tours*, qui fut représenté au Gymnase le 30 mai. Il croit avoir trouvé un brillant second, puisqu'il lui fallait un collaborateur, en la personne de Méry. Mais la collaboration s'avère malheureuse. *La Nuit blanche*, pièce en un acte, qui devait être donnée à l'Odéon, est interdite par la censure en février 1850. Bocage (qui, soit dit en passant, était un haut dignitaire de la franc-maçonnerie) leur avait commandé une féerie à grand spectacle avec ballets, chœur et musique. Si l'on en croit Méry, Nerval, tel Picrochole, avait élaboré un magnifique projet de voyage fondé sur les recettes de *Paris à Pékin*. Hélas! le soir de la générale, l'Opéra, en vertu de son privilège, fait interdire les représentations d'une œuvre qui comportait des parties chantées. Pour rentrer dans ses frais, Bocage leur commande sur-le-champ une pièce permettant d'utiliser les décors orientaux de *Paris à Pékin*. Dans *le Monde dramatique*, Nerval avait jadis donné une analyse d'un drame indien du roi Soudraka, *le Chariot d'enfant*. Méry passait pour un indianisant. Ils se mettent à l'œuvre, et le 13 mai l'Odéon représente *le Chariot d'enfant*, drame en cinq actes en vers et sept tableaux. Au bout de dix-sept représentations, le drame indien tombe. Ces échecs entraînent pour Gérard une nouvelle dépression nerveuse qui nécessite en juin les soins d'un psychiatre. Il réagit aussitôt, et ce sursaut se traduit par de nouvelles publications et de nouveaux voyages. Mais en dépit des apparences le cercle fatal se referme peu à peu. Ses écrits marquent un progrès de l'introversion, et son amour du voyage le ramène au pays de Lorely, celui de la folie et de la mort.

Il donne une édition populaire de son *Faust*; elle peut retenir l'attention, puisqu'il y ajoute une brève préface où se trouve reproduite la page célèbre des *Entretiens de Gœthe et d'Eckermann*, témoignage d'admiration qui permettait au malheureux de reprendre confiance en lui-même. *La Revue des Deux-Mondes* en août et septembre, *le National* d'octobre à décembre, publient deux œuvres du plus grand intérêt, *les Confidences de Nicolas* et *les Faux-Saulniers*. L'étude sur Restif de La Bretonne ne vaut pas seulement parce qu'il remettait en honneur un écrivain méconnu : il découvre à côté de Cazotte un autre sosie spirituel. Un parallèle s'impose à lui qu'il poursuit avec ferveur : enfance villageoise, amours enfantines, apprentissage du métier d'imprimeur, passion pour une actrice, attrait pour l'occulte, croyance en la transmigration des âmes et en la fatalité de la ressemblance, noctambulisme, mythomanie, goût pour les généalogies fantastiques. Au surplus, ne laisse-t-il pas de projeter sa propre innocence sur le visage équivoque de l'auteur du *Paysan perverti*. Mais il trouve surtout en Restif un modèle littéraire. Il suffit de lire à la suite *les Confidences de Nicolas* et *Sylvie* pour constater que la découverte de cette parenté de destin est en fait la découverte de thèmes prestigieux, qui lui restaient jusqu'alors étrangers. Restif avivait son intérêt pour les souvenirs d'enfance et le décor dont ils s'entouraient. Il le détournait d'un exotisme spatial et temporel, qui donnait trop souvent l'impression du bric-à-brac. Il lui révélait la poésie du passé transfiguré par le souvenir.

Le feuilleton du *National* n'est pas un roman feuilleton, malgré son titre heureux, *les Faux-Saulniers*. C'est un récit à tiroirs, où Nerval se laisse aller au plaisir de divaguer. Néanmoins, malgré le patronage de Sterne ou de Diderot, il cherche visiblement à faire durer le plaisir, puisque dans le cas présent l'agréable se confond avec l'utile. Ayant découvert un nouveau personnage pittoresque, à la fois aventurier et pamphlétaire, l'abbé de Bucquoy, Nerval raconte comment il partit à la recherche d'un livre rare consacré à son héros. L'enquête sur l'abbé, la chasse du livre, l'entraînent à un voyage en zigzags dans le temps et dans l'espace. Il en vient donc à raconter l'histoire de la grand'tante de l'abbé, Angélique de Longueval, cependant que les étapes du voyage déclenchent de nouveaux épisodes, et que l'ensemble s'émaille de commentaires touche-à-tout. Il sent bien que cette énorme divagation pèche par excès; mais, conscient aussi du prix des divers morceaux, il fragmentera par la suite le feuilleton, qui fournit un chapitre des *Illuminés*, une nouvelle des *Filles du Feu*, plusieurs pages de *la Bohème galante* et de *Lorely*. Les pérégrinations à la quête du livre rare l'avaient conduit — objectif essentiel — à explorer l'Ile-de-France et à redécouvrir, avec le décor de son enfance, son enfance elle-même. Ainsi Restif et l'abbé de Bucquoy l'avaient ramené à lui. Il commence à déchiffrer « le manuscrit palimpseste » et, pour reprendre son image, on entrevoit déjà dans *les Faux-Saulniers* le visage d'Adrienne, comme dans les *Confidences de Nicolas* ceux de Sylvie et d'Aurélie.

Tandis que les *Confidences de Nicolas* commençaient de paraître dans la *Revue des Deux-Mondes*, Nerval était reparti pour l'Allemagne, et *l'Artiste*, *la Presse* publient aussitôt ses impressions de voyage. Buloz l'avait envoyé à Weimar pour rendre compte des fêtes données en l'honneur du double anniversaire de Herder et de Gœthe. Il passa par la Belgique et arriva trop tard. Selon J. Guillaume qui a fait la lumière sur ce voyage, « Nerval n'a rien vu des fêtes qu'il décrit dans la *Presse*, dans la *Revue et Gazette musicale de Paris*, dans *l'Artiste* »; il n'a pas assisté à la représentation de *Prométhée enchaîné*, poème de Herder, dont Liszt avait fait un drame lyrique; dans *la Presse*, Liszt est en fait l'auteur de son propre éloge signé Nerval. Il n'a pas assisté à la première de *Lohengrin*. Wagner apprécia pourtant son article : un écrivain français indiquait « clairement et nettement ce qu'il (voulait) ». C'est la princesse de Sayn-Wittgebstein qui aurait été sa « secrétaire ». Du 1 au 4 septembre Gérard resta en compagnie de Liszt. Le grand-duc héritier se montra particulièrement aimable à son égard. Gérard s'entremit peu après pour qu'un article de Liszt sur Wagner parût dans *le Journal des Débats* et il servit d'intermédiaire auprès de Dumas, Liszt souhaitant que l'auteur des *Trois Mousquetaires* tirât un livret du *Second Faust*. Il est regrettable que Liszt n'ait pas fait appel à Gérard, qui était parti pour l'Allemagne avec le projet d'un drame faustien. Son séjour ne fit qu'aviver son désir. Il avait assisté à une représentation de l'opéra de Spohr à Francfort, et ses premiers souvenirs de Thuringe sont consacrés au récit de cette soirée en même temps qu'à la revue des diverses versions de la légende, celle des théâtres de marionnettes aussi bien que celle de Klinger. En dédiant ces souvenirs à Dumas, il lui rappelle le passé : « Nous avions si souvent discuté ensemble sur la possibilité de faire un *Faust* dans le goût français, sans imiter Gœthe l'inimitable, en nous inspirant seulement des légendes dont il ne s'est pas servi. »

Son retour à Paris est marqué par deux surprises désagréables. Il est expulsé de son logement de la rue Saint-Thomas-du-Louvre par les démolisseurs, et il est attaqué dans *le Corsaire* qui lui reproche, alors qu'il avait été subventionné par la monarchie de Juillet, de « crier contre la réaction » dans ses feuilletons. Il prend fort mal la chose et proteste dans *le Corsaire*, *la Presse*, *le National*. Son adversaire avait eu le tort de confondre Gérard avec un homonyme; mais les reproches n'avaient rien d'une calomnie, et la protestation de Nerval ne convainc plus personne aujourd'hui.

Cependant 1851 devait être pour lui la grande année, celle où il allait s'imposer dans les lettres et au théâtre, obtenir — plus que succès, fortune et gloire — sa consécration comme grand écrivain. En janvier 1851, il traite avec Charpentier pour l'édition de son ouvrage sur « l'Égypte, la Syrie et la Turquie » qui reçoit le titre définitif de *Voyage en Orient*. Il ne se contente pas de joindre bout à bout les articles de *la Silhouette* et ceux du *National*. « Il est d'un vif intérêt, souligne G. Rouger, de comparer le texte de 1851 à celui des versions précédentes. Les variantes sont innombrables. » Ces corrections, que dictent à la fois le souci du style, la pudeur, la discrétion, attestent la volonté bien arrêtée de transformer un travail de journaliste en œuvre hautement littéraire, « d'avoir, comme il l'indique à son éditeur, un ouvrage général », et, puisqu'il s'inscrivait dans la liste déjà longue des auteurs de voyages, de s'élever au niveau des Chateaubriand et des Lamartine, aussi bien par la qualité de la forme que par l'originalité du ton. Les deux volumes paraissent en juin. Or, constate G. Rouger, les journaux passèrent sous silence en 1851 l'édition définitive du *Voyage*.

Sitôt libéré du travail de correction, il s'emploie à d'autres besognes. C'est en 1851 qu'il préface le livre de Turgan sur les ballons. Il s'était lié avec Félix Tournachon, plus connu sous son pseudonyme de Nadar, qui se passionnait à la fois pour la photographie et la navigation aérienne. Houssaye, qui a « réussi », puisqu'il est administrateur de la Comédie-Française, lui a commandé la traduction de la pièce de Kotzebue, *Misanthropie et Repentir*. Il est en tractation avec l'éditeur Lecour pour un volume sur les Illuminés, et, afin de contenter Du Camp qui dirige la *Revue de Paris*, il travaille à un article sur Quintus Aucler, le païen de la République. Malheureusement, le 24 septembre, il fait une chute dans un escalier, se blessant à la poitrine et au genou. Il ne semble pas qu'il faille expliquer cette chute par une crise nerveuse, malgré la valeur symbolique que lui attribuera l'auteur d'*Aurélia*, et il n'y a pas de preuve qu'à la fin de l'année 1851 il ait séjourné soit à la maison de santé municipale, soit à Passy chez le docteur Blanche.

Ni ces travaux secondaires, ni cet accident ne comptent auprès du projet grandiose qui l'occupe alors. Il avait écrit son *Faust* et il allait pouvoir le porter à la scène, car Fournier, qui venait d'être nommé directeur de la Porte-Saint-Martin, avait accepté de monter le drame. Nerval avait fait appel à la collaboration, non seulement de Méry, mais encore d'un poète aujourd'hui oublié, Lopez. « Faust était, dit-on, le gendre de Laurent Coster, imagier à Harlem », écrit Gérard dans *Lorely*. Pour sa pièce, il choisit comme héros, non le gendre, mais le beau-père, qui « avait déjà trouvé l'art d'imprimer les figures des cartes ». C'est donc l'invention de l'imprimerie qui a suscité sa curiosité. Il précisera cependant dans une lettre à Janin : « Le personnage principal... n'a été pour nous qu'un type général de l'inventeur d'une grande chose, contrarié par le mauvais esprit. » Le diable, loin d'être considéré comme l'inventeur de l'imprimerie, est présenté comme l'adversaire du progrès, et c'est le pape Jules II qui devient le défenseur des lumières. « L'inventeur, poursuit Nerval, qui a fort bien analysé sa tentative, a auprès de lui deux femmes : la femme bourgeoise qui ne le comprend pas et le fait souffrir, mais qui le sauve par le sentiment religieux — et la femme idéale, son rêve, le rêve éternel du génie dominé par l'amour-propre et que l'auteur de *Faust* avait symbolisé par Hélène, ici c'est Alilah, c'est-à-dire Lilith, la femme éternellement condamnée de la tradition arabe, et dont le Démon se sert pour séduire tous les grands hommes et leur faire manquer leur but. » « Il y a beaucoup de *Faust* dans la pièce et même du *Second Faust* » se croit-il obligé d'ajouter. Mais il s'inspire surtout du *Faust* de Klinger, et l'action passe de Harlem en Autriche, en France, en Espagne, en Italie. A chaque tableau le Démon change de personnage — rôle en or pour l'acteur Mélingue ! — cependant que la femme fatale change également d'apparence. L'antithèse des deux types de femme se complique en outre de la présence d'un troisième personnage féminin, la fille de Coster et de la femme bourgeoise qui, après la mort de l'épouse, joue auprès du héros le rôle de médiatrice.

Cette œuvre, dirons-nous avec J. Richer, condensait l'essentiel des croyances de Nerval : prédestination, amour d'un type éternel, rachat par le sacrifice d'une femme. Mais le résultat déçoit, et ce drame gœthéen en prose et en vers tourne trop souvent à la revue à grand spectacle. Les commentateurs n'en pèchent pas moins par excès de sévérité, car l'amour fatal inspire au poète quelques accents d'un charme incontestable :

> Pour toi, Coster, je suis la morne fiancée,
> Blanche comme la neige, et comme elle glacée,
> Et si ta main touchait ma chair, tu sentirais
> Ces frissons que l'hiver met au fond des forêts...
> Tout ce que j'ai promis, jamais je ne le donne.

Mais, selon la version imprimée, ce passage était supprimé à la représentation ! Gérard avait eu l'idée — et il se vantera de cette innovation — de lier à l'action du drame un tableau chorégraphique. De même qu'autour de Faust endormi Berlioz avait fait évoluer le ballet des Sylphes, Coster assistait au ballet des Heures, tandis que le dieu Pan chantait :

> Les heures sont des fleurs l'une après l'autre écloses
> De l'éternel hymen de la nuit et du jour...

Le *Ballet des Heures*, tel fut le premier titre du sonnet *Artémis*. Il suffit de lire les strophes du dieu Pan pour y trouver le vocabulaire et le ton du sonnet des *Chimères* — en dépit du thème, qui se réduit à une banale paraphrase du *carpe diem*. Le plus étrange est que ces strophes figurent dans les œuvres de Méry.

La censure se révéla tatillonne. Le manuscrit déposé au ministère de l'Intérieur prouve qu'il fallut consentir à force remaniements. Enfin le 27 décembre a lieu la première. Le jour même, Nerval avait sollicité un article de Janin, mais le critique des *Débats* ne se montre guère élogieux, se plaignant d'avoir eu froid dans une salle mal chauffée. Quant au critique de la *Revue des Deux-Mondes* il blâmera un peu plus tard ce froid mélodrame, « maladroite imitation de la forme shakespearienne ». Le public cependant est séduit, mais au bout de vingt-sept représentations Fournier retire la pièce, qui ne faisait plus ses frais. Il demande aux deux associés d'achever en hâte un *Alcibiade* qu'il acceptait de monter; mais Nerval découragé ne donne pas suite à ce projet. Méry a qualifié d'une formule frappante l'effondrement du malheureux, atterré par la faillite de son œuvre dramatique : « Il n'avait pas la santé du malheur. »

Atteint au début de janvier 1852 d'un érésipèle et d'une fièvre chaude, Gérard est hébergé par son ami Stadler. Celui-ci et le bon Nadar se relaient à son chevet. Puis, du 23 janvier au 15 février, il est hospitalisé à la maison de santé municipale.

Dès sa guérison recommence le cycle infernal : voyager, publier, voyager pour publier, publier pour voyager. Les changements politiques qui s'opéraient alors n'ont pas laissé de trace dans l'œuvre, et nous ignorons sa réaction devant le coup d'État du 2 décembre. Il est permis de supposer que le nouveau régime lui fut favorable. Au reste, la présence d'un

Napoléon sur le trône importe moins que ses liens avec l'équipe gouvernementale : Stadler était le cousin de Persigny, et lui-même connaissait depuis longtemps Waleski. En mai, il part pour la Hollande. En passant à Bruxelles il retrouve Dumas, qui « magnétise une boulangère hystérique ». Il séjourne à La Haye, à Amsterdam, revient par Gand et Lille. Dès juin, il raconte dans la *Revue des Deux-Mondes* les *Fêtes de Mai en Hollande.* En même temps, pour conjurer le mauvais sort qui avait frappé le *Voyage*, il s'acharne à grouper en volumes les fragments dispersés au cours des ans, et sans doute cette frénésie de publication révèle-t-elle la hantise d'une mort prochaine.

Après une nouvelle édition de *Faust*, il publie en août *Lorely*, *Souvenirs d'Allemagne.* Il y reprend et refond les articles disséminés dans *la Presse et l'Artiste* de 1840 à 1850. Comme le volume reste trop mince, il y joint *Léo Burckart*, puis, sans égard à l'unité de l'ouvrage, quelques anciens articles sur la Belgique et les notes toutes récentes sur les fêtes de Hollande. Il fait précéder le tout d'une préface très typique de sa manière. La majeure partie en est constituée par une citation : il va repêcher l'article nécrologique que Janin lui avait consacré en 1841 au moment de sa première crise, en prenant soin de couper ce qu'il juge fâcheux. Comme l'article est dans l'ensemble élogieux et le prestige du critique incontestable, il peut en attendre une bonne publicité, et l'humoriste qu'il est goûte le côté noir de cette malice. Il y ajoute quelques considérations nouvelles, et, à la faveur d'un bavardage apparent, laisse entrevoir son secret. « La chère Allemagne » a reconquis son cœur; c'est par son truchement que se trouvent liés le fantôme de celle dont les cendres reposent dans la froide Silésie, et l'image de la fée radieuse, de l'ondine fatale, dont le nom signifie en même temps charme et mensonge.

En novembre sort un second volume, comme le précédent fait de pièces et de morceaux. Sous le titre *les Illuminés*, sont rassemblés des textes disparates qui correspondent plus ou moins bien au sous-titre, *les Précurseurs du socialisme* : nous retrouvons l'article de 1839 rédigé par Maquet sur le roi de Bicêtre, Raoul Spifame, la préface au *Diable amoureux* de 1845, le fragment du feuilleton du *National* relatif à l'abbé de Bucquoy, les articles de la *Revue des Deux-Mondes* sur Restif de La Bretonne, l'article sur Quintus Aucler paru en 1851 dans la *Revue de Paris*. Enfin, pour gonfler le recueil, il bâcle un article sur Cagliostro, se contentant d'ajouter à divers fragments tirés de *l'Almanach cabalistique* un plagiat des *Mémoires authentiques pour servir à l'histoire de Cagliostro* par le marquis de Luchet. Ainsi ce chapitre juxtapose un développement sur la tradition, sérieux puisqu'il reflète l'enseignement de Delaage, et les ragots d'un adversaire déclaré des Illuminés. Nerval, quand il était pressé, ne se souciait guère de choisir ses sources, se bornant à émonder le texte, comme il avait fait pour l'article de Janin. Il ajoute enfin une brève préface, *la Bibliothèque de mon oncle*, esquisse d'un plaidoyer *pro domo*, qui explique par son éducation première sa propre excentricité; mais il y poursuit surtout cette quête du temps perdu, à laquelle il se livre désormais de toute sa ferveur.

En décembre, nouveau volume : *Contes et Facéties*. Il reprend le conte du Bousingo, *la Main enchantée*, ajoute *le Monstre vert* tiré de l'Almanach de 1849 et *la Reine des Poissons*, qui figurait déjà en décembre 1850 dans un feuilleton du *National* sur les livres d'enfants.

En même temps, il continue de publier dans les revues. Mais il y fait œuvre originale. Inutile pour lui de « chercher des sujets » au loin. La banlieue de Paris est aussi diverse que l'Europe, l'Asie, l'Afrique, et dans la capitale chaque quartier change de visage à chaque heure du jour et de la nuit. Il ne s'agit pas d'une innovation, puisque dès 1830 il évoquait le cabaret de la mère Saguet. A la suite d'un voyage dans le Valois au mois d'août, il publie en octobre et novembre dans *l'Illustration*, *les Nuits d'octobre*, promenant son lecteur de Montmartre à Pantin et du quartier des Halles à Meaux. J.-P. Richard a éclairé avec lucidité les dessous de ces randonnées. Au voyage manqué de Creil se substitue « une longue errance parisienne, qui prend peu à peu l'aspect d'une véritable descente aux enfers ». Lorsqu'il revient à la lumière, « comme un héros de Kafka, Nerval se sent poursuivi, il se sait même d'avance condamné ». Non seulement il sera emprisonné, mais lorsqu'il parviendra au but, ce sera trop tard. *Les Nuits d'octobre* retracent donc un voyage initiatique aboutissant à un échec, et constituent en quelque sorte le négatif d'*Aurélia*.

Désireux d'exploiter cette veine, il traite en novembre avec Lecour, l'éditeur des *Illuminés*, pour *les Nuits de Paris*. Il s'engage à remettre son manuscrit le 31 décembre. Mais le traité ne fut pas exécuté. Il projette également d'évoquer les soirées chez la mère Saguet sous le titre *la Vieille Bohème* : mais sans plus de succès.

C'est qu'il a découvert un monde plus pur, bien supérieur aux spectacles qui se déroulent sous les yeux hagards du noctambule. Il lui suffit de se pencher sur son passé pour voir étinceler la poésie. Désormais, il voyagera dans le temps, et nul panorama ne vaudra les paysages intimes qu'éclairent l'éclat de ses vingt ans ou la lumière tendre de l'enfance. Houssaye a mis à sa disposition les pages de *l'Artiste*; il en profite sans vergogne. Payant cette faveur de quelques louanges au camarade du Doyenné, il place le plus grand nombre d'articles, qui, sous un joli titre, *la Bohème galante*, réunissent des productions de date fort éloignée : l'étude revue et corrigée sur sur les poètes du XVI^e^ siècle, un choix d'odelettes, l'article sur les vieilles ballades françaises intitulé maintenant *Vieilles légendes*, et divers fragments de son feuilleton du *National*. Le meilleur est ce qu'il ajoute. Le passé lui parle d'une voix enchantée, mais cette voix si pure est celle d'une sirène, qui peu à peu emplit son âme de mélancolie. C'est alors qu'il avoue à Houssaye : « J'ai fait les premiers vers par enthousiasme de jeunesse, les seconds par passion, les derniers par désespoir. La muse est entrée dans mon cœur comme une déesse aux paroles dorées; elle s'en est échappée comme une pythie en jetant des cris de douleur. » Parmi les compagnons de Bohème, il faut rendre à Houssaye la place qu'il mérite. M. Maurin, en relisant *la Pécheresse*, histoire romancée de Théophile de Viau, publiée par lui en 1836, a compris tout ce que Gérard lui devait : d'où la dédicace des *Petits châteaux de Bohème* à Houssaye, comme de *la Lorely* à Janin, et des *Filles du Feu* à Dumas.

Conscient du charme de cette inspiration, il songe aussitôt à en tirer la matière d'un volume, mais l'artiste veille. Le 1er janvier 1853, Didier publie une plaquette in-18, intitulée en souvenir de Nodier *les Petits châteaux de Bohème*. Des douze articles de *l'Artiste*, Gérard a conservé les quatre premiers, auxquels il joint le texte des odelettes pour en faire le premier château. Son deuxième château est formé par *Corilla*, piécette pour laquelle il a manifestement un faible. Pour le troisième, il réunit les sept sonnets de 1844-1845 sous le titre *Mysticisme*, et sous le titre *Lyrisme* leur oppose quelques pièces figurant dans la *Bohème galante* au chapitre *Musique* et qui sont des vers d'opéra. Ce groupement ne manque pas d'intérêt. Qu'on lise attentivement le préambule du troisième château : l'on ressaisit avant *Aurélia* une première tentative pour déchiffrer la suite des événements qui constituent son destin. « Peu d'entre nous arrivent à ce fameux château de briques et de pierres, rêvé dans la jeunesse », déclara-t-il, rappelant son poème *Fantaisie*. « En attendant, je crois bien que j'ai passé une fois par le château du diable.

Ma Cydalise, à moi, perdue, à jamais perdue!... Une longue histoire, qui s'est dénouée dans un pays du nord, — et qui ressemble à tant d'autres! Je ne veux ici que donner le motif des vers suivants, conçus dans la fièvre et l'insomnie. Cela commence par le désespoir » *(le Christ aux oliviers)* et « cela finit par la résignation » *(Vers dorés)*. Le thème fondamental de la rédemption par l'amour ne se formule pas encore, la métamorphose d'Aurélie en Aurélia n'est pas accomplie, mais il sent la nécessité d'aller au-delà. Cependant il se contente d'ajouter : « Puis, revient un souffle épuré de la première jeunesse, et quelques fleurs poétiques s'entrouvent encore, dans la forme de l'odelette aimée. » Le grand principe mystique, mourir pour renaître, semble donc appliqué, mais le truquage est apparent, puisque le « souffle épuré » ne se manifeste que par des airs des *Monténégrins* ou de *Piquillo*. Et pourtant, dans l'adorable lettre qu'il adressait le 2 janvier 1853 à Mme de Solms, il avait entrevu le remède, celui auquel il aura recours à la fin d'*Aurélia* : aimer autrui, s'oublier au profit de son prochain, donner tout ce que l'on possède à plus pauvre que soi.

Ce labeur extrême n'était pas sans ébranler sa santé. Il savait que l'excès de travail l'avait mis en danger au cours de l'hiver 1852, et il voyait approcher avec angoisse celui de 1853. « La fin de l'année le trouvait dans un état de détresse matérielle et morale », et il fut obligé de faire intervenir un ami pour obtenir un secours du ministère de l'Instruction publique. Ici se situe un chapitre obscur de sa biographie : précisément la nature de ses relations avec Mme de Solms. Petite-fille de Lucien Bonaparte, celle que Karr surnomme la princesse Brouhaha fut toute sa vie brûlée du désir de faire parler d'elle. En 1852 elle n'était qu'au début de sa carrière agitée. Nerval, qui lui attribue dix-sept ans, plus gentiment que Karr, baptise Mignon la petite reine. A la façon de Wilhelm Meister, éprouva-t-il un attachement ambigu pour la Mignon réelle? Dans ses rêveries délirantes il se prenait pour un Napoléonide et pouvait se dire l'oncle de la petite Bonaparte. « Un nouvel amour se dessine déjà sur la trame variée des deux autres », avoue-t-il dans une variante de *Pandora.* Le poème *Madame et Souveraine*, le sonnet *Épitaphe*, et le mot d'envoi qui parle d'une « énigme » permettent de supposer l'éclosion d'un nouveau rêve d'amour; mais tout reste hypothétique, l'envoi de la lettre et la composition des deux poèmes n'étant pas datés de façon sûre. Il est certain du moins que toute tentative amoureuse ne pouvait être que source de détresse.

Autre déconvenue. Il avait concouru pour un prix décerné par « la Commission des primes à distribuer aux ouvrages dramatiques », jury dont faisait partie Sainte-Beuve; mais en février 1853 *l'Imagier de Harlem* n'est pas admis à concourir. Gérard, que ses pressentiments n'avaient pas trompé, séjourne du 6 février au 27 mars 1853 à la maison de santé municipale. Une lettre de Buloz laisse supposer qu'en avril il eut une rechute. Une fois encore ses amis ne l'abandonnent pas; il bénéficie de secours et d'encouragements de la part du ministère.

Or, pendant ces jours de délire, il écrivait son chef-d'œuvre, la pure merveille qu'est *Sylvie.* La genèse en est mal connue, parce que n'ont pas été retrouvées toutes les ébauches qui permettraient d'en suivre l'élaboration. A coup sûr, il la porta longtemps en lui. Les thèmes et les personnages étaient déjà préformés en divers passages des *Confidences de Nicolas* et des *Faux-Saulniers.* Il pouvait les développer dans une œuvre autonome. En juin 1852 *le Pays* annonce un ouvrage de Nerval à paraître sous le titre *l'Amour qui passe.* Une lettre à A. Joly permet de penser qu'il s'agit bien de *Sylvie*, mais aussitôt après Gérard change les termes et trouve le titre définitif.

Au cours de l'été, il part pour le Valois. Il lui faut « faire le paysage de son action ». Sans doute au début voulait-il suivre sa manière favorite, à la façon de Sterne : on a conservé divers papiers sur lesquels il notait ses ébauches, et l'on constate avec surprise que dans son esprit *Sylvie* se reliait au *Roman tragique.* Nous ne savons ni à quelle date, ni dans quelle intention furent rédigés les divers fragments connus sous les titres d'*Émerance* ou de *Lettre à Stadler.* Selon Méry, il y eut une rédaction complète, différente de la version définitive. Mais Gérard n'est jamais content. Il veut « trop bien faire », comme il l'écrit au début de son internement en février 1853.

La *Revue des Deux-Mondes* a déjà pris l'engagement de publier la nouvelle. Par malheur, après son rétablissement, il est encore attiré par le théâtre et se met d'accord avec Lucas pour tirer un livret du *Songe de Poliphile.* Il ne s'agit pas d'une simple reprise du vieux projet de 1838, mais d'une combinaison étrangement compliquée : ce livret doit s'adapter à la musique de *la Flûte enchantée* et l'intrigue associer à l'histoire de F. Colonna certaines scènes d'une pièce intitulée *Aurore*, découverte par Lucas dans les *Variétés étrangères.* On ne sait jusqu'où fut mené ce plan. Il explique du moins l'allusion glissée au chapitre XIII de *Sylvie* : « J'avais entrepris de fixer dans une action poétique les amours du peintre Colonna pour la belle Laura. » En juin, se sentant bien portant, Gérard en effet s'était remis à l'œuvre. Il se rend en juillet à Chantilly « pour prendre un paysage ». Il se propose alors d'écourter son texte et, toujours lucide, constate que le scrupule excessif de l'écrivain se retourne contre lui : il « perle trop ». Cependant la nouvelle reçoit sa forme définitive à la fin de juillet, et coup sur coup il a la joie de lire dans *la Presse* du 31 juillet un important feuilleton entièrement consacré à ses œuvres par P. Limayrac, et le 15 août de voir paraître *Sylvie* dans la *Revue des Deux-Mondes*.

Sous un volume réduit, *Sylvie* se révèle une somme nervalienne. Malgré le sous-titre *Souvenirs du Valois*, elle ne se borne pas à un hymne à l'enfance ni à l'évocation du coin privilégié où battit le cœur de la France. De fait, la structure en repose sur l'opposition de Paris et du Valois, et les harmoniques de l'histoire font du Valois une sorte d'Italie idéale, alors que Paris, apparenté à l'Allemagne comme le montre la suite du récit, s'identifie au royaume de la nuit. Le thème de la ressemblance amoureuse se trouve ingénieusement combiné avec l'antagonisme cher à Nerval des deux types de femme, la fleur des champs et la fleur de la nuit, la fillette et l'étoile. Cependant le thème de la femme fatale se dédouble lui-même, et plus exactement revêt un aspect ambigu : si Aurélie la comédienne est une fille d'enfer, Adrienne, son sosie, prend figure de sainte. Le héros enfin est l'enfant du siècle qui se nourrit d'illusion, prétend conquérir et fixer son idéal, s'enivre de poésie et d'amour, mais qui, en ces temps étranges, comme ceux de Pérégrinus et d'Apulée, se trouve de par son origine et son éducation promis au rôle de victime. S'il se tourne vers son passé, vers son enfance, ce n'est pas pour donner à son âme inquiète un vague motif de rêverie; l'appel à Sylvie situe le récit sur son véritable plan : Sauvez-moi ! s'écrie le malheureux, hanté par un spectre funeste.

Comme dans *les Petits Châteaux de Bohème*, Nerval prétend donner une conclusion à son expérience, si bien que la nouvelle devient un roman d'« apprentissage ». Il est précisé au dernier chapitre que celui qui s'est égaré au matin de la vie, en se dépouillant de l'illusion, acquiert l'expérience. Le passé s'abolit au profit du présent. En accord avec le « souffle épuré » du troisième château, « l'air si pur qu'on respire sur ces plateaux », le sourire athénien de

Sylvie mariée et mère de famille, offrent à notre W. Meister le symbole de la paix. Mais ce dénouement est postiche. En l'espèce, W. Meister ne parvient pas à la sagesse. Il est resté Werther, et son histoire est bien celle d'une faillite. Quel bilan négatif! La ressemblance des visages aimés n'est que chimère, puisque Aurélie n'est pas Adrienne. Chimérique aussi, l'opposition du réel et de l'idéal, d'Adrienne et de Sylvie, puisque Sylvie rejoint Adrienne dans le rêve pour former avec elle une seule étoile. Le héros retombe dans la solitude, puisque la vie le prive de Sylvie et d'Aurélie, puisque la mort le prive d'Adrienne. Perdre ce que l'on aime, c'est être perdu soi-même : il ne peut sortir de ce monde maudit qui est le sien. Il faut mesurer cette faillite afin de saisir le sens d'*Aurélia*. Mais, pour n'avoir pas atteint la sagesse, il n'en donnait pas moins de sa résistance au destin une preuve héroïque et délicate, en formulant ce bilan de faillite sous la forme poétique la plus exquisement pure.

Dix jours après la publication de *Sylvie*, au soir du 24 août, il est terrassé par une crise et conduit à l'hôpital de la Charité. Le 27, il entre à la clinique du docteur Émile Blanche à Passy. Il croit à une indisposition passagère, et dès septembre il dit raffermir sa santé par des promenades et de petits voyages. Mais une rechute grave au début d'octobre le ramène à Passy. Le 8 octobre, ses meubles sont déménagés de son domicile à la clinique. Installation symbolique! Puisque le monde n'était pas fait pour lui, le poète s'installait dans la folie et dans le rêve.

# LA DESCENTE CHEZ LES MÈRES 5

À PASSY, le docteur Blanche faisait vivre ses malades dans un décor princier, l'ancien hôtel de Penthièvre. Mais, en ce doux « asile », Gérard ne trouva pas la paix. Dès qu'il redevenait maître de lui, s'éveillait, lancinant, le souci de payer ses dettes, sans cesse renaissantes. Ses amis Stadler et Bell veillaient toujours sur lui avec un attachement admirable, et il obtint encore une aide de l'État. Mais il comptait surtout sur ses écrits. D'août à septembre, *le Pays* avait publié en douze feuilletons *la Reine de Saba*, extrait du *Voyage en Orient*, ce qui lui avait assuré quelques fonds.

Dumas dirigeait alors *le Mousquetaire*. Comme il avait proposé à Gérard « d'être l'un des quatre mousquetaires de la rédaction », celui-ci, en plaisantant, mais d'une façon révélatrice pour quiconque connaît le fameux roman, s'était identifié à Aramis. Une série d'articles lui fut commandée sous le titre *Trois jours de folie*. Gérard de son côté s'était engagé à écrire *l'Illustre Brisacier*, et le 26 janvier 1854 *le Mousquetaire* annonça la publication prochaine de ce roman en deux volumes. Sans doute à la même époque eut-il l'idée d'un « opéra-bouffon », *la Polygamie est un cas pendable*. Empruntant à *l'Ane d'Or* de 1842 le personnage protéen de Pérégrinus, il lui prête une aventure qui une fois de plus ramène le thème du déguisement et l'obsession du type éternel.

Mais on décèle aussi l'influence d'une comédie de Shakespeare, à laquelle il vouait une particulière dilection tant elle était nervalienne, *Peines d'amours perdues*. En l'une et l'autre pièce, l'action a pour cadre les Pyrénées, l'héroïne s'appelle Rosaline ou Rosalina. Rappelons surtout que le héros porte le nom de Biron, et que Nerval, qui s'est reconnu en ce poète à la fois mélancolique et gai, écrit juste à ce moment les sonnets *Épitaphe* et *El Desdichado*. En même temps, il reprend le chapitre de *l'Ane d'Or* sur la résurrection de Pérégrinus pour en faire une nouvelle fantastique, *le Comte de Saint-Germain*. Pérégrinus, qui n'était lui-même que la réincarnation de Lucius, le personnage d'Apulée, se réincarne une fois encore en la personne du fameux thaumaturge. Le thème fantastique, traité sur le mode léger en 1842, prend ici une résonance plus troublante. Le retour du mal n'a fait qu'accentuer l'attrait du poète dément pour l'occultisme et en particulier pour l'alchimie. Il se plonge avec fièvre dans les grimoires et interroge les tarots, obsédé par son horoscope. « L'heure de notre naissance, écrira-t-il dans *Aurélia*, le point de la terre où nous paraissons, le premier geste, le nom, la chambre, — et toutes ces consécrations, et tous ces rites qu'on nous impose, tout cela établit une série heureuse ou fatale d'où l'avenir dépend tout entier. » Parmi les découvertes les plus remarquables qui ont récompensé la patience de J. Richer, se place celle de l'énigme alchimique de Bologne, que Nerval reproduit dans *le Comte de Saint-Germain*.

Deux autres allusions à la pierre de Bologne figurent dans le manuscrit Lombard qui groupe les deux sonnets « majeurs », *El Desdichado* et *Artémis*; et au début de *Pandora*. C'est alors en effet qu'il acheva l'étrange nouvelle (il apporta une modification au dénouement fin novembre 1853). Gérard, tenté de donner une suite aux *Amours de Vienne* qui avaient tant contribué à son succès, destina ce récit au journal *Paris*. La malchance voulut que le journal disparut le 8 décembre 1853. Nerval put récupérer son manuscrit et après une tentative du côté de *l'Éclair*, se tourna vers Dumas qui le prit pour *le Mousquetaire*. Mais pour des raisons obscures la publication de la première partie fut retardée au 31 octobre 1854. Quant à la deuxième, elle ne fut révélée... qu'en 1921.

Grâce à J. Guillaume l'histoire de la nouvelle a été renouvelée. Plutôt que d'y chercher l'invasion de la démence, il a montré que Nerval avait été victime des obstacles matériels dus à son internement. Le va-et-vient des épreuves n'étant pas facile, les consignes données par l'auteur furent si mal suivies que, lassé, il dut demander à Dumas de ne pas publier la seconde partie. Car celle-ci avait été composée; mais les épreuves conservées dans la collection Lovenjoul prouvent qu'un trou s'était formé dans le récit, parce qu'un fragment du manuscrit s'était égaré. Ce fragment heureusement a été retrouvé et J. Guillaume a pu, en comblant la lacune, restituer à la nouvelle son unité, sa cohérence et son pouvoir d'envoûtement.

Pour des raisons mystérieuses — mais l'hypothèse de Sébillotte apparaît s'imposer ici — l'image de la Femme fatale se présente sous un jour monstrueux. Que Marie Pleyel ait été la victime de sa frénésie n'a rien de troublant : à court d'imagination, Gérard utilisait son passé si pauvre en expérience et lui faisait subir toutes les métamorphoses. N'oublions pas non plus les réminiscences livresques : F. Constans a par exemple souligné la parenté de *Pandora* et de la pièce de Musset *les Marrons du feu*. Ajoutons que la Pandora devait servir de repoussoir à « l'autre ». Or, l'autre prenait peu à peu figure de sainte. Dans sa nouvelle Nerval a fait entendre les cris stridents de la fée. En face de la femme fatale, il se présente plus que jamais sous les traits d'un Pierrot, mais d'un Pierrot noir. Au dénouement cependant, par une métamorphose admirable, le personnage falot se mue en un Prométhée que nul ne peut délivrer.

Le 10 décembre 1853, *El Desdichado* parut dans *le Mousquetaire*. Au sonnet Dumas avait joint un article où, à douze ans d'intervalle il réitérait le mauvais coup de Janin.

Nous ignorons à quel moment il fit subir au texte d'*Isis* paru dans *la Phalange* et *l'Artiste* le travail de refonte qui réduisit à quatre les sept chapitres primitifs, et atténua l'aspect un peu pédantesque de ce texte érudit, qui n'a malgré tout rien d'une nouvelle. Nous ne savons pas davantage à quelle date la lettre à Jenny publiée sous le titre *l'Illusion* se trouva encadrée dans le récit qui porte aujourd'hui le nom d'*Octavie*. C'est le 17 décembre 1853 que *le Mousquetaire* publia la nouvelle sous la forme qu'elle devait garder dans *les Filles du Feu*, mais les deux versions, parues à quelques jours d'intervalle, offrent de telles variantes, que celle du *Mousquetaire* semble brusquée. Le rapport entre la lettre sur l'aventure de Naples et le cadre reste très vague et même contradictoire, si bien que pour l'édition définitive force lui sera d'ajouter des précisions et des raccords. Parmi ces précisions, il est étonnant de trouver l'idée — longuement développée dans *Sylvie* — qu'il a fui en Italie pour échapper à l'image obsédante de l'actrice adorée. La nouvelle qui sert de cadre a pour sujet le motif le plus banal, un flirt de vacances avec une Anglaise en voyage. Toutefois, pour donner du relief au personnage, Nerval utilise le vague souvenir de 1834 qu'il avait déjà transposé dans le *Voyage en Orient :* la rencontre de la jeune femme mariée à un vieux militaire. Il avouera bientôt lui-même que son imagination est à court; mais l'utilisation du souvenir et le ton du commentaire n'en rappellent pas moins et de façon frappante *Pandora*. Lorsque le narrateur revoit Octavie mariée à un époux paralytique et maladivement jaloux, « il me rappelait, ajoute-t-il, ce géant noir qui veille éternellement dans la caverne des génies, et que sa femme est forcée de battre pour l'empêcher de se livrer au sommeil. O mystère de l'âme humaine! Faut-il voir dans un tel tableau les marques cruelles de la vengeance des dieux! » De même, dans *Pandora*, le pseudo-Prométhée s'écrie : « O Jupiter! quand finira mon supplice? », et, dans *le Comte de Saint-Germain*, le ressuscité gémit : « Jéhovah! Jéhovah! mon père... ne t'es-tu pas assez vengé? » Nerval est alors obsédé par l'idée de malédiction : la malédiction paternelle... Ainsi tous les projets de cette époque sont liés par des liens secrets. Le scénario d'opéra-bouffe, *le Comte de Saint-Germain*, *Pandora*, les deux sonnets sybillins où le poète s'interroge sur son destin et sur la ronde des heures, *Octavie* forment une nébuleuse, issue du rêve au début de l'internement.

Dans *Octavie* comme dans *Sylvie* les obsessions du rêveur se fraient un passage. La première nouvelle paraît même une sorte de carrefour où se rencontrent les thèmes majeurs des autres œuvres. Et d'abord Octavie l'Anglaise joue le même rôle que Sylvie. La réflexion finale, « je me dis que peut-être j'avais laissé là le bonheur », correspond à une réflexion analogue des *Souvenirs du Valois*, qui correspondait elle-même à un passage des *Confidences de Nicolas*. Mais le personnage de Sylvie était nettement défini par contraste avec Adrienne. Ici, faute de contraste, le personnage d'Octavie tend à devenir synthétique. Elle joint à la candeur de la vierge certains aspects de la fée, de Mélusine la sirène. Elle mord un citron comme J. Colon. La réception chez le marquis Gargallo, la visite de Pompéi et l'évocation de la Déesse figuraient déjà dans *Isis*. Le comportement de l'amoureux, repris par le souvenir de sa grande passion et n'osant plus poursuivre sa cour, est celui même que Nerval s'attribue à l'égard de Marie Pleyel dans *Aurélia*. Le plus étrange, comme l'a montré F. Constans, est « le phénomène assez rare » qui se produit au cours de la nuit. Le volcan crache « une poussière chaude et soufrée »; mais, ajoute le narrateur, « je contemplais sans terreur le Vésuve couvert encore d'une coupole de fumée ». « Sans terreur », car il s'attribue « la domination du feu central », comme il l'attribuait à la divine enchanteresse Dafné-Myrtho, comme il l'attribuait à Balkis et à Adoniram, descendants de Caïn. Donc il se considère comme un fils du feu, et il associe à cette filiation luciférienne la sœur-épouse qui de toute éternité lui est destinée. Le mythe du héros prend donc ici une couleur byronienne et s'oppose au masochisme dépressif des autres textes. Le recours à la Sainte de l'abîme dans Artémis témoigne du même esprit de révolte.

Cependant au cours de ces mois, un projet plus vaste l'occupait : la publication d'un volume pour lequel il avait traité avec D. Giraud. Il s'agissait d'un recueil de nouvelles, dont chacune devait porter pour titre un nom de femme. L'histoire du recueil reste encore incertaine.

Une lettre à D. Giraud datée du 23 octobre 1853 fait état de cinq nouvelle pour lesquelles il proposait le titre de *Mélusine ou les Filles du Feu*. « Cinq histoires, écrit-il, répondraient à ce titre : *Jemmy*, *Angélique*, *Rosalie*, etc. » Etc. désigne manifestement *Isis* et *Octavie*. Selon J. Richer, *Rosalie* désignerait le scénario *La Polygamie est un cas pendable*. Gérard, n'ayant pu rédiger la nouvelle, l'aurait remplacée par *Corilla*. Au cours des semaines suivantes, un chassé-croisé se produisit : *Pandora* qui devait figurer dans le recueil, pour des raisons encore inconnues, n'en fit pas partie. *Sylvie* que Gérard voulait publier à part, fut ajoutée en décembre, entraînant à sa suite le double appendice, *Chansons et légendes du Valois* et *la Reine des Poissons*.

Pour augmenter le volume, l'éditeur est invité à aller repêcher dans *le Messager* de 1839 ce *Fort de Bitche* que Maquet avait rédigé : il suffit de remplacer le titre par le nom de l'héroïne, *Émilie*. Nerval estime que la nouvelle est très intéressante et finira bien le volume. Est-ce la publication d'*El Desdichado* en décembre qui le décida à joindre à ses nouvelles un choix de vers, comme il l'avait fait pour les *Petits Châteaux de Bohème*? Il emprunta du reste au *Troisième Château* les sept sonnets groupés sous le titre *Mysticisme*, et leur en joignit cinq autres, choisis parmi une douzaine d'inédits. Cet ensemble représente avec le mystérieux *Panorama* la partie de son œuvre sur laquelle font défaut les précisions chronologiques. Rien ne permet de situer exactement la date de leur composition entre 1841 et 1853.

D'autre part, l'article de Dumas fournit à Gérard le thème de son introduction, et il profite de l'occasion pour étoffer encore son volume. Comme il avait fait naguère pour l'article de Janin, il cite la prose de Dumas, avec discrétion néanmoins, et en coupant l'allusion à sa maladie, à la nécessité d'un traitement. Puis il prend dans *l'Artiste* de 1844 son *Roman tragique* et le reproduit *in extenso*. Était-ce une façon de prouver à Dumas qu'il songeait sérieusement à écrire *l'Illustre Brisacier?* Ce texte en marge de Scarron ne jurait pas avec l'ensemble du recueil. L'apparition de la comédienne à la lumière pourpre de Racine lançait magnifiquement le thème repris dans *Octavie* et *Sylvie*, et les noms fatidiques des amants de Scarron, l'Étoile et le Destin, la définition que Brisacier donnait de lui-même, « Moi... le déshérité... le beau ténébreux... », trouvaient un écho dans le premier sonnet des *Chimères*. Enfin il accompagne cette double citation de commentaires qui constituent un témoignage essentiel pour atteindre le secret de cette âme incertaine. Parlant de son « cas » avec entrain et ironie, il s'assimile à l'Astolfe du *Roland furieux*, parti chercher la raison de Roland dans la lune. Il prétend pour sa part avoir retrouvé la sienne. Puis, à l'instar de Nodier, incapable lui aussi de distinguer le réel et le rêve, il montre comment il finit par s'identifier avec ses héros, identification qui devient une obsession, un vertige. Seule la croyance à la transmigration des âmes peut rendre compte de ce phénomène. Ébloui par la série de ses existences antérieures, il se dit que, s'il était parvenu à concentrer ses souvenirs en un chef-d'œuvre, il aurait pu être un Cicéron (l'auteur du *Somnium Scipionis*) ou un Dante, mais il ne peut offrir à Dumas que cet « à la manière de »... Scarron. Pourtant, sa réflexion même ouvre à son ambition des perspectives merveilleuses, et lui qui renonçait, quelques pages plus haut, « à la renommée d'inspiré, d'illuminé », il écrit ces lignes capitales, que l'on sourit de voir adressées à l'auteur des *Trois Mousquetaires :* « Une fois persuadé que j'écrivais ma propre histoire, je me suis mis à traduire tous mes rêves, toutes mes émotions, je me suis attendri à cet amour pour une *étoile* fugitive qui m'abandonnait seul dans la nuit de ma destinée, j'ai pleuré, j'ai frémi des vaines apparitions de mon sommeil. Puis un rayon divin a lui dans mon enfer; entouré de monstres contre lesquels je luttais obscurément, j'ai saisi le fil d'Ariane, et dès lors toutes mes visions sont devenues célestes. Quelque jour j'écrirai l'histoire de cette descente aux enfers ». C'est *Aurélia* qui se trouve annoncée et définie de la sorte, et Nerval, qui peu auparavant hésitait à se comparer à Dante, se considère comme l'émule de Hegel ou de Swedenborg : avec un sourire où se mêlent la modestie et la lucidité, il se donne le seul titre qu'il convoite, celui de poète.

Au début de 1854, il exprime des doutes sur la qualité du titre *Filles du Feu.* Deux raisons sont avancées par lui, fort différentes. « J'ai peur que cela n'ait l'air d'un livre dangereux. » Que l'on pense au titre de Barbey *les Diaboliques.* Mais il observe aussi : « Cela a un air de féerie et je ne vois pas trop que cela réponde au contenu. » Ainsi le titre conviendrait à ce que nous appellerions un spectacle de music-hall. En 1842, Fanny Cerrito dansait à Londres un ballet intitulé *Alma ou la Fille du feu*, ballet plus connu sous le titre de sa version américaine, *la Fille de marbre.* Il reprend alors le titre qu'il voulait donner à *Sylvie* en 1852, *les Amours passées.* (C'est sous ce titre que l'œuvre sera déclarée à la direction de la Librairie). Ou encore *les Amours perdues*, allusion à la comédie de Shakespeare qui lui est si chère. « Cela me semble, observe-t-il avec son habituelle lucidité, rendre bien mieux le sentiment doux du livre, et c'est plus littéraire. » Au dernier moment on revint au titre *les Filles du Feu*, à jamais célèbre.

❧❧❧

Amené à la clinique dans un état de folie furieuse, il s'était calmé rapidement. Mais il passait périodiquement par des phases d'excitation et de dépression. Celles-ci se traduisaient par des changements d'attitude à l'égard de son médecin, qu'il considérait tantôt comme un ennemi, tantôt comme un père. Lorsqu'il songeait que sa situation se trouvait compromise puisqu'il lui était impossible de fréquenter les milieux littéraires ou les salles de rédaction, lorsque la privation de voyage lui semblait devoir tarir son inspiration en l'obligeant à se nourrir de sa propre substance, la réclusion lui devenait insupportable. On ne louera jamais assez l'intelligence du docteur Blanche, psychiatre de génie et homme de cœur, qui sut le comprendre. Informé des actes saugrenus ou délictueux que Nerval commettait à l'extérieur, il dosait avec sagesse les sorties et les visites; constatant que l'abus de l'alcool et la chaleur communicative des réunions mondaines excitaient dangereusement son pensionnaire, il le soumettait à un régime strict. En revanche, dans la notice de Mirecourt on peut relever cette observation remarquable : « Les médecins lui avaient dit : « Tâchez d'aimer le plus de femmes possible; il n'y a que ce moyen de vous guérir. » Enfin, la perspicacité du psychiatre se révèle dans le fait qu'il encouragea Nerval à noter ses rêves. « Je vous envoie des pages qui doivent être ajoutées à celles que je vous ai remises hier, lui écrit Gérard. Je continuerai cette série de rêves, si vous voulez. » Ainsi prit corps le projet qui aboutit à *Aurélia*. Avant même que l'article de Dumas ne lui ait fait préciser son dessein avec la lucidité que nous admirions plus haut, il disait à son père : « J'entreprends d'écrire et de constater toutes les impressions que m'a laissées ma maladie. Ce ne sera pas une étude inutile pour l'observation et la science. » Il constate lui-même l'effet bénéfique de ce travail qui débarrasse sa tête des fantasmagories maladives : « Les idées noires m'ont quitté. » Mais il aperçoit aussi la grandeur quasi héroïque de cette œuvre nouvelle. Son âme est un labyrinthe. Tel le héros de la fable, il va s'engager dans les détours de son destin, et il est sûr de triompher, puisqu'il a reçu de sa bien-aimée le fil d'Ariane.

*Aurélia* fut commencée dès le mois de décembre 1853. Même s'il avait rédigé à une époque antérieure des fragments autobiographiques sur des récits de rêve, ce n'est qu'à la fin de 1853 et pendant le premier semestre de 1854 qu'il prend conscience de son projet dont il mesure avec une lucidité exemplaire les aspects utiles, bienfaisants, prestigieux et redoutables. Mais la poursuite de l'œuvre capitale fut retardée par divers facteurs. D'autres projets viennent à la traverse. Au moment même où la conception se dessine, il hésite sur la forme qu'il doit adopter et songe à une pièce de théâtre, « ce qui serait, dit-il, plus gai et rapporterait davantage ». « La dernière phrase nous fait frémir, avoue J. Richer, à la pensée qu'au lieu d'*Aurélia*, nous aurions pu avoir un second *Imagier de Harlem*. » Selon le même critique, le mystérieux *Panorama* serait le plan de cette pièce. En mars 1854, Gérard veut tirer de *Corilla* un livret d'opéra-comique. Carré ayant accueilli favorablement cette idée, il envisage la traduction en anglais et en allemand de ses meilleurs morceaux, et surtout il prépare une édition complète de ses œuvres.

D'autre part, le docteur Blanche est d'accord avec ses amis pour lui faciliter la possibilité d'un voyage dès qu'il pourra sortir impunément. Grâce à Stadler, G. Bell et F. Wey obtiennent de Fortoul, ministre de l'Instruction publique, qu'une mission en Orient lui soit confiée. Une indemnité de six cents francs lui est accordée le 14 mars, mais une rechute au début de mai empêche son départ, et le docteur Blanche l'engage à ne pas s'exposer aux risques d'un trop long voyage. Gérard ayant rendu la somme avancée par le ministère, ses amis s'entremettent alors pour tourner la difficulté. Il irait en Allemagne avec une vague mission, et Houssaye, avec l'autorisation du ministère des Beaux-Arts, pourrait lui avancer quinze cents francs sur l'adaptation de la pièce de Kotzebue, qu'il allait monter à la Comédie-Française.

Le docteur Blanche, inquiet malgré tout, obtint de lui la promesse qu'il le tiendrait au courant de son état pendant ses déplacements, et c'est ainsi que nous est parvenu l'extraordinaire document que constituent les lettres de Gérard durant son dernier voyage en Allemagne.

Le 27 mai 1854, il quitte la clinique de Passy, et après quelques adieux rapides il sort de France, où il ne reviendra qu'au bout de huit semaines. Le prisonnier libéré se trouve dans un état d'excitation qu'exaspèrent des coïncidences et des hasards. Il s'est identifié tour à tour à Astolfe partant pour la lune, à Thésée s'engageant dans le labyrinthe. Le voici maintenant pareil à Orphée, descendant aux enfers à la recherche d'Eurydice. Pour lui, le Rhin devient le fleuve infernal; mais au-delà du fleuve, c'est la terre de Gœthe qui l'attend. A l'image d'Orphée se mêle celle de Faust descendant chez les Mères, et le regret d'Eurydice perdue se double du regret de la Mère perdue; en sorte que le fantôme féminin dont il poursuit l'image est à la fois amante et mère. Mais l'Allemagne, c'est aussi le pays de la rêverie supernaturaliste, de la philosophie de la Nature, le pays de Hoffmann, de Fichte et de Hegel; c'est le pays de Dürer et de Wagner, le pays de la mélancolie et du soleil noir, celui de Lohengrin, le héros sans tache, le chevalier au cygne. Gérard, qui a opté pour le Rêve contre la Vie, a l'impression de respirer cet air pur, qu'il a tant désiré. En France on le traque, on l'enferme; ici, il circule librement. Oui, l'Allemagne est sa patrie, sa terre maternelle. « On ne me trouve pas fou en Allemagne », notera-t-il sur son carnet. Une lettre à Wey, écrite de Munich « au centre même de la civilisation et des lumières », le répète sous une autre forme : « Nous sommes tous un peu fous dans cette bonne Allemagne, mais nous l'avouons franchement. »

La correspondance permet de suivre d'une façon précise la courbe capricieuse de son humeur au cours de son voyage. A Strasbourg, quelque infidélité à son régime, l'abus de la bière, le jettent dans des transports qu'il confesse à son ami Georges : « En touchant les bords du Rhin, j'ai retrouvé ma voix et mes *moyens* » (c'est lui-même qui souligne). Comme jadis à Constantinople il avait revu C. Rogier, voici qu'à Strasbourg il revoit un autre camarade de bohème, H. Egmont, le traducteur de Hoffmann. Au reste, lors de son arrivée paraît la brochure que lui a consacrée Mirecourt dans la série des *Contemporains* et qui fait de lui un personnage de légende [1]. Après quelques manifestations déplacées, il finit par se calmer et redevient maître de lui à Carlsruhe — nom prédestiné —, puis à Stuttgart. Mais la fin du séjour à Munich voit le retour de ses idées noires. A Nuremberg, où

1. Sur l'exemplaire de la brochure qui lui fut communiquée, en marge du portrait gravé illustrant le texte, il écrivit : « Je suis l'autre » formule mystérieuse qui a suscité des commentaires délirants ou des explications inexactes. La lecture attentive de la correspondance permet, semble-t-il, d'élucider le mystère. Le 31 mai, il avoue sa peur de voir le portrait gravé par Gervais et pour lequel il a posé à Passy, car il était alors malade et Gervais faisait « trop vrai »; comprenons qu'il avait peur que la gravure ne lui prêtât l'aspect misérable fixé par Nadar dans sa célèbre photographie. Il recommanda à G. Bell : « Dites partout... que Mercure avait pris les traits de Sosie et posé à ma place. » Une fois sorti de l'asile, Sosie est convaincu qu'il est

il s'attarde presque une semaine, il connaît encore une relative détente. « C'est une ville ravissante », « une ville charmante, la plus jolie peut-être et la plus curieuse de l'Allemagne. » Hésitant sur la suite de son itinéraire, il opte pour Leipzig, plaque tournante qui lui permet de rayonner vers Dresde, Prague ou Berlin. Mais à Leipzig il n'a pas le courage de refuser l'invitation de Liszt, tout en prévoyant que réceptions et fêtes risquent de compromettre son équilibre instable. Ici intervient dans la correspondance une lacune qu'explique sans aucun doute une rechute. J. Richer a émis l'hypothèse qu'alors Nerval serait allé de Leipzig à Glogau, où se trouvait la tombe de sa mère. Hypothèse émouvante, certes — et ce pèlerinage serait bien l'aboutissement de sa quête du passé —, mais qui ne s'impose pas. Nerval avoue simplement au docteur Blanche : « A Leipzig seulement la tête a tourné. » Cette rechute entraîne une double conséquence : elle l'empêche de poursuivre son voyage vers l'Est et de répondre aussitôt à l'invitation de Liszt. Il s'agissait de fêtes musicales à la Wartburg en souvenir des Maîtres Chanteurs. Nerval, qui s'intéressait à la conception wagnérienne de l'opéra, regrettait de n'avoir entendu aucune œuvre de Wagner au cours de ce voyage. Il apparaît d'après la correspondance que son attrait pour les problèmes musicaux s'était accru sous l'influence d'Antony Deschamps, comme lui pensionnaire du docteur Blanche. D'autre part, depuis 1850 il était resté en relations épistolaires avec Liszt, auquel

redevenu Mercure, le dieu aux pieds ailés. Là-dessus, il voit la brochure avec son portrait gravé. Surprise agréable (et peu importe ici notre opinion sur la médiocrité de ce portrait, fade et léché), dont nous trouvons un écho dans une lettre à Sartorius : « Le portrait n'est pas mal; remerciez M. Gervais qui est un charmant homme. » — Mais Nerval ne serait pas Nerval s'il se laissait prendre à la flatterie de la gravure et, lucide ou déprimé, il écrit en marge : « Je suis l'autre », l'ilote, le paria, le maudit. Même si ce mot n'a aucun rapport avec la formule de Rimbaud, il n'en laisse pas moins entrevoir un abîme de désespérance.

il adressait ses ouvrages en nourrissant toujours l'espoir de lui fournir le livret d'un *Faust.* A Weimar, le musicien le reçoit avec cordialité. Malheureusement il devait se rendre à Rotterdam, et Gérard ne reste son hôte que deux jours. Le mauvais temps se met alors de la partie, empêchant la fête d'Eisenach. Liszt, pour dédommager Gérard, veut l'emmener; il lui offre au moins de profiter de son logement; mais Nerval angoissé préfère le chemin du retour. On lui fait cependant promettre de revenir à Weimar. Il écrira plus tard à Liszt : « Pardon de quelques bizarreries que vous n'aurez pu vous expliquer dans ma conduite. »

Le docteur Blanche, qui ne laissait pas d'être inquiet, souhaitait que Gérard revînt au plus tôt et, comme lui-même devait se marier le 20 juillet, il l'invite à se trouver à Paris ce jour-là. Le voyageur regagne la France par Gotha, Cassel, Francfort, Mayence et Forbach. Le 19 juillet, il passe à Bar-le-Duc. Lui-même note que depuis son arrivée à Cassel, le 11 juillet, son état s'est amélioré. Néanmoins il ressent de plus en plus « une certaine tristesse », dont son père est la raison; mais cette anxiété apparaît comme l'expression détournée d'une hantise de l'échec. On remarque également que ses sentiments religieux se font plus vifs dès que son état s'améliore : « Me croyant guéri, je me sens meilleur. » « Croyez-moi chrétien de cœur », déclarera-t-il à l'heure du retour. En revanche, dès qu'il traverse une phase de dépression, son complexe de culpabilité grandit, mais alors même qu'il s'accuse, il prétend qu'il n'a jamais voulu mal faire. A Bar-le-Duc, il écrit à son médecin une lettre affectueuse et confiante : « Le mal, assure-t-il, n'est pas si grand que je me le fais. »

Il était parti avec l'intention de travailler en cours de route, et c'est l'aspect le plus obscur en même temps que le plus important de son voyage, car de la conclusion adoptée dépend la façon d'envisager les mois qui précèdent sa mort. Sur son travail, il porte dans ses lettres des jugements contradictoires, optimistes ou pessimistes selon son humeur du moment, mais rien ne nous autorise à croire qu'il joue à ses correspondants une comédie.

A Strasbourg, il est en pleine euphorie et déclare dans le post-scriptum d'une lettre à Busquet : « Dites à Du Camp que son affaire va crânement bien. J'enverrai les premiers articles au *Pays* d'ici à peu de jours. » Du Camp faisait partie du comité de rédaction de la *Revue de Paris*, et l'affaire n'est autre que l'œuvre importante en cours, *Aurélia.* D'autre part Nerval avait dû promettre au *Pays* ses impressions de voyage. Le lendemain 31 mai, c'est à son père qu'il annonce : « J'écris un ouvrage pour la *Revue de Paris* qui sera, je crois, remarquable ». Il parle également d'un roman tout fait dans sa tête et rédigé par fragments *(l'Illustre Brisacier? le Prince des Sots?)*, que Dumas achèverait volontiers. Il se propose d'écrire pour *le Mousquetaire* l'histoire d'un louis d'or, et le 1er juin, il affirme à son médecin : « J'ai déjà beaucoup écrit. » Le 11 juin, *Aurélia* avance, mais, ajoute-t-il, « je n'envoie pas encore ce qui est fait, car il faut que je corrige d'après l'ensemble. Je m'en aperçois surtout maintenant. » A Munich, il avoue à Blanche qu'il ne travaille pas tant qu'il l'aurait espéré, mais il continue *Aurélia;* il informe également son ami Wey qu'il a recueilli sur les bords du Rhin de quoi travailler longtemps. Le 21 juin, il songe à faire traduire en allemand l'ouvrage qu'il « termine » en ce moment : il s'agit sans conteste possible d'*Aurélia.* De Nuremberg, il propose à Sartorius un joli livre à gravures; cette ville lui a du moins fourni la substance d'un bon article de revue. De Nuremberg encore, il écrit le 21 juin à Liszt ces lignes si émouvantes : « J'ai été frappé bien durement, mais je crois que j'en profiterai pour devenir meilleur. Mon esprit tourné au mysticisme et non pas au plus clair ni au plus méritoire, s'est dévoré lui-même depuis plusieurs mois : j'ai écrit des œuvres du démon, non des comédies, comme l'entendait Voltaire, mais je ne sais quel roman-vision à la Jean-Paul que je voudrais donner à traduire avant de l'envoyer aux Revues ... Cela se rattache à une nouvelle que j'ai publiée l'année dernière dans la *Revue des Deux-Mondes* (intitulée Sylvie) ... J'estime, d'ici, que cela sera plus clair pour les Allemands que pour les Français. » Une lettre du 25 juin contient ces précisions capitales : « J'envoie de la copie au *Pays*... Le livre de Du Camp avance; j'ai dû beaucoup refaire de ce qui avait été écrit à Passy, sous les observations que vous savez (?); c'est pourquoi j'en avais fait faire une copie afin de ne pas perdre les rognures que je saurai utiliser. Cela est devenu clair, c'est le principal et c'est ce qui vous fera honneur, que je le date ou non de votre maison. » Le 27, c'est à son ami G. Bell qu'il adresse un bulletin de victoire : « J'ai beaucoup travaillé... Du résultat de ce mois seul, il y a de quoi travailler un an. Je me suis découvert des dispositions nouvelles. Et vous savez que l'inquiétude sur mes facultés créatrices était mon plus grand sujet d'abattement. » Le 30 juin, il prétend ne plus vouloir « perdre de copie à écrire des lettres », et il tient toutes prêtes deux « lettres littéraires » à Dumas et à Gautier. En juillet, son travail s'est ralenti, et il écrit à son père : « J'ai fait de bonnes études, surtout à Munich et à Nuremberg »; à son médecin : « Mes projets de travaux ont été et sont sérieux, vous n'en doutez pas; je n'ai pas cessé dans tout mon voyage de recueillir de quoi le faire — à Leipzig seulement la tête à tourné. » Sans doute ajoute-t-il cette réserve : « Est-il possible, du reste, que dans un voyage si rapide j'eusse pu écrire beaucoup de lignes, comme je m'en étais flatté? » Mais faut-il conclure qu'il n'a pas fait grand'chose, et que par souci d'auto-défense il a trop vanté le peu qu'il a fait? Grand travailleur, il regrette seulement de n'avoir pu produire autant qu'il l'espérait et, au moment de rentrer en France, il déclare catégoriquement à son père : « Je vais me mettre à travailler à mon retour et je n'ai guère fait autre chose pendant mon voyage. »

Cette revue minutieuse nous conduit à une double conclusion, contraire à l'idée reçue : la rédaction d'*Aurélia* était très avancée lors du retour en France ou du moins il a « refait » certaines parties et comme il le dit si bien : « Cela est devenu clair. » D'autre part il est incontestable qu'il comptait tirer parti de ce nouveau voyage et qu'il avait déjà rédigé, envoyé des articles, au *Pays* en particulier. Que sont devenus ces textes? Pourquoi n'a-t-il pas utilisé le butin rapporté de son exploration au-delà du Rhin? Pourquoi a-t-il tant tardé à publier *Aurélia?* Autant de questions, autant d'énigmes, que biographes et érudits ne se sont pas attachés à résoudre, prisonniers de l'idée préconçue que Nerval épuisé n'avait rien écrit de bon durant son absence.

Dès son retour en juillet, il manifeste cette activité fébrile que nous l'avons vu déployer à maintes reprises : il rend compte à Godefroy, agent de la Société des auteurs, des démarches faites à Leipzig et à Weimar « pour obtenir la réalisation et l'exécution des traités internationaux relatifs au droit de traduction »; il négocie avec Dutacq l'achat de plusieurs volumes — sans doute s'agit-il de son projet de publier ses œuvres complètes —; il s'occupe de donner une traduction anglaise et allemande de *Sylvie* et *d'Aurélia.* En juillet, le début d'*Aurélia*, composé par la *Revue de Paris*, est expédié à Leipzig. Suivant une indication fournie encore par lui-même, tandis que le début d'*Aurélia* se compose à la *Revue de Paris*, une autre partie est imprimée par *l'Artiste* et « les deux fragments sont destinés à se rejoindre ». Son travail, à l'en croire, est à peu près terminé.

La fièvre du retour s'ajoutant au surmenage du voyage provoque alors, sinon une rechute, du moins une fatigue telle que Blanche juge bon d'interdire visites, sorties, correspondance, et l'oblige à un repos complet pendant deux mois. C'est le 23 septembre qu'il peut s'inquiéter à nouveau de sa situation. Il semble que ce repos forcé ait eu de fâcheuses conséquences pour les textes remis aux revues, et que même ils se soient égarés, comme si personne ne s'en était soucié. Sinon, il faudrait admettre qu'en septembre, lorsqu'il affirme que deux imprimeries attendent ses bons à tirer pour continuer le travail, il romance à plaisir. Le 7 octobre il traite avec Lévy pour une nouvelle édition des *Filles du Feu.* Il recopie et corrige *Aurélia* et, le 10 octobre, il peut écrire à Liszt : « J'avance dans les conclusions de mon livre qui va paraître le mois prochain dans la *Revue de Paris.* » C'est lui qui pourtant, quelques jours après, en ralentit la composition. La deuxième partie était sous presse, mais restait inachevée : il se promettait de la terminer sur épreuves. La forme de la publication le préoccupait aussi. La *Revue de Paris* ne pouvant donner le texte *in-extenso* en un seul numéro, il se résignait mal à couper en deux une œuvre dont l'unité faisait la plus grande vertu. Sans doute hésitait-il sur le point où devait se faire la coupure.

En même temps, manœuvrant en secret, il alerte la Société des gens de lettres pour obtenir son élargissement, car, à l'idée que la rigueur de son médecin risquait de compromettre le rétablissement de sa situation littéraire, il se sentait pris de rage. Le 9 octobre, Godefroy et Janin demandent au docteur Blanche sa remise en liberté. L'aliéniste était contraint par la loi d'accéder à la demande, mais ce médecin consciencieux ne voulut lâcher son malade qu'après avoir pris toutes les précautions. Et d'abord il « consigne » son pensionnaire. Puis il entend lui assurer un gîte. On ne pouvait compter sur le père; mais Gérard avait deux tantes à Paris, et l'une d'elles s'engage à l'héberger rue Rambuteau jusqu'à ce qu'il ait trouvé un logement. Enfin, comme son cousin était médecin, la surveillance du malade lui est confiée. L'inquiétude du psychiatre se justifiait : à la seule pensée de quitter l'asile, Gérard manifeste une étrange surexcitation, qui transparaît dans ses lettres de la mi-octobre adressées au docteur Blanche, à Houssaye, à A. Deschamps. Il se targue dans l'une de ses titres maçonniques, dans une autre il se dit « initié et vestal ». En revanche, dès sa libération, il se sent extrêmement déprimé : « Tout est accompli, écrit-il à son compagnon d'internement. Je n'ai plus à accuser que moi-même, et mon impatience qui m'a fait exclure du Paradis. Je travaille et j'enfante désormais dans la douleur. »

Il sort donc de la clinique le 19 octobre. Entre cette date et celle, fatidique, du 26 janvier, s'étend une période mystérieuse, que la légende a défigurée. Préoccupé par la dette contractée à l'égard de son médecin, il avait laissé en gage à Passy ses meubles et ses livres. Dès qu'il a repris son équilibre, il se hâte de se mettre à la tâche. Pour s'acquitter, il projette d'organiser à la Porte-Saint-Martin une représentation à son bénéfice. Le 27 octobre, il traite avec Lévy pour un nouveau recueil, *Nouvelles et Fantaisie*; Charlieu, éditeur de pièces de théâtre, s'est chargé de liquider les dettes urgentes, sans doute en échange d'un nouveau contrat. Enfin il négocie avec Beau, imprimeur à Saint-Germain, l'édition des *Promenades et Souvenirs*. Le 2 novembre, il peut écrire à son père : « J'ai trouvé de l'argent », et il rêve même de racheter la partie du clos de Nerval qui appartient à son cousin.

« Durant les derniers mois de l'année 1854, écrit J. Richer, il semble avoir erré à l'aventure. » L'image d'un Nerval menant la vie d'un « clochard » pendant les derniers mois de son existence s'est volontiers répandue, mais, en vérité, sur quoi repose-t-elle? Certes un contretemps fâcheux s'est produit : sa tante Labrunie, subitement malade, n'a pu le loger. Mais la correspondance prouve qu'il s'est installé à l'hôtel de Normandie, et qu'il réside quelquefois à Saint-Germain où il dit travailler plus librement. Il va de temps en temps dîner chez son père. Le 2 janvier, il écrira simplement au docteur Blanche : « Je ne tarderai pas à prendre un logement, n'en ayant pas trouvé à ma convenance le terme dernier », et la fameuse lettre du 24 janvier, adressée à sa tante, « Ne m'attends pas ce soir, car la nuit sera noire et blanche », prouve qu'à la veille de sa mort il lui était possible de coucher rue Rambuteau.

Le problème essentiel reste celui de la production littéraire. Sa collaboration aux journaux est relativement réduite, mais l'on peut tenter d'expliquer cette énigme sans faire aussitôt appel à l'extinction de ses facultés créatrices. Une note d'Ulbach, directeur de la *Revue de Paris*, laisse entendre que Nerval eut de la peine à terminer *Aurélia*, mais le témoignage d'Ulbach est suspect. A lire la lettre à lui adressée par Nerval, il semble que la composition de la deuxième partie fut retardée par des raisons matérielles, du fait de l'imprimeur. « J'ai la poche pleine de copie que je remporte de peur de la perdre. » Cette peur laisse croire que de la copie se perdit.

C'est alors que Nerval, inquiet de ne plus trouver son nom au sommaire des revues, exaspéré par les difficultés à faire paraître une œuvre dont il mesure l'importance, demande au bon Dumas de publier *Pandora* dans *le Mousquetaire*. La première partie paraît le 31 octobre. Le plaisir de voir sa nouvelle publiée fut gâté par le fait que Dumas ne tint pas compte de ses recommandations : il aurait souhaité que la nouvelle fût rattachée aux *Amours de Vienne*. D'où sa remarque à Ulbach : « J'ai donné au *Mousquetaire* des fragments bizarres que Dumas a imprimés sans faire observer que cela n'a ni queue ni tête. » Il offre sa collaboration à une petite revue, qui paraît alors pour la première fois, le *Sans le Sou*, et, toujours à Ulbach, il déclare son intention de « commencer un journal-revue à [lui]. »

A partir du 30 décembre, il connut la joie de voir paraître dans *l'Illustration* ses *Promenades et Souvenirs*. Jamais ses accents n'avaient été aussi purs, et les thèmes traités s'accordaient avec une harmonie parfaite à cette limpidité. Le début confirme sur le mode plaisant une remarque précédente : à la sortie de la clinique, n'ayant pu trouver un logement à Paris, il songe à s'établir en banlieue. Mais la recherche du logement — tout en lui fournissant un développement à tiroirs tel qu'il les aimait — ne le conduit pas moins à une évocation moins capricieuse qu'on ne croirait, comme l'a montré R. Chambers, charmante, puis émouvante, de ses souvenirs : souvenirs de Montmartre, de Saint-Germain, de Mortefontaine. Toute son enfance ressurgit avec plus de vivacité que dans *Sylvie.* Et quelle inépuisable source ! Le rappel, ou plutôt le regret de sa mère, qu'il refoulait jusque-là comme le prouvent les variantes d'*Aurélia*, devient l'aboutissement de ce retour vers l'enfance. Cependant l'image maternelle se fond, au cours des pages qui suivent, en des visions de jeunes filles en fleur. Le Valois et l'Allemagne se marient en une rêverie harmonieuse, et sur les dernières pages qu'il ait écrites flotte le souvenir de W. Meister.

❧❧❧

L'année nouvelle s'ouvre pour lui sous les meilleurs auspices. Le 1er janvier paraît dans la *Revue de Paris* le début d'*Aurélia.* Comme *Sylvie*, *Aurélia* est une œuvre longuement mûrie. Nul n'y voit aujourd'hui le produit de l'automatisme ou du délire. On ne sait quel singulier romantisme a conduit les Gautier et les Houssaye à présenter *Aurélia* comme une œuvre inachevée, ou du moins qui montrerait à la fin de la seconde partie le changement du rêve en cauchemar, de la mélancolie en désespoir, et l'envahissement de fantômes grimaçants, de chimères monstrueuses. Une lacune subsiste et un certain flottement dans la deuxième partie; mais la charpente de l'œuvre est si nette, la fin répond avec tant de rigueur au commencement, que l'on ne saurait suivre ici les amis de Nerval.

Lorsque Nerval annonce à Liszt le 10 octobre 1854 qu'il avance dans la conclusion de son livre, au cours de la même lettre il lui demande pardon pour quelques bizarreries; mais il ajoute aussitôt : « Tout cela est éclairci pour moi et le sera pour vous. » D'une façon très cohérente, il laisse entendre qu'en achevant son livre il a vu clair en lui-même. Le mystère de sa destinée n'en est plus un à ses yeux dessillés : tout s'harmonise, et se tient, et s'explique.

Hoffmann lui avait appris que poésie, rêve et folie étaient les visages différents d'une même expérience, dont il avait connu le triple aspect depuis son enfance jusqu'en 1841. Mais, par une aberration fatale, il n'avait pas pris conscience du privilège qui lui avait été accordé, à lui, l'oint du Seigneur. Pendant dix ans, il s'était vainement diverti, négligeant l'unique nécessaire; et, quand il avait été de nouveau la proie du délire, il s'était cru victime d'une malédiction. Or, subitement, la lumière avait jailli. Le retour de la maladie se traduisait par une « reprise », au sens musical du terme, des événements aussi bien que des visions dont il avait bénéficié lors de la première crise. Ses visions se trouvaient valorisées du fait de leur reprise, de même s'éclairait son étrange destin. Le retour cyclique du passé n'était pas signe de malédiction, mais d'élection. La ronde des heures ne l'enfermait pas en un cercle étouffant, mais l'auréolait d'une gloire. Car une Providence maternelle lui permettait de revivre les mêmes événements, de passer par les mêmes épreuves. Sa folie, dont il avait rougi comme d'une tare, lui apparaissait comme un mal sacré. Par suite, l'entre-deux se trouvait réduit à néant. Le temps intermédiaire, qui séparait les deux crises, était du temps perdu : seules comptaient les périodes où se produisait l'épanchement du songe dans la vie réelle. Mais dès lors aussi, son devoir de poète lui imposait de déchiffrer son destin de rêveur, en dépit des périls auxquels s'exposent fatalement ceux qui descendent aux enfers.

Nous admirerons la gravité du héros en cette heure décisive, calme qui se traduit par ces affirmations capitales : « La mission d'un écrivain est d'analyser sincèrement ce qu'il éprouve dans les graves circonstances de la vie... Je crois que l'imagination humaine n'a rien inventé qui ne soit vrai dans ce monde ou dans l'autre. » Le caractère métaphorique des verbes (forcer, percer) souligne l'aspect volontaire du recours au rêve. Car il ne s'agit pas d'un abandon à des puissances obscures, mais d'un coup de force, qui aboutit non seulement au déchiffrement des visions, mais d'une façon plus significative encore, à l'espoir de discipliner ce que l'on croirait d'abord essentiellement rebelle. Il veut « dominer (ses) sensations au lieu de les subir... imposer une règle à ces esprits des nuits qui se jouent de notre raison ». Les notes manuscrites gardent la trace de cet effort où logique et morale s'unissent en une collaboration remarquable : « S'entretenir d'idées pures et saines pour avoir des songes logiques. »

*Aurélia* expose les résultats de cette plongée au-delà des portes d'ivoire. Nerval est sûr de la survie des âmes. Il ne doute plus de son salut. Donc il retrouvera dans un autre monde celle qu'il aima en cette vie, et qu'il sait élue de toute éternité non seulement pour être son épouse mystique, mais pour assurer son pardon : car la privation de l'amour ici-bas l'a fait passer par diverses épreuves qui lui ont permis de dépouiller le vieil homme, de réprimer cette exigence de savoir qui le conduisait à la révolte, de se soumettre, de se résigner, de s'oublier, de connaître la beauté du sacrifice, de découvrir le prochain et de l'aimer comme soi-même. *Aurélia*, ou le pire n'est pas toujours sûr. A la réintégration de l'initié correspond une réconciliation cosmique. L'âme captive, délivrée, souhaite que s'associe à son chant l'hymne du cosmos enfin rendu à l'harmonie première.

Le mythe de l'Éternel féminin atteint alors son plein épanouissement. Toutes les images féminines se superposent. Isis et Marie, la déesse et la femme, la mère et l'amante, Marguerite et Hélène, la Sainte et la Fée, Sophie et la Rose, se fondent en une représentation unique, celle d'Aurélie « transfigurée et radieuse », qui reçoit le nom sacré d'Aurélia. Car à elle seule appartient d'illuminer le ténébreux, d'épouser le veuf et de consoler l'inconsolé. Mariage mystique? Bien plutôt mystique chevauchée, qui couronne l'initiation. Ainsi se ferme le cycle, puisque Nerval unit d'une façon prestigieuse à l'image apocalyptique de la fin des temps le souvenir de la poésie allemande et les souvenirs d'enfance.

Certes *Aurélia* se rattache à *Sylvie*, dans la mesure où il fallait un prologue pour établir la triste vérité qu'aucune femme ne pouvait appartenir au malheureux en cette vie.

Dans *Aurélia*, la situation tragique est retournée : « elle m'appartenait bien plus dans sa mort que dans sa vie ». Aurélia n'est autre qu'Aurélie ayant rejoint dans la mort Adrienne, et le héros vainqueur reprend à son compte le cri de Saint Paul : « O mort, où est ta victoire? »

En marge de cet itinéraire spirituel deux remarques capitales doivent être faites. Il est aisé de mettre l'accent sur les aspects catholiques de la démarche : humilité, repentir, sacrifice, charité. En réalité l'incertitude religieuse jointe au désir du salut amène le myste à faire flèche de tout bois : à côté du catéchumène, il y a en lui un mage qui a recours à des procédés occultes et volontiers forcerait le ciel.

En même temps que l'image féminine s'enrichit, se met à grandir, elle semble s'évanouir dans sa propre grandeur, comme si l'apparition fugace d'Adrienne était le modèle de toute apparition. Il est troublant de constater qu'à mesure que le myste progresse vers le salut, Aurélia-Isis a son nom qui s'efface. Au chapitre II de la deuxième partie, elle n'est désignée que par l'initiale A; dans les *Mémorables*, que par des astérisques. Nerval — le manuscrit nous l'apprend —

avait d'abord écrit le nom de Sophie, nom combien chargé de sens puisqu'il reliait les amours enfantines à la Gnose. Sans épiloguer sur la portée de cette censure, retenons l'effacement du nom. Il est signe d'une absence, comme si l'image de la Rédemptrice était tracée sur du néant, inspirée par la frustration fondamentale, la privation de la mère. Ces considérations ne font que donner plus de prix à la présence de Saturnin. Elle signifie que pour Nerval le seul problème est de pouvoir aimer autre chose qu'une image.

Le plus admirable reste cependant la conclusion. Nerval l'initié reste Nerval, être de modestie et de lucidité : « Les soins que j'avais reçus m'avaient déjà rendu à l'affection de ma famille et de mes amis, et je pouvais juger plus sainement le monde d'illusions où j'avais quelque temps vécu. Toutefois, je me sens heureux des convictions que j'ai acquises, et je compare cette série d'épreuves que j'ai traversées à ce qui, pour les anciens, représentait l'idée d'une descente aux enfers. » Mais comment, hélas! chasser de notre esprit la remarque faite par Baudelaire dans *la Fanfarlo :* « Nous avons psychologisé comme les fous, qui augmentent leur folie en s'efforçant de la comprendre. »

❧❧❧

A l'aube du 26 janvier 1855, on trouva Nerval pendu, rue de la Vieille-Lanterne. Ce coup du destin suscita longtemps une floraison d'anecdotes inspirées sans doute par la sympathie; mais, de façon plus suspecte, ce fait-divers permit à d'obscurs plumitifs d'exploiter leurs souvenirs, de se faire valoir, de flatter un public avide de sensations troubles. Nous ne retiendrons ici que quelques faits, et sous toutes réserves. Le 6 janvier, l'*Illustration* avait publié la suite des *Promenades et Souvenirs*. Le 17, Gérard remercie Delvau qui, dans sa galerie des célébrités contemporaines, lui a prodigué des éloges : il attend avec impatience le prochain numéro qui doit contenir la suite de l'étude. Le 20 janvier, Gautier et Du Camp le rencontrent à la *Revue de Paris*. On a beaucoup insisté sur le fait que Gérard ne portait point de manteau, alors qu'il gelait à pierre fendre. Le 23, toujours désireux de donner une édition complète de ses œuvres, il en remet la liste au bibliophile Jacob, qui était son ami depuis ses débuts littéraires. Le 24, il se présente chez Méry, et, ne l'ayant pas trouvé, laisse au domestique un sou marqué d'une croix. Après avoir gaiement passé la soirée chez une actrice en compagnie de son ami G. Bell et de Ph. Audebrand, il aurait fini la nuit au poste, ayant été pris du côté des Halles dans une rafle. Relâché le 25 au matin, il se serait présenté chez Asselineau pour lui emprunter sept sous, afin de se rendre à son cabinet de lecture habituel. Vers la fin de l'après-midi, il se serait arrêté au Théâtre-Français. Houssaye avait perdu sa femme quelque temps auparavant et Gérard n'avait pas revu son ami depuis le jour des funérailles. Mais il ne le trouva pas chez lui. Ensuite on ne sait plus rien, l'enquête de police ayant été anéantie par les incendies de la Commune.

Des documents sérieux — entendons par là les rares lettres des derniers jours — permettent de constater qu'à partir du 24 il se trouvait dans une phase d'excitation. La lettre à sa tante, datée de ce jour, rappelle par le ton les délirantes lettres d'octobre 1854, et contraste par conséquent avec celles, parfaitement sensées, qu'il adressa le 1er janvier au docteur Blanche pour lui offrir des vœux de bonne année, et le 17 à Delvau pour le remercier de son étude. Nous retiendrons seulement cette indication au moment d'aborder à notre tour le mystère de la rue de la Vieille-Lanterne.

Selon la version officielle, il s'est suicidé : telle est la conclusion adoptée par le commissaire de police (dans son procès-verbal et dans une lettre à Houssaye en date du 29 mars), par le médecin appelé sur les lieux, par le médecin inspecteur de la Morgue et par le docteur Blanche lui-même. Le suicide le privait des obsèques religieuses. Le médecin aliéniste prit l'initiative d'écrire à l'archevêque de Paris pour attester que, si le poète s'était bien suicidé, il ne pouvait avoir mis fin à ses jours que dans un accès de démence, donc ne devait pas être tenu pour responsable. L'archevêque approuva cette façon de voir, et le 30 janvier le service funèbre fut célébré à Notre-Dame.

Pour les uns, Nerval s'est suicidé par raison. Depuis ses premiers ans, il était sevré d'amour. Toutes celles qu'il aimait avaient quitté ce monde :

> Où sont nos amoureuses?
> Elles sont au tombeau...

Aussi la mort ne prenait-elle pas à ses yeux un visage macabre. Elle prenait celui de l'Amour même, et il pouvait formuler lui aussi le souhait bouleversant du « banni de liesse » : « Mais que la Mort soit de moi amoureuse. » Or, il avait la certitude de retrouver ailleurs celles qu'il avait aimées. La peur de mourir en état de péché si la folie ne lui laissait pas le temps du repentir, la crainte même de se frustrer de sa bien-aimée en attentant à ses jours, il les avaient exorcisées. Convaincu que la Femme est médiatrice de toutes grâces, il se savait racheté par l'intercession de ses mortes. Adonné aux recherches occultes, il croyait aux signes; et comme il le laisse entendre dans *Aurélia*, il se flattait d'avoir reçu la garantie du pardon et du salut. Muni de cette sorte de « consolamentum », il ne lui restait plus qu'à mourir. « N'attends pas la nuit ! » faisait-il dire par Dieu à son héros. Le psychanalyste lui-même apporte le poids de son autorité : « Les narcisses ne craignent pas la mort, remarque O. Rank, ce qui leur est insupportable, c'est l'attente. »

Mais pour les autres, les plus nombreux, il s'est suicidé par désespoir. Il ne croyait plus à la possibilité de sa guérison : ce qui entraînait « la crainte de ne pouvoir plus rien produire ». G. Bell et Nadar ont insisté sur ce vertige de la stérilité. Dès lors il se trouvait réduit à la misère, et par surcroît ne pouvant plus faire honneur à ses engagements. Comme c'était pour lui un martyre que de mendier des secours ou simplement d'accepter une aide, il ne lui restait que l'issue fatale. « C'est sous l'influence de ces causes morales que sa raison s'est de plus en plus égarée, conclut le Dr Blanche; c'est surtout parce qu'il voyait sa folie face à face. » A ce geste de désespoir, quelques-uns donnent une allure hallucinée à la Poe : Gérard, obsédé par le double qui le persécute, s'est supprimé pour supprimer son ennemi intime. Il a voulu tuer son double.

La thèse du suicide s'appuie, dit-on, sur force arguments. Tout devient signe.

Le mode de suicide : N'avait-on pas trouvé pendu l'amant de Sophie de Feuchères, et dans l'un et l'autre cas — détail troublant — les pieds des deux pendus effleuraient le sol?

Le lieu : Gérard avait choisi cette rue sinistre de la Vieille-Lanterne. Le prince d'Aquitaine a-t-il entendu en ce nom l'écho suggestif du chant révolutionnaire : Ça ira, les aristocrates à la lanterne, les aristocrates on les pendra?

Le temps : « Un jour funeste : le vendredi; à une date fatidique : le 26, deux fois treize... » notait déjà A. Marie. J. Richer ajoute pour sa part de nombreux motifs occultes : « Le choix du lieu du suicide, à l'intersection des deux grands axes perpendiculaires de la ville, à proximité de la tour-talisman et de l'ancienne place de Grève, lieu sacrificiel, prête à réflexion » (la rue de la Vieille-Lanterne, aujourd'hui disparue, se trouvait sur l'emplacement du théâtre Sarah-Bernhardt). « Déjà, dans le thème de naissance de Nerval, Saturne, placé dans le Scorpion, à la pointe de la Maison XII, invitait le natif à imiter l'animal archaïque qui, à l'heure du péril extrême, retourne son dard contre lui-même. Rappelons aussi que l'arcane XII, le Pendu, correspond à ce signe. A l'aube fatale du 26 janvier 1855, un ensemble de configurations célestes présageaient folie et hallucination : Pluton était alors en quadrature au Soleil. »

« On rencontre diverses prémonitions de mort volontaire dans l'œuvre, par exemple dans *Octavie* ou dans le sonnet *Artémis.* » Oui, le suicide apparaît bien être l'aboutissement, il couronne ce destin de poète maudit, trouvant dans la mort volontaire le signe qui le sacre.

Mais, dès le lendemain de la mort et jusqu'à nos jours, des adversaires se sont dressés contre la thèse du suicide.

Le mythe du poète maudit demeure intact, que la mort soit volontaire ou non, dès l'instant qu'il s'agit d'une mort violente. « Comme le calife Hakem, note G. Rouger, et les « insensés sublimes » évoqués dans *le Christ aux Oliviers* — comme Gérard lui-même — Adoniram est voué à une fin tragique pour avoir placé son rêve outre terre : le Mokatam, le ravin du Cédron, la rue de la Vieille-Lanterne sont trois décors d'un même drame. »

Les partisans de l'assassinat ont présenté trois versions différentes. Pour les uns, il s'agirait d'un meurtre maçonnique; Gérard aurait commis le crime de révéler des secrets interdits aux profanes. Pour d'autres, il s'agirait d'un vulgaire crime crapuleux. Cet homme en habit, seul dans une rue sombre, aurait attiré quelque tueur convaincu que le hasard lui offrait un beau coup. Mais la version la plus répandue est plus romanesque encore : Nerval avait été plusieurs fois pris dans des rafles en compagnie de mauvais garçons; ceux-ci auraient fini par suspecter ce quidam, que la police relâchait respectueusement. N'a-t-on pas vu en lui un indicateur, un mouchard, et une nuit ne lui a-t-on pas réglé son compte, en travestissant l'assassinat en suicide? Un drame du « milieu », quelle aubaine!

Mais le témoignage de la police et des médecins est formel : aucune trace de lutte, aucun signe de violence sur le cadavre. Puis, en dépit des apparences, la rue de la Vieille-Lanterne était une rue calme : un poste de police se trouvait dans le voisinage. De toute manière, il faudrait attribuer aux auteurs du crime un étonnant humour : pourquoi cette mise en scène (quand Gérard fut découvert au petit matin, il portait sur la tête son chapeau haut-de-forme), alors que la Seine était à proximité? Surtout, il semble aisé de percer à jour les mobiles de ceux qui adoptent cette solution : les uns cèdent à un romanesque du plus mauvais aloi, les autres laissent transparaître leur mauvaise conscience. Ces derniers, dira-t-on, qui ne sont autres que les amis de Nerval, Dumas, Houssaye et Gautier lui-même, ne pouvaient être que gênés par la version du suicide. Eux, qui étaient arrivés et claironnaient volontiers leur culte de l'amitié, devaient ressentir comme un reproche la nouvelle de cette mort tragique : ils n'avaient pas, cette fois, secouru le malheureux. Si pour se défendre ils avaient prétendu n'avoir pas soupçonné cette misère ou ce désespoir, n'est-ce pas le propre de la véritable amitié, aurait-on pu leur rétorquer, que de deviner une détresse inavouée? Mais n'abuse-t-on pas de la « mauvaise conscience »? Et sans accepter l'opinion d'A. Marie qui veut que « leur pitié les incita peut-être à préserver de l'opprobre du suicide la mémoire de l'ami », n'est-il pas permis d'admettre leur sincérité? Il est clair qu'à leurs yeux il n'avait aucune raison de se tuer. S'ils se sont ralliés à la thèse du meurtre, c'est que Nerval ne pouvait pas avoir attenté à ses jours,

Gautier s'est insurgé contre un soi-disant dénuement : « Quoique souvent on le rencontrât sous des apparences délabrées, il ne faudrait pas croire à une misère réelle. » Rien ne trahit non plus l'affaiblissement de ses facultés créatrices, ni même — ce qui est évidemment l'essentiel —qu'il s'imaginât devenu stérile à jamais. Le thème revient assurément dans la correspondance, mais il est contrebalancé par l'affirmation du renouveau de son inspiration. Les témoignages sur les derniers jours le montrent au travail, et sa présence en un tel lieu peut s'expliquer par le souci d'achever *les Nuits de Paris*. L'écrivain était trop consciencieux pour ne pas se sentir lié par ses contrats, et trop attaché à son œuvre pour ne pas revoir les textes alors sous presse :

> Un jour, il entendit qu'à sa porte on sonnait :
> C'était la Mort ! Alors il la pria d'attendre
> Qu'il eût posé le point à son dernier sonnet...

Que son esprit ait été maintes fois effleuré par la tentation du suicide ne prouve rien, puisque, comme Faust, il n'y avait pas cédé. On lit dans *Aurélia* : « Le désespoir et le suicide sont le résultat de certaines situations fatales pour qui n'a pas foi dans l'immortalité... » Mais il se flatte à plusieurs reprises d'avoir retrouvé « le repos et une force nouvelle à opposer aux malheurs futurs de la vie ». Au terme d'*Aurélia* il déclarait se sentir heureux des convictions qu'il avait acquises; dès lors ce geste ne pouvait que le faire soupçonner d'imposture, puisqu'en se suicidant il s'éloignait à nouveau de la vraie route, et que plus encore c'était tout son romantisme, toute son expérience poétique qu'il reniait. En dépit de l'idée reçue, le suicide n'est pas spécifiquement « romantique », « (Il) me semble une action si peu « nervalienne ». remarque de son côté M. Moreau... Qu'un Rabbe fasse ce geste sans nuances, soit; mais un Gérard ! »

C'est une tentative vaine que de fournir les raisons d'un suicide, et par surcroît dans le cas présent on résiste mal à la mauvaise littérature. Au terme de cette enquête un fait doit être souligné : nous avons affaire à un malade. Nerval peut avoir cédé à ce « raptus anxieux » qui saisit les déments à l'approche de l'aube. Ainsi nous parviendrions à une conclusion mesurée : Nerval s'est suicidé mais *sans préméditation.* Son ami Houssaye avait déjà exprimé cette idée avec force : « Gérard de Nerval, s'il s'est pendu, est mort de folie comme le Tasse, mort sans préméditation, comme un voyageur qui s'aventure trop haut ou trop loin et qui trouve un abîme sous ses pieds. »

# 6 LA CITÉ DES LIVRES

L'ICONOGRAPHIE traditionnelle associe aux grandes figures des attributs symboliques. Nous nous représentons volontiers Nerval un livre entre les mains. L'emblème n'aurait pas la même valeur pour le Poète que pour un Confesseur ou un Père de l'Église, mais, symbole de la vocation ou instrument du martyre, n'en serait pas moins adéquat. « Les couches psychologiques superposées de la conscience nervalienne, note J. Richer, ne sont pas sans évoquer les rayons d'une bibliothèque constituée peu à peu au cours d'une vie. »

Nerval est plus qu'un insatiable lecteur. Rien de ce qui touche aux livres ne lui est étranger. Le livre en tant qu'objet, voire objet d'art, le fascine, et nous l'avons vu s'initier au métier d'imprimeur, s'intéresser à l'invention de l'imprimerie, s'efforcer de « simplifier le travail de la composition typographique » en inventant lui-même une « machine à imprimer au moyen de rangées alphabétiques mobiles, qu'il appelle stéréographe ». Il surveillait la composition de ses propres ouvrages avec la plus exigeante attention, et lassait les protes par ses visites quotidiennes. Épris de belles typographies, d'illustrations magnifiques dont *l'Hypnerotomachia Poliphili* offrait le modèle prestigieux, il voulut être éditeur de luxe. « *Le Monde dramatique* a d'abord satisfait ce goût », remarque A. Marie. Plus tard, il donne une jolie édition du *Diable amoureux*, ornée de deux cents dessins d'E. de Beaumont. A. Marie ne se serait pas attaché avec tant de ferveur au poète méconnu, s'il n'avait découvert entre Nerval et lui-même une affinité : « N'a-t-il pas, confesse le pieux biographe, cet instinct inné du bibliophile qui le fait chercher aux cases des bouquinistes quelque rare volume, dont le sujet sans doute le passionne, mais dont le seul pourchas est un stimulant à sa curiosité? » On dirait qu'il se lance au pourchas de *l'Histoire du Seigneur Abbé Comte de Bucquoy* avec autant d'ardeur qu'au « pourchas du blond », ou encore qu'il parle des bibliophiles et des conservateurs de bibliothèques avec la même ironie tendre que des prophètes modernes et des illuminés.

Mais Nerval par ses contradictions déroute son respectable historien : car le bibliophile au goût raffiné se double d'un bohème trop indigent pour assouvir les passions du collectionneur. Exceptionnellement, l'amateur généreux se permet un geste magnifique. Il offre à la bibliothèque de l'Arsenal un exemplaire du *Faust* de Klinger, « illustré de planches allemandes ». Mais le journaliste besogneux doit chercher son bien dans les cabinets de lecture, et le pauvre hère demander aux bibliothèques publiques sa nourriture spirituelle en même temps qu'un abri. Pourtant Nerval, aristocrate dans l'âme, souffre de voir la Bibliothèque nationale envahie. Alors il fait un beau rêve : « La célèbre bibliothèque d'Alexandrie n'était ouverte qu'aux savants ou aux poètes connus par des ouvrages d'un mérite quelconque. Mais aussi l'hospitalité y était complète, et ceux qui venaient y consulter les autres étaient logés et nourris gratuitement pendant tout le temps qu'il leur plaisait d'y séjourner. » A l'écrivain qui gagne sa vie en publiant des livres, il arrive de regarder d'un mauvais œil ceux qui lisent gratis; et l'on sait qu'il s'intéressa tout particulièrement à la propriété littéraire, que l'objet de ses missions à l'étranger se rattachait à ce problème.

Mais c'est le lecteur qui importe ici. Un croquis de Gautier prétend évoquer le Gérard antérieur à la Révolution de Juillet, donc le Gérard de vingt ans : « Il était habituellement vêtu d'une sorte de redingote d'étoffe noire brillante, aux vastes poches, où, comme le Schaunard de *la Vie de Bohème*, il enfouissait une bibliothèque de bouquins récoltés çà et là, cinq ou six carnets de notes et tout un monde de petits papiers sur lesquels il écrivait d'une écriture fine et serrée les idées qu'il prenait au vol pendant ses longues promenades. »

De son enfance à sa mort, Nerval nous apparaît sous les dehors d'un lecteur frénétique. Là encore, d'un trait humoristique, Gautier le dépeint dormant très peu et lisant fort avant dans la nuit, un large chandelier en équilibre sur sa tête. En Orient comme à Paris, il ne peut se passer de l'indispensable bibliothèque, et dans sa chambre de la clinique Blanche il conservera parmi les débris de ses diverses fortunes ses livres, « amas bizarre de la science de tous les temps... la tour de Babel en deux cents volumes ».

A la quantité des livres lus s'ajoute la passion du lecteur lui-même. Dès le collège, il se montre épris de culture. Sa curiosité sans cesse en éveil lui fait amonceler les connaissances *de omni re scibili*. Cependant le futur disciple de Fourier tantôt papillonne volontiers, tantôt se révèle un maniaque ayant ses livres favoris et des curiosités unilatérales. Le trait qui semble le distinguer de prime abord est le sérieux. Il figure parmi ces jeunes gens qui, dans les dernières années de la Restauration, se pressaient aux représentations données à Paris par les troupes anglaises et qui, à *Othello*, suivaient le dialogue le texte à la main. Dès qu'un problème l'occupe, qu'un thème le sollicite, il s'y consacre avec une constance exemplaire. G. Rouger a montré quel formidable travail de documentation accompagne l'élaboration du *Voyage en Orient*; mais il ne s'agit pas d'un cas exceptionnel. Sa vie durant, Nerval poursuivra l'étude de Faust. C'est qu'il tient, comme le rapporte Gautier à propos de *la Reine de Saba*, à n'aborder un sujet qu'une fois assemblée une documentation complète. Verrons-nous en lui un modèle de conscience professionnelle?

L'étude des sources, aussi bien que celle de leur

utilisation, ne laisse pas de décevoir. Érudits et sourciers ont dressé l'inventaire des ouvrages lus et utilisés, non que l'on puisse en établir une liste complète, quand bien même on relèverait toutes les indications fournies par lui, quand on consulterait les registres des bibliothèques pour noter ses emprunts et ceux de ses amis. Rien ne prouve du reste que cet inventaire serait de la plus grande utilité.

Le travail accompli, si important soit-il, appelle quelques remarques de méthode. On a trop vite cantonné Nerval dans des « lectures bizarres », selon le mot de Gautier, comme s'il avait fait exclusivement sa pâture de livres qu'on ne lit pas ou qu'on ne lit plus, et comme si par surcroît ces « bouquins poudreux », pour lesquels il partageait l'attrait de Nodier, se rapportaient exclusivement aux sciences occultes.

Or, ce souci du rare se manifeste dans tous les domaines, et par exemple on ne peut sans abus attribuer à Éluard la redécouverte du poète Chassignet : dans l'anthologie des poètes du XVIe siècle procurée par Nerval, Chassignet figure entre du Bartas et Desportes, représenté par six poèmes. Mais le plus grave est que la curiosité pour les sources occultes ait conduit à négliger les sources classiques et les chefs-d'œuvre de la littérature universelle. On s'enquiert de Dom Pernety, mais on oublie Shakespeare, Lamartine, la Bible. S'il a fallu qu'un chercheur anglo-saxon souligne l'influence primordiale de Rousseau, l'auteur de cet essai se flatte d'avoir montré le premier que la comédie de Shakespeare, *Peines d'amours perdues*, était toute nervalienne. Le discrédit qui a frappé Lamartine est tel que plus d'un jugerait incongru tout rapprochement entre le poète du *Lac* et celui des *Chimères*. Mais le moindre effort d'objectivité amène à reconnaître que le décor italien cher à Nerval est lamartinien. Il a pu lire dans les *Nouvelles Méditations* :

Retournons...
Aux jardins de Cynthie, au tombeau de Virgile,

> Près des débris épars du temple de Vénus;
> Là, sous les orangers, sous la vigne fleurie
> Dont le pampre flexible au myrte se marie
> Et tresse sur la tête une voûte de fleurs...
> La vie et la lumière auront plus de douceurs.

Il est évident que Nerval avait une culture classique très solide, qu'il avait pratiqué toutes les grandes œuvres des littératures modernes et qu'il suivait avec la plus grande attention la vie littéraire de son temps.

En restreignant l'étude de l'influence gœthéenne aux *Faust*, on néglige une source des plus riches, car Gœthe est aussi l'auteur du *Divan*, de *Pandora*, des *Affinités électives* et de *Wilhelm Meister*. On ne peut lire *les Années d'apprentissage* sans identifier Nerval et le héros de Gœthe. Le nom d'Aurélie a été rattaché à l'influence de Hoffmann; mais faut-il rappeler qu'une autre Aurélie figure dans *Wilhelm Meister*, laquelle est précisément une comédienne? Nerval lui-même invitait à cette enquête, soit qu'il retrouvât entre Mignon et Philine l'opposition de la brune et de la blonde, soit qu'une représentation d'*Hamlet* lui inspirât l'envie de monter la pièce de Shakespeare à la façon de Wilhelm : « Qui n'a fait aussi, parmi nous, le rêve du jeune Allemand enthousiaste? traduire à son gré, c'est-à-dire avec quelque chose de soi-même, de sa rêverie et de son cœur, ce chef-d'œuvre de la muse romantique du Nord [1]? » Il serait du plus grand intérêt, enfin, de se demander si Nerval put subir l'influence de Novalis : Heine, plus encore que Marmier, semblerait l'intermédiaire tout désigné; mais Heine n'aimait pas Novalis.

Hâtons-nous de l'ajouter : il serait absurde d'opposer les œuvres occultes et les grandes œuvres. Nous passons sans solution de continuité des unes aux autres, pour la raison que les grands poètes ont toujours puisé aux sources occultes, qu'ils s'appellent Dante, Milton, Shakespeare ou Gœthe.

**1.** Sans parler de la fameuse romance, « Connais-tu le pays... », dont Nerval s'est manifestement souvenu dans le sonnet *Delfica*.

Une remarque non moins élémentaire, mais non moins importante, est que Gérard, lecteur passionné ou spectateur enthousiaste, tend à perdre la notion de valeur, et qu'une œuvre médiocre, à notre goût singulièrement évolué, peut être pour lui riche de suggestion, dès l'instant qu'elle s'accorde à son rêve familier. A ses yeux, *le Songe de Poliphile* avait autant de prestige que *le Second Faust*, *le Dictionnaire mytho-hermétique* autant que *le Roman comique*. C'est ainsi qu'est négligée l'influence de *Robert le Diable*, alors que l'opéra de Meyerbeer a joué dans son imagination le rôle qu'aurait dû jouer l'opéra wagnérien. Un souvenir fâcheux de *Tartarin* nous gêne assurément pour voir dans *Robert le Diable* un drame mystique; mais qu'on relise, non pas le poème ridicule de Méry intitulé *l'Art*, du moins *Gambara* de Balzac : on partagera l'émoi d'un poète qui pouvait figurer parmi les malheureux et persécutés faits pour comprendre le génie du mal. Sa rêverie y a trouvé un florilège de thèmes prestigieux : la révolte, la nostalgie de la mère, et, une fois de plus, la rédemption par l'amour, mais plus précisément le duc normand exilé en Sicile, le rameau vert qui est un talisman, le monastère et le tombeau de sainte Rosalie, la fille du ciel devenue fille de l'enfer, l'abbesse au nom riche de résonance, Héléna.

Il n'en a pas moins eu toujours un faible pour les grimoires. Il a fort bien défini dans *Aurélia* le caractère de ses lectures favorites et de sa bibliothèque, « amas bizarre de la science de tous les temps, histoire, voyages, religions, cabale, astrologie, à réjouir les ombres de Pic de La Mirandole, du sage Meursius et de Nicolas de Cusa ». Histoire et voyages sont loin de jurer avec le reste, puisque, sous le couvert d'une érudition plus ou moins incertaine, la recherche dans le temps et l'espace aboutit finalement à l'étrange. Une note autographe, conservée à Chantilly, décrit d'une façon plus précise et dans une énumération éloquente ses sujets favoris, et presque ses « dadas » : on croirait en vérité le sommaire d'un catalogue pour quelque « bibliotheca esoterica »[1]. Quelle aubaine pour les sourciers! Déjà Gautier ou Du Camp, à l'occasion de ces lectures, s'amusaient à jongler avec les noms et les titres bizarres : Sanchoniathon, Bérose, Hermès, George le Syncelle... ». P. Audiat a voulu réagir; il outre cependant le scepticisme. Les lectures de Nerval sont immenses. Dès lors, comment ne pas lui attribuer les connaissances occultes les plus étendues? Mais on ne lit pas l'ouvrage de J. Richer, *G. de Nerval. Expérience et création*, sans quelque vertige, sans quelque défiance aussi. Est-il certain qu'il a lu les ouvrages de Martinès de Pasqually, de Bœhme, de Marsile Ficin? Si le profane éprouve quelque surprise à la découverte de tel thème occultiste, le familier de cette littérature n'ignore pas qu'elle se caractérise par les redites et les plagiats. Il est souvent difficile de savoir si Nerval s'est abreuvé à la source ou beaucoup plus bas. Gardons-nous en conséquence de toute affirmation catégorique. Certes, il se hâte le plus souvent de compulser compilateurs ou vulgarisateurs, Kircher, Court de Gébelin, l'abbé Banier, Herbelot, Vattier, l'abbé de Villars, Bekker, Collin de Plancy, etc., etc. Mais il lui arrive aussi de mettre la main sur un texte rarissime.

De cette enquête se dégage l'impression que s'il accumule les lectures, il lit un peu au hasard et sans esprit critique. Les sources des *Illuminés* et du *Voyage en Orient*, étudiées par G. Rouger et J. Richer, prouvent que l'avidité du lecteur n'a d'égale que son absence de discernement. Il puise indifféremment dans le meilleur et dans le pire. Il évoque Cagliostro à l'aide d'un ouvrage antimaçonnique, et pour décrire Cythère, qu'il n'a point vue, il s'adresse entre plusieurs autres à un compilateur obscur, « professeur du Prytanée », dont la fantaisie se traduit sous la forme la plus étonnante : la fantaisie épigraphique. Ainsi le Nerval sérieux se double d'un Nerval fantasque. Mais

1. Ce document est reproduit par J. RICHER dans le n° 331 des *Cahiers du Sud*.

ce qui compte pour le rêveur, c'est de trouver un excitant à son imagination. Qu'importe alors la critique du témoignage?

Plus déroutant encore pour l'homme de bon sens est le mélange de conviction et de puérilité qu'il manifeste au cours de sa quête. Là encore les recherches sur le « primitivisme » des poètes nous dispensent de nous étonner. Le voici qui s'enivre lui aussi de mots bizarres, ou qui s'enchante aux livres d'images. Il aime les éditions illustrées et les gravures lui parlent autant que le texte. On sait le prestige que possédaient à ses yeux la *Melancholia* de Dürer et la *Modestie* de Lefèvre, le *Léviathan* du *Faust*, les planches extraordinaires de l'*Œdipus Ægyptiacus*, Isis ou Pan et les figures envoûtantes du Tarot. Il se plaît aux calembours, aux anagrammes, aux jeux de mots sur son prénom. Il est féru d'étymologie et de géographie occulte. Il se livre à des calculs cabalistiques sur les dates, sur son âge, sur les chiffres qui tombent sous ses yeux. Il vit dans un univers de signes. Les noms propres jouissent pour lui d'un singulier prestige, et la communauté ou la ressemblance de noms prend à ses yeux une valeur de preuve. Est-ce hasard si les amoureux du *Roman comique* s'appellent le Destin et l'Étoile? si sa bien-aimée porte un nom qui rappelle tout ensemble celui de Fr. Colonna, le martyr d'amour, et celui de Colonna-Waleski, le Napoléonide? si ce nom magnifique, « Desdichado », évoque à la fois un dément du *Diable boiteux* et un chevalier d'*Ivanhoe*? si Aurélie est à la fois une héroïne de Gœthe et de Hoffmann? si le nom de Biron sert de lien entre une chanson populaire et une comédie de Shakespeare? Dans son imagination, Enoch et Hénoch se confondent. De même Artémis la déesse et Artémise la reine. Et de la sorte il vole de Patna à Patani. Il latinise et par conséquent consacre les noms ou prénoms qui lui sont chers, dédiant un sonnet à J.-y Colonna, métamorphosant Aurélie en Aurélia, et la Rosaline de *Peines d'amours perdues* en Rosalina dans son scénario d'opéra-bouffe. En revanche, il dissimule le nom de Mortefontaine, qui est manifestement de mauvais augure. Il dresse des arbres généalogiques saugrenus et dessine des portraits composites. « Une femme géante nimbée de sept étoiles et symbolisant à la fois Diane, sainte Rosalie et Jenny Colon. » A tout instant, il invite à se demander s'il joue comme un enfant, ou s'il se livre à quelque opération magique.

Et que dire quand on envisage cette « cuisine de sorcière » qu'est la création littéraire? Les manèges de l'écrivain, lorsqu'il s'agit pour lui d'utiliser le butin de ses lectures, déconcerteraient le plus averti. On ne saurait catégoriquement affirmer que par souci de plaire il s'efforce de fuir l'érudition. Il excelle sans nul doute à fondre au récit l'apparat érudit. Cependant les genres qu'il cultive, récits de voyage, études d'allure historique, l'entraînent parfois comme Chateaubriand à citer ses auteurs. Mais, quand il le fait, faut-il le prendre au sérieux? L'enquête menée par G. Rouger sur les seules citations invite à la défiance. « Souvent inexactes, arrangées en vue de l'effet à produire — quand elles ne relèvent, plaisanterie de Bousingo, de la pure fantaisie —, (elles) trahissent la hâte de la documentation. Le prendre en défaut est un jeu trop facile. » De même pour l'appareil érudit. Car il n'hésite pas à « bluffer ». Il se barde de références, de titres ronflants et de noms barbares. Seul compte là encore l'effet à produire. « Crédule aux rêves des autres comme aux siens », il se moque de l'histoire. Nous aurions mauvaise grâce à lui reprocher ses injustices ou ses erreurs.

Mais il arrive aussi que cet imposteur innocent fasse appel à un « nègre », que nous le prenions en flagrant délit de plagiat. S'il pille autrui, ce n'est pas toujours avec l'excuse de la copie à remettre. Il utilise Lane dans le *Voyage en Orient*, Böttiger dans *Isis*. Ceux-ci le dispensaient de pousser ses recherches. De la même manière, il met à profit « l'expérience des autres pour décrire ce qu'il n'a pu voir ». Comment dès lors s'étonner que ses emprunts soient déguisés? Autant que le plagiat, la dissimulation est nécessaire, et c'est une démarche semblable qui lui fait cacher ses emprunts, truquer l'itinéraire de son voyage. L'habitude est si bien prise qu'il lui arrive d'emprunter alors même qu'il peint ce qu'il connaît, et sans doute ne prouve-t-il pas seulement par là sa timidité ou sa nonchalance : soit qu'il cherche dans l'œuvre d'autrui une impulsion, soit que, mythomane et mystificateur tout ensemble, il dupe son lecteur parce qu'il tient à se duper lui-même. Car le plus beau est qu'il finit par croire à ses propres fictions. Puis, quel écrivain-né n'a trouvé du charme au travail de contamination? « Il a mis au point, note excellemment J. Richer, tout un art de la paraphrase. » En bon classique, il fond des éléments empruntés pour en tirer une œuvre nouvelle.

Par surcroît, nous avons affaire à un traducteur patenté. Sa façon de traduire ne fait qu'ajouter encore à notre étonnement. Il oblige à constater à la fois qu'il savait mal l'allemand et qu'il surpassait les germanistes. S'il avoue en 1839 « ne pas savoir autant d'allemand que l'on croit », qu'était-ce en 1827? Malgré ses divers séjours en Allemagne ou en Autriche, il eut toutes les peines à acquérir l'accent. Weill laisse entrevoir la vérité; le traducteur arrangeait le travail d'autrui, soit en utilisant une version antérieure, soit en se faisant traduire le texte par un spécialiste. Mais si le germaniste Nerval ânonnait l'allemand, le poète savait s'identifier au poète auquel il servait d'interprète. « Il se passionnait pour les livres d'autrui plus que pour ses propres livres », rapporte Janin; et Heine qui l'a vu à l'œuvre : « Cette âme était essentiellement sympathique, et, sans comprendre beaucoup la langue allemande, Gérard devinait mieux le sens d'une poésie écrite en allemand que ceux qui avaient fait de cet idiome l'étude de toute leur vie. » Sur Saint-Martin, traducteur de Bœhme, n'a-t-on pas fait une remarque identique? Et quand venait le moment de rédiger la traduction, Nerval était irremplaçable, car, ajoute encore Heine, « la diction de Gérard coulait avec une pureté suave qui était inimitable, et qui ne ressemblait qu'à l'incomparable douceur de son âme ». Ainsi, qu'il s'agisse de traduire ou d'utiliser des documents, la confrontation du texte et du modèle, comme *a fortiori* l'étude des variantes, tourne à la gloire de l'écrivain.

Mélange adultère de sérieux et de désinvolture, d'érudition de pacotille et de maîtrise artistique, mais âme essentiellement sympathique, tel nous apparaît Gérard, le gentil, le bon Gérard. Ce serait pourtant le trahir que de s'en tenir à cette vue, si complexe soit-elle déjà. En cette frénésie de lectures, sachons discerner l'inquiétude d'une âme en peine.

C'est par des livres que les philosophes ont accompli leur œuvre de destruction. L'enfant du siècle oppose donc livres contre livres, et, puisque la critique de Voltaire a laissé sur la Bible des marques indélébiles, il collectionne les bibles, c'est-à-dire les textes où il puisse retrouver la présence du sacré. On assiste à une exploration pathétique des sources occultes. Ce n'est pas le combat du jour et de la nuit, mais, comme au XVIIIe siècle, celui de l'illuminisme et des lumières. Jusqu'au bout l'incorrigible Gérard persévérera dans la voie qu'ouvrent à ceux qui gardent en le quittant la nostalgie du christianisme, comme à ceux qui espèrent trouver le christianisme authentique hors de l'Église, la gnose, le syncrétisme et l'ésotérisme.

Biographes et critiques se sont demandé si l'exploration de l'occulte avait suivi un ordre, une progression. Les déclarations de Nerval dans *la Bibliothèque de mon oncle* sont évidemment accueillies avec scepticisme, aussi bien lorsqu'il transfigure son oncle l'aubergiste en un adepte de l'illuminisme que lorsqu'il s'attribue dès l'enfance l'attrait de l'occulte. Mais il est possible qu'après leur dispersion à l'époque révolutionnaire l'oncle ait recueilli des ouvrages figurant dans les bibliothèques des religieux ou des ci-devant, ou que l'adolescent en vacances, furetant dans le grenier, soit tombé en arrêt devant quelque ouvrage, susceptible d'impressionner une imagination instable, tel *le Comte de Gabalis*. Mais, notons-le, Nerval ne mentionne aucun titre. Quant à fixer une date à l'éveil véritable de ses curiosités occultes ou aux étapes de cette exploration, c'est une tentative vaine, dès qu'on ne se cantonne pas dans le vague. Lorsque P. Audiat propose le tracé suivant : « Entraîné d'abord vers la littérature allemande, qui l'initie au mysticisme, il s'intéresse ensuite au magnétisme; puis comme historien, peut-être comme adepte, il connaît le fonctionnement des sociétés secrètes; voyageur consciencieux, il prépare son voyage en Orient, entouré de livres savants, puis, au hasard du document rencontré ou de l'article à faire, il entre en conversation avec quelques illuminés », on ne peut qu'être heurté par cette présentation schématique et la systématisation abusive de ces « puis ». Du reste P. Audiat notait auparavant : « Il est difficile de distinguer à quelle époque il a commencé à s'intéresser au magnétisme, à l'ésotérisme, à l'occultisme. La lecture de Gœthe et de Hoffmann le lança probablement dans toutes les directions. » L'atmosphère où se formait le Jeune-France était imprégnée d'occultisme, et une âme romantique devait réagir à cette atmosphère selon sa qualité. Certes, de la superstition au mysticisme l'écart était grand. Quant à l'occulte, chacun pouvait lui demander à son gré un amusement ou un poison, l'oubli ou le salut. Gérard se laissa pénétrer plus qu'aucun de ses pairs par cette ambiance trouble, et jamais il ne s'en évada. Nous l'avons dit : la folie n'a fait que l'enfoncer davantage dans l'occulte. « Cette nourriture indigeste ou malsaine pour l'âme » est devenue son régime habituel.

Faut-il l'ériger en penseur? Son ami G. Bell a parfaitement défini son attitude : « Il trouvait surtout des jouissances infinies à s'initier aux mystères des sciences occultes. Il croyait avec une foi naïve à toutes les histoires de nécromancie et d'enchantement. Le monde invisible et supranaturel le comptait au nombre de ses plus fervents adeptes. Avec des lambeaux de la Kabbale, des rêveries mystiques de Cazotte, de la théosophie de Saint-Martin, des œuvres éparses de Swedenborg qu'on connaissait à peine, il composait des théories à lui pour expliquer tout ce qui aurait pu le surprendre et il croyait fermement à ces théories et à leur efficacité. »

Cette quête angoissée tourne quelque peu à la manie. On songe encore aux mésaventures de l'apprenti sorcier. C'est que l'enfant du siècle ignore la paix du cœur, et son inquiétude est d'autant plus profonde qu'il doute de lui-même. Il s'interroge sur son destin, sur sa nature, sur son être, sur sa destinée future, et le débat se poursuit sur le terrain de la création littéraire : le poète doute de sa faculté créatrice. On saisit dès lors quel rôle privilégié devait jouer la lecture pour cette âme angoissée. L'enfant du siècle et le poète introverti demandent aux livres un excitant et une nourriture, des questions et des réponses, des suggestions et des échos. Le trait distinctif de Nerval reste son absence de certitude, sa foncière timidité. Il a besoin de garants pour penser, pour aimer, pour rêver, pour vivre, pour écrire. Il est, au sens latin, un personnage en quête d'auteurs.

S'il vit de plagiats plus ou moins avoués, « l'auteur qu'il préfère plagier, c'est encore lui-même ». Guidés par cette remarque de J.-P. Richard, par-delà les curiosités bizarres et les fatras érudits, qui trahissent les divagations du dément, nous saurons déceler l'angoisse qui les provoqua. Si le critique est capable de sympathie à l'instar de Nerval lui-même, il ne voit plus le capharnaüm; il découvre des éléments ordonnés, secrètement liés à « un centre à la fois mystérieux et accessible », « un centre ardent et éclairé ». Sous la bigarrure hétéroclite et malgré l'affectation de désinvolture, une âme se cherche en gémissant. Non, le livre emblématique ne résume pas Gérard. Pour lui, comme pour saint Augustin, il convient de doubler l'attribut et de joindre au livre un cœur embrasé.

Il s'est intéressé par exemple aux problèmes des origines. Parmi les traditions relatives à la création du monde, il semble attiré surtout par le problème des races. Si l'héritier du primitivisme préromantique collectionne les traditions les plus extravagantes sur les préadamites, les rapports des anges avec les filles des hommes, la procréation des surhommes, la filiation satanique de Caïn, la race rouge ou les mondes souterrains, nous saurons rattacher ces fantasmagories à l'angoisse de l'inspiré qui cherche dans la Tradition une explication à la nature ambiguë du génie, à la fatalité qui voue au mal les êtres d'exception.

L'exemple de l'alchimie se révèle plus significatif encore, en nous apprenant par surcroît que si toute enquête sur les lectures de Nerval nous ramène en définitive à lui-même, la complexité de ce moi nous interdit les généralisations trop hâtives. On sait quelle sensation produisit la publication dans la revue *Fontaine* des articles de G. Lebreton. Les nervaliens eurent l'impression d'avoir les yeux dessillés : Nerval était un poète alchimiste. Une évidente parenté unissait la tonalité des *Chimères* à celle des *Visions hermétiques* de Nuysement. L'enquête fut poursuivie, mais, dans la mesure où elle se développait en toute rigueur, elle conduisait à une conclusion contraire. D'une part, Nerval avait poussé sa curiosité fort loin. Il ne s'était pas borné à consulter le seul Pernety ou à contempler les figures des Arcanes majeurs; il avait prospecté diligemment la littérature alchimique. J. Richer découvrit de la sorte l'origine de la formule sibylline, « D. M. Lucius Agatho Priscus », jointe au manuscrit d'*Artémis* : il s'agissait d'une énigme alchimique. Mais d'autre part le recours à l'alchimie était loin de tout expliquer et, à parler net, Nerval n'était pas un poète alchimiste. Au reste la thèse de G. Lebreton se présentait sous un jour plus nuancé que ne le laissait croire l'utilisation qui en fut faite. Car il apparaissait que Nerval, ici encore, se caractérisait par le mélange déroutant de la conviction et de la désinvolture. Il donnait à ses sonnets l'apparence des énigmes alchimiques, et G. Lebreton le montrait devant le dictionnaire mytho-hermétique, laissant son regard glisser de gauche à droite, et cueillant au passage les mots colombe, colonne, pour les replacer dans un sonnet. Le dictionnaire de Pernety était utilisé par lui comme par d'autres poètes le dictionnaire des rimes : c'était une façon détournée de « céder l'initiative aux mots ».

L'exégète prétendait pourtant que les emprunts dépassaient les mots. Les opérations alchimiques, la succession des couleurs, ou encore la série des arcanes majeurs, fournissaient à son avis une sorte de cadre, de schème dialectique. Mais quand il appliquait sa théorie au sonnet *El Desdichado*, il fallait bien constater qu'il faussait le texte pour les besoins de la cause, et qu'en particulier il imposait au poème un rythme ternaire, alors que manifestement tout était construit sur l'opposition de deux mondes, celui du jour et celui de la nuit. S'ensuit-il que le rôle joué par l'alchimie se borne à fournir un vocabulaire coloré et concret? Non pas. C'est en profondeur que s'exerce cette influence. Parce que la nature ambiguë de la pierre se définit dans les énigmes alchimiques par des formules contradictoires, Nerval identifie spontanément la nature ambiguë de la femme à celle de la pierre : « Ni homme, ni femme, ni androgyne, ni fille, ni jeune, ni vieille, ni chaste, ni folle, ni pudique, mais tout cela ensemble... » Surtout, il découvre entre son propre destin et celui de la pierre une parenté fondamentale. La Pierre, comme le Christ, comme le Poète, subit une Passion, et cette passion est une métamorphose : transmutation qui ne fait qu'illustrer le grand principe spirituel : il faut mourir pour renaître. Dans le drame de la pierre, Nerval a retrouvé son propre drame, et le drame de la pierre n'est autre que le drame du monde.

A parcourir sa vie et son œuvre, il est manifeste que le recours aux livres fut en fait un recours aux mythes.

M.-J. Durry a de la façon la plus pertinente analysé cette mythomanie : « Les mythes sont le refuge et la patrie de cet homme-poète pour qui le réel est déception, et le souvenir de son propre passé réveil de douleurs autant que délices... » C'est à eux que Nerval demande l'explication poétique du monde, car « les mythes sont dépositaires des plus anciens souvenirs et des plus anciennes imaginations de l'humanité ». Mais sa démarche propre consiste à « joindre son présent et son passé à ce qui semble émerger en lui d'un pré-souvenir et qui s'accorde avec les notions immémoriales encloses dans les mythes ». D'où ces visions génésiaques, ces évocations de vie primitive, si surprenantes à côté des habituelles amplifications romantiques sur le souvenir.

Plus normal apparaît un autre aspect de cette mythomanie, la quête des sosies spirituels. Nerval offre, poussée à son paroxysme, une forme de narcissisme indirect qui tend à retrouver son propre visage sur celui d'autrui, les reflets de son propre moi étant pris indifféremment parmi les héros de la mythologie, de la fable, de l'histoire, les créations des poètes et des romanciers. La biographie de Nerval se ramène à une étrange scène des portraits, où la conclusion du vieillard héroïque : « ce portrait c'est le mien », serait indéfiniment retardée, comme si le poète tremblait de se regarder face à face. Il s'est identifié tour à tour à Faust, Werther, W. Meister, Fr. Colonna, au héros des *Élixirs du Diable*, à Charles VI, au calife Hakem, à Adoniram, à Raoul Spifame, à Cazotte, à Restif, au Biron de Shakespeare et au Christ de Jean-Paul, à Lucius et à Saint-Germain, à Mausole, à Astolphe, à Thésée, à Orphée, à Dante, à Virgile. Et l'on pourrait allonger cette liste presque à l'infini. Les héros qu'il met en scène ne sont que des doubles de lui-même, ou de tel de ses sosies. Cette quête ne laisse pas d'être troublante pour le critique qui y participe, car ces rencontres multiples imposent une impression contradictoire de hasard et de nécessité, de caprice et de finalité. Nerval trouve toujours qui lui ressemble. « Tu ne me chercherais pas si tu ne m'avais trouvé. » Se modèle-t-il sur l'archétype, ou modèle-t-il le double à son image? Question vaine! Il ne peut s'agir que d'une interaction perpétuelle. S'il idéalise le louche Restif, il s'identifie si bien à lui qu'on se demande s'il n'emprunte pas à son sosie une part de ses souvenirs d'enfance! Par surcroît, au terme de cette enquête, subsiste une incertitude : car, si Nerval donne l'impression paradoxale qu'à la limite il aurait pu composer des récits de voyages sans voyager, peindre ses amours sans aimer, le critique ne laisse pas de se dire que, pour être un poète orphique, Nerval pouvait se passer du précédent d'Orphée.

La bien-aimée rentre dans cette ronde enchantée. Sous quelque aspect qu'il l'envisage, mère, sœur, épouse, amante, mortelle, immortelle, fatale, rédemptrice, le poète lui découvre une multitude de correspondances. Les noms prestigieux que nous citions prouvent que l'Amour n'est pas le seul élément mythique privilégié. Tout événement de la vie est susceptible de se rattacher à un précédent exemplaire. Aussi bien que le Gérard amoureux, le Gérard voyageur, ou voyant, ou dément se réfère tour à tour à des légendes. Le rêveur découvre entre ses diverses activités des liens merveilleux. Les lectures, dit-on, sont les voyages du pauvre : Gérard n'a donc pas cessé de voyager. Mais la folie s'assimile également au voyage, à ces voyages initiatiques qui, d'étape en étape, d'épreuve en épreuve, conduisaient les Sethos ou les Pythagore à l'époptie. La folie s'assimile elle-même au rêve, et le rêve est identifié à l'initiation qui, au dire de Court de Gébelin, était appelée par les anciens une descente aux enfers. Qui pénètre dans ce microcosme est entraîné dans un tourbillon vertigineux.

Que ce vertige ne nous empêche pas de dégager la conclusion essentielle! La caractéristique de Nerval est de mêler en une étrange confusion le lu, le vécu et le rêvé : confusion qui n'a fait que s'accentuer, puisque le dément a fini par ne plus distinguer le réel et le rêve. De la Cité des Livres sortent des mythes et des fables, et, tandis que l'imagination souveraine restitue à ces figures du passé, qu'elle vivifie, une prodigieuse présence, les événements vécus par le poète semblent entrer naturellement dans cet univers d'archétypes et revêtir une patine fabuleuse. La noyade manquée s'inscrit dans le schème mythique de l'enfance du héros. La jeune fille mord le citron, ainsi qu'Ève cueille la pomme. Les visages des femmes connues et aimées participent du mystère, étant à la fois uns et multiples, et séduisent par une magie qu'il faut bien qualifier de cinématographique : « Trois femmes travaillaient dans cette pièce... Les contours de leur figure variaient comme la flamme d'une lampe, et à tout moment quelque chose de l'une passait dans l'autre; le sourire, la voix, la teinte des yeux, de la chevelure, la taille, les gestes familiers, s'échangeaient comme si elles avaient vécu de la même vie, et chacune était ainsi un composé de toutes. »

Le héros lui-même prend place dans cet empyrée où se complaisent nos rêves. Poète maudit, poète martyr, frère du Christ de douleur, il s'offre à nous marqué des cinq plaies de l'échec littéraire, de l'échec amoureux, de la démence, de la misère, de la mort tragique. Poète inspiré, poète voyant, frère de la « prêtresse folle », il profère au cœur de son délire des paroles pleines de grâce et de mystère, « oracles d'un dieu inconnu ». Ainsi naît le mythe de Nerval.

Cependant le lu, le vécu et le rêvé, fondus au creuset de l'imagination créatrice, donnent naissance à un autre mythe : l'œuvre nervalienne.

Ainsi l'étude de Nerval en proie aux livres nous le montre environné, non de « bouquins poudreux », mais de mythes à la lumière noire et blanche. Elle ne conduit pas seulement à découvrir en lui une âme en peine dont nous devons définir le tourment, mais un créateur et un poète dont nous devons définir l'originalité.

# 7 UNE AME ROMANTIQUE

L'univers de Nerval est « l'univers morbide de la faute ». Il s'en faut que le poète mystique vive dans un monde harmonieux, que le recours à l'illuminisme, en lui fournissant la théorie de l'analogie et des correspondances, impose à sa vision un monde de lumière et de joie. Quand l'âme est mélancolique, l'univers se dérobe. Pour expliquer cette opacité, l'imagination fait appel, tantôt à une déformation de la vision : sur l'œil s'étend une tache noire; tantôt à une occultation du monde lui-même : l'univers est un univers voilé. A la formule de Cazotte : « Depuis le péché, des voiles obscurcissent la matière », répond en écho la déclaration du Souci dans *le Second Faust* : « Lorsqu'une fois je possède quelqu'un, Le monde entier ne lui vaut rien; D'éternelles ténèbres le couvrent... » Les brumes germaniques sont passées en proverbe. Mais Nerval retrouve, sous forme de poussière ou de cendre, une certaine opacité dans les pays de soleil. Le Valois reste une terre privilégiée, non que l'atmosphère y soit parfaitement pure : elle n'est que « légèrement voilée ».

Comme la Nature, tout ce que nous cherchons hors de nous, Amour, Science, se dérobe sous des voiles. Connaître, c'est lever ton voile sacré, déesse de Saïs ! Toute connaissance se fait donc par étapes, approximations, dévoilements successifs. Telle est bien la démarche de Nerval voyageur comme de

Nerval amoureux, et tous deux ne font que se conformer à la technique de l'occultiste. La projection en coupe de ces voiles superposés, de ce lacis de bandelettes, impose l'image du labyrinthe. « Toute connaissance, dirons-nous avec J.-P. Richard, dont nous résumons les délicates analyses, passe donc par un labyrinthe. » Mais le romantique Nerval est-il de la race des héros, vivant sous le regard des dieux?

Tâtonnant au seuil de cet univers qui se dérobe, « se tient un jeune homme, la poitrine pleine de tristesse, la tête pleine de doute : « Dites-moi ce que signifie l'homme, d'où il vient, où il va! qui habite là-haut au-dessus des étoiles dorées! » Que l'homme de désir se tourne vers lui-même, que selon le martinisme le plus pur il cherche en soi la réponse aux questions, il ne trouve que de nouvelles questions, de nouvelles énigmes. Une âme romantique, au terme de son introspection, décèle une dualité fondamentale : « L'homme est double, me dis-je. » — « Je sens deux hommes en moi », a écrit un Père de l'Église.» Et c'est là une « idée terrible », car le caractère contradictoire de cette double nature reste inexplicable, et n'est ressenti par l'être épris d'harmonie que comme une monstrueuse infirmité, suscitant dans la conscience un sentiment d'angoisse, de culpabilité et de honte. « Il participait de l'esprit de lumière et du génie des ténèbres », écrit Nerval d'Adoniram. Traduisant plastiquement sa dualité, il s'attribue col flexible et tête raide; ou, d'une autre manière, la pâleur d'Abel et la rougeur de Caïn. C'est à Gœthe encore qu'il empruntera la formule définitive, qu'il retient pour en faire l'épigraphe de *Pandora* (et, soulignons-le, en corrigeant sa traduction dans la deuxième édition du *Faust*, loin de l'améliorer, il trahit plus encore le texte originel, mais de la sorte se l'approprie) : « Deux âmes, hélas! se partagent mon sein et chacune d'elles veut se séparer de l'autre : l'une, ardente d'amour, s'attache au monde par le moyen des organes du corps; un mouvement surnaturel entraîne l'autre loin des ténèbres, vers les hautes demeures de nos aïeux. »

L'homme avide de certitude, et qui juge sa dualité absurde, est incapable de répondre à la question : suis-je Caïn ou Abel?, et l'impossibilité de se prononcer est ressentie comme une torture. Tout cela n'a rien que de banalement conforme à la psychologie de la conscience malheureuse, et nous retrouverions l'équivalent chez un Racine, un Vigny, un Baudelaire, un Leconte de Lisle. Mais le propre de Nerval est de pousser la conscience de sa dualité jusqu'à un degré pathologique, jusqu'à la hantise. Le fantastique allemand lui fournit le thème du double, et son obsession devient telle qu'il lui faut le retrouver à tout prix sous d'autres cieux : en dépit du contresens, il identifiera le double et « ce frère mystique que les Orientaux appellent Ferouer ». Les deux êtres que nous découvrons en nous et qui représentent, l'un le mal, l'autre le bien, sont ennemis. Nerval, observe J.-P. Richard, « ne sait jamais si le vrai moi, le *bon* à tous les sens du mot, c'est lui, ou si c'est l'autre ! » Jamais il ne peut connaître la paix, puisqu'il n'acquiert jamais la certitude absolue de n'être pas l'autre. On le voit, son trouble dépasse en morbidité celui que définit Musset dans *la Nuit de décembre.* « Qui sait s'il n'y a pas telle circonstance ou tel âge où ces deux aspects se séparent? » Que, dans un moment fatal, cette séparation se produise, le mauvais esprit pourrait ne pas se repentir. La forme suprême de l'obsession est l'idée que l'*autre* pourrait lui ravir la bien-aimée. Le calife Hakem subit l'atroce torture de voir son double épouser la dame du royaume, et Nerval, s'exprimant à la première personne : « Je croyais entendre parler d'une cérémonie qui se passait ailleurs, et des apprêts d'un mariage mystique qui était le mien, et où l'autre allait profiter de l'erreur de mes amis et d'Aurélia elle-même. » Les paroles, celles que nous proférons comme celles qui nous parviennent, offrent un double sens. Autrui semble se livrer à un double jeu : « Les personnes les plus chères qui venaient me voir et me consoler me paraissaient en proie à l'incertitude, c'est-à-dire que les deux parties de leurs âmes se séparaient aussi à mon égard, l'une affectionnée et confiante, l'autre comme frappée de mort à mon égard. »

Même lorsque la crise n'atteint pas à ce paroxysme, sa « Weltanschauung » demeure dualiste. Son univers est polarisé. L'aspect le plus constant de cette dualité se révèle dans la conception de la femme, puisque dans toute l'œuvre reparaît sous diverses formes l'opposition de Marguerite et d'Hélène, de l'amour « tout humain » en contraste avec l'amour « de rêve et de folie ». Et la tendance à la polarisation s'accuse au point qu'à chaque pôle elle suscite une nouvelle dualité. Nul doute pour la femme fatale, qui, en vertu de son caractère sacré, apparaît tour à tour comme liée au monde des ténèbres ou au monde de la lumière, fée ou sainte. Cette scissiparité est moins évidente à l'autre pôle : cependant Octavie, la vierge pure, a un aspect féerique, donc fatal; et Sylvie elle-même, âme de la forêt, participe du monde de la nuit.

« Toujours prêt à redisposer l'univers selon les perspectives de la Faute », Nerval crée un univers à son image. Il vit dans deux mondes qui s'opposent, et tout ce qui est s'ordonne selon cette dichotomie : les éléments, les couleurs, les contrées et les créatures. C'est d'une part le monde des ténèbres, de la nuit, de la mort, d'Amour, de la terre, de la matière : monde d'en bas, monde du rêve, de la mélancolie, du désir et du tragique, monde de la magie noire, de Typhon et de Caïn. C'est d'autre part le monde de la lumière, du jour, de la vie, de Phébus, du ciel et de l'esprit : monde d'en haut, monde du réel, de la joie, de la tendresse et du romanesque, monde de la magie blanche, d'Osiris et d'Abel.

Tout ce qui s'oppose tend donc à se rattacher à l'un ou à l'autre de ces mondes. La lune est du premier, le soleil du second. Du premier, l'Allemagne; du second, l'Italie, la Flandre, la Grèce, l'Orient. Du premier, Paris; du second, la banlieue. Du premier, le serpent et l'Étoile, la fée Mélusine et Lusignan; du second, l'oiseau et la Fleur des champs, les saintes, Rosalie ou Rosaline et Biron.

Qui veut comprendre Nerval doit le suivre jusque dans ces contradictions apparentes. La terre, en vertu de sa position médiane, est ambivalente, maudite ou bénie selon qu'elle est envisagée comme s'opposant au ciel, ou comme reflétant le ciel et s'opposant à l'abîme. Il peut paraître étrange que le feu soit rattaché au monde des ténèbres. C'est qu'aux yeux du névrosé le feu devient suspect dès qu'il est caché, souterrain. Le feu sacré s'appelle lumière. De même il est difficile au poète mystique de maudire à jamais la douce nuit : « Est-ce que tout ce qui nous charme n'a pas la couleur des nuits? » demandait son frère, Novalis. Un passage du *Voyage en Orient* permet de saisir le biais par lequel s'opère la rédemption de la nuit; à la lune s'oppose l'étoile du soir, Astarté, à qui le poète adresse cette prière : « Sois-nous propice, ô divinité! qui n'as pas la teinte blafarde de la lune, mais qui scintilles dans ton éloignement et verses des rayons dorés sur le monde comme un soleil de la nuit. » En revanche, le soleil du jour apparaît parfois comme un soleil noir, et par là même l'Orient prend le visage mélancolique de l'Allemagne.

Les couleurs se groupent selon ces catégories affectives. Du côté noir et maléfique se rangent le jaune, le bleu, ou plus exactement le jaunâtre, le bleuâtre, le blafard; du côté blanc et bénéfique le vert, couleur de l'espérance, et le rouge, couleur du sang.

Une âme romantique, avant d'accepter sa condition, tente de la transformer. En présence de son être double et d'un double univers, elle a le choix entre quatre partis : nier l'un ou l'autre de ces mondes, donc se convertir dans l'un ou l'autre sens. Elle peut encore opter pour cette forme de sagesse qu'est l'alternance. Elle peut enfin tenter plus hardiment de dépasser l'opposition, de résoudre la contradiction par un mouvement dialectique. Nerval — et c'est par là qu'il est exemplaire — a tenté toutes ces voies.

Dans la mesure où le complexe de culpabilité suscitait en lui une exigence de pardon et de salut, il devait écouter avec faveur l'écho de la tradition chrétienne, s'efforcer en conséquence de renoncer à Satan et à ses pompes. Oui, il a voulu faire taire en lui la voix mauvaise. Mais le remords s'accompagne d'une conscience aiguë de sa faiblesse foncière, et le bourreau de soi-même trouve toujours des raisons de désespérer. « Que faut-il? Se préparer à la vie future comme au sommeil. Il est temps encore. — Il sera peut-être trop tard. L'Écriture dit qu'un repentir suffit pour être sauvé, mais il faut qu'il soit sincère. Et si l'événement qui vous frappe empêche ce repentir? Et si l'on vous met en état de fièvre, de folie? Si l'on vous bouche les portes de la rédemption?... » Incapable de compter sur lui-même, il espère un miracle, une aide extérieure. Le catholicisme de son temps ne lui permettait pas de découvrir ni d'assimiler la théologie de la grâce; mais, à défaut de la grâce, il croit en la magie, et vit dans un univers de signes. Entre toutes les voies de salut, cette âme tendre a choisi celle qui s'accordait le mieux à sa nature. Comme Euphorion, il gémit : « Ne me laissez pas seul, ma mère, dans ce sombre séjour. » La Femme est rédemptrice, médiatrice de toutes les grâces. Sa mère morte intercédera pour lui. Et pour lui intercédera Aurélia morte, puisque avant de quitter ce monde elle lui a pardonné.

Hélas ! l'enfant du siècle, s'il est capable de charité, a peine à pratiquer l'humilité. Dans *Sylvie*, dans *Aurélia*, dans *Isis*, ou *les Illuminés*, ou le *Voyage en Orient*, il ne cesse de se demander pourquoi il ne peut adhérer purement et simplement au christianisme. « Nourri d'idées philosophiques... fils de Voltaire... il a besoin de toucher pour croire... l'ignorance ne s'apprend pas. Qu'est-ce qu'une pureté qui n'est qu'ignorance et qui capitule devant la connaissance du mal...? » A l'exigence de pardon s'oppose donc une exigence de savoir, à laquelle il ne veut pas renoncer. Tantôt il fait acte de confiance en la bonté divine : « Dieu appréciera la pureté des intentions sans doute, et quel est le père qui se complairait à voir son fils abdiquer devant lui tout raisonnement et toute fierté? L'apôtre qui voulait toucher pour croire n'a pas été maudit pour cela ! » Tantôt, et le plus souvent, l'influence délétère l'entraîne au désespoir : Dieu est mort ! le Christ est mort ! la Vierge est morte ! L'exigence de savoir aboutit alors à la révolte. Son caïnisme est un recours délibéré à l'abîme, option consciente pour le mal et la perdition :

> La sainte de l'abîme est plus sainte à mes yeux !

Il se réclame de tous ceux qui, à leur manière, ont répété les mots du grand rebelle : *non serviam.* Il se sait d'avance frappé sans pitié par le Dieu cruel; mais cette malédiction constitue le signe même qui le sacre. Qu'il emprunte ses mythes au monde païen, la même dualité se retrouve : « Du paganisme apollinien qu'il puise aux sources de Pythagore, de Plotin et de Proclus, note G. Poulet, il passe parfois sans crainte à un autre paganisme, qui est celui de Dionysos et des Cabires. » Et voici la porte ouverte à tous les thèmes romantiques sur la fatalité du génie. Puisqu'il appartient à la race rouge, celle des fils du feu et des voleurs de feu, le poète sera nécessairement en butte à l'incompréhension et à la haine. Philanthrope comme Prométhée, il sera supplicié en récompense de ses dons.

Il faut, pour ne pas affadir le poète des *Chimères*, souligner cette phase de rébellion. Mais, sans aller jusqu'à en nier l'authenticité en tirant argument du mimétisme invétéré de ce faible, constatons que Nerval n'était pas fait pour ce rôle, et que sa tentative apparaît puérilement vaine comme celle d'Euphorion.

Pas davantage, en dépit de son admiration pour Gœthe, l'alternance ne semblait être de son ressort. Comment pouvait-il acquérir la mesure dans le change, puisque les volte-face et les mutations auxquelles il était sujet s'imposaient à lui par un entraînement fatal? Ne nous laissons pas abuser par les « tour à tour » ou les « tantôt » que l'on rencontre dans l'œuvre. Alors, le malheureux ne décrit pas une vie harmonieusement équilibrée, pour la proposer en exemple : en dépit d'une pointe d'humour il se borne à constater, avec plus d'angoisse que de sérénité, ses sautes d'humeur, ses caprices, ses contradictions.

Mais le rêveur et le poète croient pouvoir sortir de l'impasse, et c'est pour le critique le principal attrait de cette étude que de suivre à travers toute une vie, traduits en toutes les manières, les efforts d'une âme aimante, essentiellement sympathique, pour ramener l'harmonie dans un univers désaccordé. Nerval rêve de synthèse, de syncrétisme, de réconciliation, d'accord, de consonance, de mariage. Le mystère est un mystère d'amour. Le pire contresens serait de croire que sa faiblesse le prédisposait à un fade éclectisme, à un idéalisme bénisseur. Il s'agit bien d'une volonté de transmutation.

Ainsi s'expliquent tant ses goûts et ses choix que l'orientation de ses recherches philosophiques, historiques et mystiques. Le Château dont il rêve marie la brique et l'ardoise. L'ardoise étant lunaire et la brique solaire, de la sorte se trouve réalisée la réconciliation des deux grands luminaires, car « le soleil est fait pour la lune... la lune est faite pour le soleil ».

S'il est attiré par les grottes, ce n'est pas seulement qu'il voit en elles les bouches de l'enfer : c'est, observe J.-P. Richard, parce que la grotte est un cœur de la terre situé à la surface de la terre, et qu'ainsi s'abolit l'opposition de la surface et de la profondeur. Le volcan partage le prestige de la grotte, car il n'est en somme qu'une « grotte enflammée ». Mais la présence du feu suscite un réveil de l'angoisse, et l'un des rêves fondamentaux de Nerval, parallèle à l'assomption d'Hélène, fut d'exorciser le feu. Il avait pu lire dans *les Élixirs du Diable* cette parole d'or : « Il n'y a pas de combat entre la lumière et le feu. » Mais pour réaliser ce rêve il doit pratiquer toute une transmutation des éléments, dont J.-P. Richard a défini les lois : « Tous (les éléments) deviennent bénéfiques en se conjuguant, maléfiques en s'opposant... (Il suffit que la terre) se pénètre d'eau pour qu'elle redevienne humaine et bienfaisante... Mais le limon n'est lui-même bénéfique qu'à condition de s'associer à une flamme. » « Le volcan heureux, ce sera chez Nerval le feu jailli de l'eau, le soleil qui se lève au-dessus de la mer. » C'est pourquoi le rouge est la couleur par excellence, le faîte des couleurs, et, pour mieux dire, le véritable rouge est celui de ce cœur embrasé que Heine a vu en rêve : « Comme un cœur dans sa poitrine (Christus) portait le soleil, le rouge et ardent soleil. »

Les lieux privilégiés résolvent des antinomies, et l'on ne saurait mieux définir le but cherché qu'en ces lignes d'*Aurélia* : « Je me trouvai enfin dans une vaste chambre... Sans rien demander à personne, je compris que ces hauteurs, et en même temps ces profondeurs étaient la retraite des habitants primitifs de la montagne. » « Une hauteur qui est en même temps une profondeur, observerons-nous avec J.-P. Richard : Gérard n'a pas à chercher plus loin. »

Le pays idéal qui servit de modèle à Baudelaire pour son *Invitation au voyage* unit fraîcheur et tiédeur : « Il y avait dans l'air une fraîcheur et un parfum des premières matinées tièdes du printemps. »

Pourquoi le Valois s'avère-t-il la terre idéale? Parce qu'il est un pays d'archétypes : il atteste sous forme de coutumes et de monuments la permanence des choses. Parce qu'il est lui-même et autre que lui-même; l'Ile-de-France rassemble ce qui nous a charmés ailleurs, en Italie, en Flandre, en Suisse. Le cœur de la France est un cœur innombrable.

Les êtres d'élection sont des mixtes. Le type éternel, qui est *biondo y grassotto*, réalise, en dépit de l'inimitié de l'eau et du feu, le mariage de la flamme et de l'onde, tandis que l'union des yeux noirs et des cheveux blonds réconcilie le Midi et le Nord. Si le poète aime une actrice, c'est que « le théâtre a cela de particulier, qu'il vous donne l'illusion de connaître parfaitement une inconnue ». Le couronnement de cette rêverie et son aboutissement religieux est l'adoration d'Isis. Celui qui se voulait païen par le génie et chrétien par le cœur, trouve le moyen de réconcilier le paganisme et le christianisme en la personne de « cette Vierge-Mère, expression suprême de l'alliance antique du ciel et de la terre ».

Ce syncrétisme religieux, en effet, se présente moins comme un effort pour trouver un lien commun à toutes les religions que pour réconcilier la religion de l'esprit avec celle de la matière, sous le nom de panthéisme moderne. Il est commode assurément de rattacher Nerval à la grande famille des poètes gagnés à l'illuminisme et qui professent la théorie des correspondances. *Aurélia* offre plusieurs références à cette conception, et Nerval se flatte de percevoir dans ses rêves « les rapports du monde réel avec le monde des esprits ». « Tout se correspond. » Mais dans le système des correspondances il est surtout sensible à l'analogie du microcosme et du macrocosme, de l'âme humaine et de l'univers. C'est que, comme l'a souligné M.-J. Durry, « au sommet et au fond de tout, il ne met pas exactement Dieu, mais l'âme, l'esprit... Beaucoup plus qu'un Dieu personnel, Nerval réclame un univers qui soit une spiritualité... Esprit, il s'identifie avec une nature que meut l'Esprit »; cœur aimant, ajouterons-nous, il attribue à la Nature un cœur de Mère, « si bien que le symbolisme communément attribué à Nerval est au vrai un animisme, ou un panthéisme ».

L'épanchement du songe dans la vie réelle lui permet de réduire l'opposition entre ici-bas et au-delà. Le rêve et la vie se trouvent confondus, et de leur union naissent les *Chimères*. Lorsque Nerval s'enfonce par-delà les portes d'ivoire, il ne s'agit pas d'un acte de révolte; le recours au rêve n'est pas un recours à l'abîme. La rêverie supernaturaliste se distingue du rêve et de la rêverie, car elle a pour objet d'abolir les bornes qui séparent le monde des esprits et notre monde, en réalisant la synthèse de la veille et du sommeil. Elle est rapprochée à bon droit de l'initiation, si par là on désigne la reconquête des pouvoirs perdus à la suite de la chute originelle. Le rêveur, comme l'initié, meurt pour renaître. Et par l'éveil à une nouvelle vie, par l'accès au monde des esprits, il parvient à un état où les antinomies « cessent d'être perçues contradictoirement ».

L'opposition entre le moi et le non-moi exige pour être réduite une démarche plus subtile. Car si l'introverti est persuadé qu'il ne peut sortir de soi sans se perdre, il ne laisse pas de redouter le tête-à-tête avec lui-même. Mais il trouve dans l'idée de métempsycose et dans le culte de la race le moyen de concilier le changement et la permanence, la diversité et l'unité. Il n'est plus lui-même et il est le même. Par un biais analogue, s'exorcise l'angoisse qu'éveille chez l'introverti l'idée d'un amour sujet au changement : l'amoureux d'un type éternel professe la fidélité dans l'infidélité.

C'est sur le plan du temps, de la durée vécue, que se situe essentiellement l'effort nervalien. Qu'il se tourne vers le passé ou l'avenir, l'homme traqué ne peut ressentir qu'une angoisse incoercible, puisque partout il rencontre des présages de mort. Il ne peut chasser cette angoisse par le recours au présent, dès l'instant que sa névrose le rend incapable de vivre dans le présent et que le présent lui fait horreur. Nerval se réfugie-t-il dans le passé? Les thèmes traditionnels du romantisme, évasion, nostalgie, puissance de l'imagination, ne suffisent plus à limiter sa recherche. Insensible à l'émotion historique, il apprécie dans les ruines, non pas leur vétusté, mais leur fraîcheur, le fait qu'elles manifestent de façon tangible, et la vérité de ce qui fut, et son émouvante permanence. Il se refuse à penser le passé comme tel, c'est-à-dire comme ce qui n'est plus. L'exotisme fournit un moyen de satisfaire ce goût. Comme dans *Bajazet*, l'éloignement dans l'espace tient lieu de l'éloignement dans le temps, l'exotisme moderne est en quelque sorte du passé présent. Donc Nerval se tourne vers le passé pour constater sa présence. Le souvenir est le grand obstacle opposé à la mort, et il sait par Gœthe que tout ce qui a été subsiste, demeure accessible. S'il n'a pu recommencer l'exploit de Faust et ramener Hélène du pays des ombres, du moins a-t-il reçu un don prestigieux, celui de retrouver dans sa mémoire le passé de l'humanité. M.-J. Durry a bien montré comment « les mythes fournis par une tradition millénaire lui étaient la garantie de ses rêves ». « S'il peut sembler à l'homme que le passé enfoui dans les mythes est le souvenir d'une aventure qu'il a personnellement vécue, il doit se sentir en possession d'une âme qui fut depuis l'origine. » Il ne suffit pas de dire qu'il se souvient d'avoir assisté à la création même du monde : il continue d'y assister.

S'il se tourne vers l'avenir, pour lui enlever son caractère tragique il le conçoit à l'image du passé. Le passé et l'avenir sont solidaires; « le passé est son seul avenir ». C'est pourquoi le paradis de l'enfance devient l'archétype du Paradis. Mais, là encore, il ne suffit pas de croire à une survie. Il faut que l'avenir, comme le passé, devienne présent, que le rêveur pénètre tout de suite en ce monde qui s'étend au-delà des portes de la mort. C'est dire toute l'importance d'*Aurélia*, procès-verbal d'une expérience décisive, puisqu'elle prouve que la descente chez les Mères ne se distingue pas de la montée au ciel.

Par le détour du passé et de l'avenir, Nerval fait irruption dans un univers sans durée, justifiant la parole prophétique de Maistre, citée dans *les Illu-*

*minés* : « L'homme n'est pas fait pour le temps, car c'est quelque chose de forcé qui ne demande qu'à finir. » Mais, pas plus que J. Richer, nous ne saurions identifier ce monde à celui de la grâce chrétienne. Faut-il parler d'éternel présent? J. Richer encore nous semble avoir vu juste, qui reconnaît ici le monde de la fin des temps décrit dans l'Apocalypse.

Quelle conclusion plus naturelle donner à ces analyses, que le passage célèbre du *Second Manifeste du Surréalisme*? « Tout porte à croire qu'il existe un certain point de l'esprit d'où la vie et la mort, le réel et l'imaginaire, le passé et le futur, le communicable et l'incommunicable, le haut et le bas cessent d'être perçus contradictoirement. Or c'est en vain qu'on chercherait à l'activité surréaliste un autre mobile que l'espoir de déterminer ce point. »

Nerval a-t-il atteint ce point suprême? Avec J.-P. Richard, avec A. Béguin, nous entendrons dans *les Mémorables* qui terminent *Aurélia* le chant de l'âme parvenue à ce faîte : « Du sein des ténèbres muettes deux notes ont résonné, l'une grave, l'autre aiguë — et l'orbe éternel s'est mis à tourner aussitôt. Sois bénie, ô première octave qui commenças l'hymne divin! Du dimanche au dimanche enlace tous les jours dans ton réseau magique... »

Tel est bien le dernier mot de Nerval. Même si nous refusons de voir dans le suicide une remise en question des convictions acquises au terme d'un progrès initiatique, on ne peut cependant voir en ce chant de triomphe plus qu'un moment de rémission. Il n'y a pas d'évolution de Nerval, mais une suite d'essais, de velléités, de sursauts. Il apparaît alors que le mal du siècle réside précisément en cette irrésolution foncière, aboulie qui s'explique elle-même, comme l'a bien vu G. Poulet, par « un manque d'objet ». Les enfants du siècle en arrivent à « feindre de croire pour arriver à croire ». « Art, amour, religion, sont les trois seuls intérêts qu'ils possèdent, mais ces trois intérêts chez eux se confondent parce qu'ils ont été impuissants à leur donner des formes distinctes, concrètes... » « Partagé, remarque de son côté J.-P. Richard, entre le vertige d'une forme sans contenu et la gratuité d'une matière sans fondement », Nerval est condamné à l'Ennui.

Gœthe, qui a tout dit, avait défini cet état morbide par la bouche du Souci : « De tous les trésors, il ne sait rien posséder... — Que ce soient délices ou tourments, — Il remet au lendemain, — N'attend rien de l'avenir, — Et n'a plus jamais de présent... — A charge à lui-même et à autrui, — Respirant et étouffant tour à tour, — Ni bien vivant, ni bien mort, — Sans désespoir, sans résignation. — Dans un roulement continuel, — Regrettant ce qu'il fait, haïssant ce qu'il doit faire, — Tantôt libre, tantôt prisonnier, — Sans sommeil ni consolation, — Il reste fixé à sa place, — Et tout préparé pour l'enfer. »

Pour illustrer ce texte, voici l'image impitoyable que Nadar a fixée pour nous. La banalité, l'humilité de la pose, de la tenue, des traits du visage, contrastent avec la tristesse du regard, discrète mais bouleversante. Ce regard est celui du chien battu, de la bête aux abois, de l'enfant malade, de l'innocent condamné, du prisonnier, de la victime. Et ce regard nous poursuit à jamais : « Un fou attend une réponse. »

# 8 LE CRÉATEUR

La dernière folie qui me restera probablement, ce sera de me croire poète : c'est à la critique de m'en guérir. » Tout nervalien, au moment de juger l'œuvre aimée, estime que le destin a passé la mesure en infligeant au poète maudit la pire forme de malédiction : celle d'être un poète méconnu; et il éprouve quelque rancœur à l'égard des historiens qui n'ont pas rendu justice à l'auteur de *Sylvie*, d'*Aurélia*, des *Chimères*. Faut-il cependant que l'étude de l'œuvre débute par le procès de Lanson ou (avec la caution de Proust) de Sainte-Beuve? Nous nous abstiendrons de ces vains réquisitoires, persuadé que la meilleure façon d'aborder cette œuvre est précisément d'analyser les raisons pour lesquelles elle fut méconnue.

En vérité elle se prêtait à tous les malentendus. Elle ne se réduisait pas à un mince volume : au total, elle était copieuse, mais si dispersée qu'elle semblait insaisissable. Par sa manie de reprendre indéfiniment son texte — en le modifiant certes avec un goût infaillible — Gérard donnait l'impression d'avoir été surpris par la mort avant d'en avoir achevé la mise au net, comme le candidat qui, faute de temps, remet à la fois le brouillon et le propre.

Nerval était un touche-à-tout. De génie? Pour l'un, il avait gaspillé d'incontestables dons. Pour l'autre, il ne brillait pas par l'originalité : s'il s'était acquis une modeste place au soleil, commis-voyageur entre la France et l'Allemagne, même en ce domaine il n'était pas un initiateur. Il se révélait surtout dépourvu de puissance. Dans le roman, son échec était criant : il n'avait pu venir à bout d'un roman-feuilleton. Au théâtre, pis encore : il ne semblait voué qu'aux basses besognes, celle de librettiste, celle de « nègre », et il faisait figure de profiteur, lorsqu'il tentait de se glisser dans le sillage fastueux de Dumas. La sympathie qu'il éveillait pouvait, sous le nom de camaraderie, légitimer quelque suspicion, car ceux qui lui prodiguaient les louanges paraissaient liés à lui moins par l'amitié que par l'inquiétante solidarité des gens de lettres : échange de bons procédés. Pour se garder de toute injustice, on aurait volontiers reconnu qu'il était « gentil » : causeur charmant qui, dans les genres mineurs, odelettes, chansonnettes, facéties, contes, pouvait écrire de « jolies choses ». Dès lors un qualificatif lui convenait entre tous : Nerval, un « petit romantique ».

Dans le long et oiseux débat sur le romantisme, il prenait une valeur d'exemple. Car le traducteur de *Faust* offrait, si l'on peut dire, le bâton pour se faire battre, puisque Gœthe lui-même avait prononcé le verdict : « J'appelle classique ce qui est sain, romantique ce qui est malade. » Pour un sectaire, cet enfant si bien élevé avait succombé au poison romantique. A un esprit moins prévenu, il était loisible de formuler une thèse plus nuancée : Nerval avait été préservé de l'intoxication par son classicisme. Tout cela aboutissait à un « jugement », qui pouvait passer pour équitable : Nerval, petit romantique qui se distinguait du troupeau des *minores* par la pureté classique de la forme.

Du jour où le romantisme reprit sa pleine valeur, la position de Nerval changea singulièrement; mais il se situait encore à part. Si l'on pouvait sans paradoxe traiter du classicisme des romantiques, son prétendu classicisme, en revanche, laissait apparaître un romantisme foncier. D'autre part, tandis que le romantisme français s'opposait au romantisme allemand par ses aspects tapageurs, résumés dans l'emblématique gilet rouge, l'Allemagne plus que la France semblait être la patrie de Nerval. Au jugement précédent se substituait alors, parfait dans son outrance, le jugement de Kl. Haedens : « Si Nerval ne ressemble pas aux autres romantiques, c'est parce qu'il est le seul romantique en France. »

Nouvelle oscillation du pendule. Non, le romantisme français ne se résume pas dans la bataille d'*Hernani*. Il se révèle divers, complexe, profond, puissant, original, et il serait absurde de le mésestimer, en faisant *a priori* du romantisme allemand la seule forme valable. Et, à s'en tenir à ce seul aspect, Nerval n'est pas seul romantique en France. Le romantisme mystique ou, si l'on préfère, le présymbolisme, est largement représenté dans notre littérature par Sénancour, Nodier, Guérin, Balzac, Ballanche, Hugo, Sainte-Beuve poète et romancier, et Gautier, bien plus complexe que ne l'a fait sa légende, et Lamartine, grande victime de l'évolution du goût. Une chaîne continue mène de Gautier à Baudelaire et de Baudelaire à Mallarmé.

La mise au point relative à Nerval lui-même s'avérait plus difficile, tant ses contradictions étaient déroutantes : le poète des *Chimères* avait été un combattant d'*Hernani;* l'auteur d'*Aurélia* était aussi l'auteur des *Elégies nationales*, de *la Main de gloire* ou de *Piquillo*. Un polygraphe sans génie s'était révélé capable d'écrire quelques œuvres aussi parfaites que troublantes. Une explication s'offrait, combien séduisante puisqu'elle apparaissait à la fois miraculeuse et naturelle : la métamorphose. Comment n'aurait-on pas abouti à la thèse qu'Albérès a développée avec brio? Il y a dans la vie de Nerval une coupure, qui coïncide avec la première crise de folie. Un littérateur parisien se change en visionnaire. « Le charmant conteur se transforme en un sondeur d'abîmes, en un découvreur de paradis initiatiques, en un voyant moins tapageur que Rimbaud, plus effrayé que ce dernier par ses hallucinations, mais en homme qui franchit les portes d'ivoire et de corne du rêve et apporte des « révélations ». Thèse assez forte, semble-t-il, puisqu'elle s'appuie sur des œuvres dont nul ne peut nier qu'elles constituent, avec le sommet de la production nervalienne, une des plus belles réussites du romantisme. Mais elle n'en demeure pas moins fragile, dans la mesure où elle distingue un avant et un après. Nous avons fait ressortir dans le présent essai, par une étude rigoureuse de la chronologie et de la totalité de l'œuvre, que de 1830 à la mort de Nerval nous assistons à un développement sans coupure. Il est bien une mue subite, mais elle se situe au début, à l'époque de la majorité. L'époque d'*Aurélia* représente aussi un changement d'attitude complet : Nerval tente un coup de force, comme Faust il descend chez les Mères. Mais ce rapprochement même atteste l'unité de sa vie : son expérience entière se déroule sous le signe de Faust. « Il est un texte capital dont il faut toujours partir, remarque pertinemment J. Richer, quand il s'agit des convictions les plus intimes de Nerval et des buts qu'il assignait à son art : c'est la préface à la troisième édition de *Faust*, 1840. » Le seul fait d'avoir méconnu ce texte, antérieur à la première crise de folie, suffit à ruiner la thèse d'Albérès.

Pour expliquer qu'après sa transformation en mystique, Nerval ait encore publié de charmantes pochades, le même essayiste est obligé de prétendre — malgré toutes les déclarations explicites de l'auteur — que le voyant n'avait pas conscience de ses dons. Mais Nerval a toujours écrit sur deux portées. L'artiste lucide ne se faisait pas d'illusion sur les faiblesses d'une partie de son œuvre. L'ambition du créateur était freinée par une certaine nonchalance et un indéniable manque de puissance créatrice, qui l'obligeaient à se nourrir de sa substance, et qu'il essayait de pallier par des déplacements dans le temps et l'espace, par des lectures et des voyages.

Sans nul doute Nerval a frôlé l'abîme, et non pas celui de la démence : la tentation de la facilité. Il a failli succomber au journalisme. Il avait reçu en partage des dons complémentaires qui faisaient de lui un excellent chroniqueur : l'aisance naturelle de la forme, l'esprit, l'art de « daguerréotyper la vérité », le don de conter. « M. G. de Nerval est né conteur comme Diderot », remarquait Champfleury en 1850. Il a brillamment réussi dans deux domaines, le compte rendu dramatique et le reportage.

Dispersées dans les journaux pendant vingt-cinq ans, ses chroniques se chiffrent par centaines. Nous ne nous vanterons pas de les connaître toutes. Nous regretterons pourtant qu'aucun chercheur ne se soit attaché au dépouillement de ces textes. Certes, la médiocrité des œuvres dont il rend compte en réduit l'intérêt. La publication d'une édition intégrale s'impose d'autant moins que, hors l'aisance de la forme, il ne se distingue pas de ses contemporains par la richesse des idées, fût-ce dans le domaine où l'on attendrait mieux de lui, la chronique musicale. Il est plus chroniqueur que critique et, comme L. Guichard l'a montré, A. Cœuroy, dévot du culte nervalien, a surfait chez lui les capacités musicales. En vérité son mérite ne dépasse pas celui de Janin. Cependant une sélection n'en serait pas moins séduisante. Nerval a commenté des œuvres importantes : de Shakespeare, Hugo, Beethoven, Wagner. Il parle du théâtre en technicien. Son trait dominant est à coup sûr le goût pour le naturel et la simplicité, qu'il s'agisse du texte ou de l'interprétation. Il n'apprécie par les leçons du Conservatoire. Il apparaît très sensible à « la qualité des voix » et se révèle, selon L. Guichard, un connaisseur bien plus délicat que Stendhal. On appréciera son absence de parti pris, sa facilité d'adaptation. Mais le plus précieux reste les digressions du chroniqueur, pour qui souvent l'œuvre n'est qu'un prétexte. Ici comme ailleurs, nous avons la surprise d'entendre soudain, au cours d'un développement oiseux ou brillant, un accent inimitable fait de tendresse, de mélancolie, d'humour, et dont les Janin n'ont pas connu le secret.

C'est une remarque semblable qu'inspirent ses reportages, et par là nous désignons les articles sur les Illuminés aussi bien que les récits de voyages ou que les descriptions pittoresques des spectacles quotidiens. Qu'ils nous entraînent dans le temps ou l'espace, ces récits se distinguent par une admirable vivacité, l'alacrité du rythme, le relief du trait, le pétillement de l'esprit. Si Gérard est moins coloré que Gautier, moins divertissant que Dumas, il a mis au point une formule de reportage à la fois humoristique et poétique, où parfois un tremblement dans la voix nous charme, en nous faisant entrevoir une âme exquisement délicate [1]. Il a surtout emprunté à Diderot, à Sterne, à Hoffmann, à Nodier le récit « à tiroirs ». Cette formule s'accordait en tous points à son tempérament primesautier, à son imagination capricieuse et à son instabilité foncière. *Angélique* représente le chef-d'œuvre du genre, car les thèmes légers, si heureusement choisis et traités en style contrapuntique, laissent une impression musicale.

Il veut cependant monter plus haut, soit qu'il tente en groupant ses articles de leur donner un sens (mais la préface de *Lorely* dépasse en richesse tout ce qu'elle annonce), soit qu'il perfectionne sa technique. Comme d'autres ont élevé le reportage au niveau de la tragédie grecque, il entend donner au récit à tiroirs un autre charme que celui de la divagation : la fantaisie se mariant au réalisme, l'imaginaire prend une allure hallucinante, le réel tourne à l'enchantement, la divagation même fait figure de symbole. En passant de *Mes prisons* aux *Nuits d'octobre*, on saisit sur le vif un progrès qui ne réside pas dans l'art, mais dans l'ambition créatrice.

**1.** Cf. dans *les Nuits d'Octobre*, au début du chapitre x, l'adorable couplet : « O jeune fille à la voix perlée !... »

Ces aspirations, il risquait fort de ne pas les réaliser, si la hantise de gagner sa vie le détournait de vouloir écrire pour la postérité. Le problème se présente donc ainsi : comment ce poète toujours menacé ne s'est-il pas laissé aller à la facilité, pente insidieuse que représentait pour lui l'admirable aisance de son style? Il fut sauvé, répondrons-nous, par l'Allemagne. Sainte-Beuve a vu juste en un sens, lorsqu'il laisse entendre que l'importance de Nerval est là. Mais il s'agit de tout autre chose que de fournir des chapitres plus ou moins copieux aux comparatistes pour des « Gœthe en France », des « Hoffmann en France », des « Heine en France ». L'Allemagne joue dans son œuvre le rôle de la musique pour les symbolistes, et nous dirons, en adaptant la phrase célèbre, qu'il a voulu reprendre à l'Allemagne son bien. Plus que de rattacher tel thème à l'influence de tel écrivain d'outre-Rhin, il importe de saisir toute l'ampleur de son germanisme. Quelle que soit la façon dont on désigne ce bien, mysticisme germanique ou clair de lune allemand selon Gautier, goût allemand, panthéisme moderne, enthousiasme ou rêverie supernaturaliste selon Nerval lui-même, il s'agit en réalité de l'expérience poétique et de la souveraineté de l'imagination. De même que l'atelier de peinture pour Gautier, l'Allemagne a permis à Nerval de trouver la poésie.

Mais constater qu'il a découvert dans le romantisme allemand sa patrie poétique ne mène à rien, de même qu'il serait inopérant de prouver que Gœthe, Hoffmann, Heine ou Novalis offrent l'équivalent de son expérience, de son message [1], si l'on ne complète ces

1. Il va sans dire que toute étude sur Nerval doit ne pas négliger cette formation germanique, sous peine de surfaire l'originalité du poète en considérant son expérience poétique comme un phénomène exceptionnel à l'époque, en avance sur le temps. A supposer même que cette expérience soit unique dans le romantisme français, ce qui est discutable, il nous semble que son originalité réside beaucoup plus dans la naturalisation du germanisme. En guise de contre-épreuve, qu'on lise *les Élixirs du Diable* et la thèse que J. Ricci a consacrée à E. T. A. Hoffmann.

évidences par deux considérations essentielles. D'abord, il faut constater que la Weltanschauung poétique s'exprimait sous des formes privilégiées, non pas seulement par la ballade ou le lied, mais encore par le drame, le Märchen et le Bildungsroman. En second lieu, il sied d'attribuer à Nerval une ambition précise : la volonté de naturaliser ces genres en France, compte tenu de la tradition française et de la nature de ses dons. Même si cette thèse prête le flanc à la critique, elle permet de saisir la cohérence de l'œuvre nervalienne, et de donner à la « lucidité » de l'écrivain son champ d'application normal.

L'ensemble de l'œuvre théâtrale forme une masse sans grandeur. Quand on restituerait les versions originales en les débarrassant des atténuations consenties à la censure, la médiocrité de la réussite ne ferait aucun doute. Il vaut la peine d'analyser les raisons de cet échec. Nerval était tiraillé entre deux désirs — et le premier était assurément moins noble que le second : il cherchait le succès dramatique, et par succès entendons la gloire tapageuse et l'argent. Ne méprisons pourtant pas ce Gérard trop humain qui a dû jalouser les Hugo, les Dumas et les Scribe, dont il ne pouvait que mesurer les insuffisances, formé qu'il était à l'école de Shakespeare et de Gœthe. Comment ne se serait-il pas dit qu'il était capable de faire aussi bien? Mais en même temps il nourrissait l'ambition de créer un drame faustien. Il ne put renoncer au prestige magique du théâtre et écrire son *Faust* à la façon de ceux qui, désireux de composer à l'exemple de Gœthe un drame illustrant la condition humaine, gardèrent la forme théâtrale sans vouloir porter leur œuvre à la scène, tel Quinet avec *Ahasvérus*, G. Sand avec *les Sept cordes de la lyre*, Flaubert avec *la Tentation de saint Antoine*. En sorte qu'il en vint à cet absurde résultat d'écrire son *Faust* comme ses œuvres alimentaires, en faisant appel à la collaboration d'acolytes obscurs. Le jour où Fournier monta *l'Imagier de Harlem* à la Porte-Saint-Martin, Nerval crut-il vraiment qu'il avait réalisé son rêve? Comme nous l'avons dit plus haut, sans doute croyait-il, en raison de sa capacité d'illusion, à la portée mystique ou initiatique de *Robert le Diable* ou de cet *Alchimiste* qu'il avait confectionné avec Dumas. L'œuvre ne mérite pas le mépris, loin de là, et la donnée en est belle; mais Nerval laisse l'impression pénible d'être dépassé par le sujet, comme s'il avait assumé une tâche au-dessus de ses forces. Par surcroît, la pièce ennuie, en dépit du grand spectacle. On saisit du moins nettement ce qu'il a voulu faire : il a rêvé à la fois d'un drame et d'un opéra initiatiques — ce que réaliseront après sa mort Villiers dans *Axel* et Wagner dans l'ensemble de son œuvre. La preuve en est qu'au cours de sa vie son attention se fixe précisément sur les trois représentants de l'Ésotérisme à la scène, l'auteur de *la Flûte enchantée*, celui de *Faust*, et celui de *Parsifal*.

Doit-on conclure qu'il n'était pas doué pour le théâtre, soit parce que l'introverti s'avérait impuissant à faire vivre des personnages, soit parce que la technique dramatique exigeait une adresse étrangère à cette belle âme? Les faits condamnent ces explications apparemment ingénieuses, puisqu'ils le montrent capable de réalisations viables, lorsqu'il réduisait ses ambitions, mais aussi lorsqu'il échappait à l'envoûtement de Gœthe. Il fut librettiste expert : ni meilleur ni pire que les autres. Nous avouons partager le faible qu'il éprouvait pour *Corilla*. Cette bluette charmante ne déparerait pas les *Comédies et Proverbes* de Musset. Enfin, du triste naufrage qu'est l'histoire posthume du théâtre romantique, *Léo Burckart* mériterait d'être sauvé. « Cette composition dramatique, indique-t-il lui-même, est traitée librement à la manière de Schiller. » Elle est faite de « deux intrigues superposées », l'une politique, l'autre intime, mais liées avec une indéniable habileté. R.-M. Albérès critique avec quelque sévérité « la dramaturgie superficielle où chaque personnage commente naïvement ses sentiments, le plus souvent conventionnels ». Mais A. de Musset mériterait un reproche analogue. Ce drame politique, évocation comme *Lorenzaccio* d'une conjuration qui échoue par la faute du vengeur, possède plus qu'un attrait pittoresque : une valeur humaine. Il fourmille en outre d'idées, comme le remarquait A. Marie. Ce n'est pas un mérite aux yeux de J. Richer, qui déclare avec une sévérité excessive : « Le seul reproche qu'on puisse lui adresser est d'être d'un sérieux qui côtoie parfois la lourdeur. » Non, *Léo Burckart* mérite une place dans l'ombre de *Lorenzaccio.*

Sur la réussite du conteur, l'accord est général. Mais il est malaisé de suivre ici les progrès du créateur. On peut regretter qu'en ce domaine il se soit d'abord montré rebelle à l'influence allemande, bien que l'avant-propos des *Aventures de la nuit de la Saint-Sylvestre*, en prouvant qu'il avait parfaitement compris la leçon de Hoffmann, nous fît espérer mieux. Mais Nerval s'est laissé visiblement influencer par la vogue du roman historique. A quatre reprises, avec *le Prince des Sots*, *Dolbreuse*, *le Marquis de Fayolle* et *l'Illustre Brisacier*, il a tenté de suivre l'exemple combien prestigieux de *Notre-Dame de Paris*, des *Chouans* et des *Trois Mousquetaires*. Malheureusement il n'était pas capable de composer une œuvre de longue haleine.

La forme réduite du conte et de la nouvelle semblait mieux accordée à ses moyens. *La Main enchantée* confirme la remarque précédente. Plus que l'influence de Hoffmann se découvre celle de Walter Scott et de ses imitateurs français, comme P. Lacroix. Si l'histoire macaronique présente à nos yeux quelque intérêt, c'est moins en raison de l'élément surnaturel que d'une tonalité humoristique, fait d'un dosage savant de fantaisie et de réalisme, de tragique et de burlesque. C'est la même « verve badine » que l'on retrouve dans *le Monstre vert*, malgré la date beaucoup plus tardive de la composition. *Soirée d'automne* et *l'Auberge de Vitré* lui sont difficilement attribuables.

L'heureuse influence des « Fantasiestücke » et des « Märchen » a porté ses fruits après un long travail de maturation, dont on peut résumer ainsi les étapes : tout se passe comme si dans l'imagination de Nerval avaient conflué deux tendances; d'une part le journaliste, émule des Gautier et des Dumas, cultivait assez volontiers le genre plaisant qu'était le récit de voyage; d'autre part le germaniste avait eu à la lecture de *Wilhelm Meister*, la révélation du « Bildungsroman », le roman de formation. La deuxième partie du roman de Gœthe s'intitulait *les Années de voyage*. La première partie, *les Années d'apprentissage*, évoquait également les voyages de Wilhelm comédien, et ce thème rappelait à l'esprit de Nerval une autre œuvre qui lui était non moins chère, *le Roman comique* de Scarron. Ces influences conjuguées firent naître dans son esprit l'idée d'une œuvre de longue haleine qui tînt à la fois du récit de voyage et du roman de formation : si bien qu'il conjurait son incapacité à écrire un roman par sa virtuosité de narrateur, et qu'il compensait le caractère léger du récit du voyage en lui donnant la portée d'un roman d'expérience.

La gestation du *Voyage en Orient* fut longue. Mais en définitive Nerval a pleinement réalisé ce qu'il voulait faire, et c'est bien là son œuvre « capitale », comme l'avait vu P. Limayrac. Le genre du voyage est des plus souples et, pendant la première moitié du XIXe siècle, il connut une vogue extraordinaire. Gérard et Gautier, chacun à sa manière, se sont efforcés de le développer et de l'enrichir. Il semble que le premier ait voulu réaliser comme une synthèse des tentatives antérieures. Le genre n'excluait pas le sérieux, comme le prouve l'exemple de Volney, et pouvait prétendre à une valeur scientifique. Gérard ne néglige pas cet aspect, mais nous savons que son érudition mérite peu de crédit.

A l'inverse, le genre avait pris avec les Dumas une allure frivole et impliquait un certain nombre de thèmes obligatoires, en particulier les mésaventures du voyageur, les rencontres qui permettent de passer en revue les personnages les plus pittoresques et surtout les aventures amoureuses. Nerval se conforme du mieux qu'il peut à cet exemple. Les passages comiques abondent. Il sait être amusant, et nous avons vu qu'il avait intitulé les premières versions du voyage *les Femmes du Caire* et *les Femmes du Liban*.

Mais le genre rappelait non moins irrésistiblement les grands noms du romantisme, Chateaubriand et Lamartine. Avec eux le lyrisme entrait dans la relation. Nerval affectera d'ironiser, en refusant d'imiter les grands couplets sur les ruines ou les levers de soleil. Mais ce n'est aucunement parodie s'il adopte le même titre que Lamartine. Comme ses grands devanciers, il cherche dans le dépaysement un remède à la mélancolie et, plus subtilement, la quête des horizons nouveaux est une quête de soi-même. Le changement d'éclairage permet de saisir l'âme incertaine dans ses remous et ses mutations. D'où les pages si émouvantes où le cœur se fait entendre. Au reste, les plus pathétiques ne sont pas toujours celles où l'angoisse affleure, mais celles où, comme Villon, Nerval rit en pleurs. Il connaissait aussi trop bien les règles du jeu pour ignorer que le genre se prêtait à tous les truquages, sans compter qu'il était une invite perpétuelle à l'attitude. Nous savons de reste qu'il a faussé l'itinéraire et savamment aménagé les détails, comme l'a montré G. Rouger avec tant de brio. Mais plus important que la fusion de deux voyages en un seul, ou que les aventures imaginaires — dont la fameuse escale à Cythère — nous paraît le fait qu'il supprime de son récit le pâle Fonfrède, et que, disant « nous » dans ses lettres, il dise « je » dans le *Voyage*. Ce qui signifie que tout au long de la relation il ne cesse de composer un personnage : celui qui dit je.

Un autre aspect du genre, très familier à Nerval nous est fort étranger aujourd'hui : celui qu'avaient illustré au XVIIIe siècle les œuvres des abbés Terrasson et Barthélemy, ou de l'athée S. Maréchal, *les Voyages de Séthos, d'Anacharsis, de Pythagore.* Les intentions pédagogiques dans le style du *Télémaque* se doublent, avec plus ou moins de bonheur, de prétentions initiatiques, et l'ouvrage se présente à la fois comme un manuel de géographie et d'archéologie, un catéchisme occulte et un rituel. Or, ces intentions ne sont pas étrangères au *Voyage* de Nerval, d'autant que ces œuvres évoquaient nécessairement *le Songe de Poliphile*, qui est un récit de pèlerinages, et *la Flûte enchantée*, ce Märchen qui retrace lui aussi un voyage initiatique. D'où les deux grands développements sur Fr. Colonna à Cythère et sur l'initiation égyptienne aux Pyramides.

Enfin, en 1842, Hugo avait publié *le Rhin*, « un des voyages les plus complets que nous ait laissés le Romantisme », note P. Moreau. En ce « livre-fleuve », tout se mêle, tout foisonne. Retenons surtout qu'avec un art consommé Hugo insérait dans la trame du récit un conte bleu, alliant avec saveur le fantastique et l'ironie. Pareille insertion dans un essai ou un récit était encore une habitude du XVIII^e siècle : Delisle de Sales en avait donné l'exemple dans sa *Philosophie de la Nature*, Bernardin de Saint-Pierre et Chateaubriand avaient suivi ses traces, et c'est ainsi que Gérard les suit à son tour avec l'*Histoire du calife Hakem* et l'*Histoire de la Reine du matin*, chefs-d'œuvre authentiques, où il réalise avec une maîtrise incomparable ce qu'on voudrait appeler le « Märchen à la française ».

« C'est dans le Märchen que je crois pouvoir exprimer le mieux mes dispositions intimes », avouait Novalis. Selon le poète allemand, ce jeu de l'imagination est « semblable à un rêve, sans lien logique ». Nerval toutefois conduit le jeu avec une recherche systématique de combinaisons qui requiert de l'artiste une extrême virtuosité. Et d'abord les deux contes sont attribués à un Oriental, alibi qui permet toutes les fantaisies. Mais cet Oriental a lu *les Mille et une Nuits* dans la traduction de Galland, et le conteur du café de Stamboul ne semble pas ignorer *la Princesse de Babylone* de Voltaire. On sait que Nerval emprunte à Sylvestre de Sacy les données historiques relatives au calife, à son propre détriment du reste, puisque, si peu qu'il respecte l'histoire, elle ne fait que paralyser son imagination. Un autre aspect du jeu consiste à superposer les intentions, et plus précisément à orienter le lecteur vers une interprétation édifiante, véritable symbolisme moral. Mais l'essentiel est ailleurs. Il est dans les scènes qui nous entraînent vers une zone vague où la réalité prend l'apparence du rêve, où le héros a l'air de son propre spectre, où les bourreaux jouent la comédie, où l'on ne sait si votre ferouer est votre ami ou votre ennemi, où la mort s'affirme la seule réalité. Nerval, nous le savons, confesse ses angoisses, et le Märchen, sous son apparente fantaisie, montre un cœur à nu. L'artiste cependant, par une progression insensible, substitue à l'atmosphère des *Mille et une Nuits* celle des Contes d'Hoffmann et des confessions de Quincey. Atmosphère d'enfer? Non; pire, de paradis artificiel.

L'*Histoire de la Reine du matin*, bien que plus riche de substance, n'offre pas une réussite aussi parfaite. Nous savons que Nerval s'est peint en Adoniram et que ce portrait est de tous le plus complexe, le plus fidèle. Mais au cours du récit la combinaison des trois traditions biblique, orientale et maçonnique, ne va pas sans surcharge. La descente aux enfers d'Adoniram, par sa splendeur, sa violence et son mystère, n'en dépasse pas moins les plus belles visions d'*Aurélia*. Le problème pour l'artiste était le passage de l'ironie voltairienne à la vaticination, de l'opéra-bouffe à la tragédie. A propos de *la Main enchantée*, nous avions constaté l'alliance du burlesque et du tragique : c'est donc bien là une constante de Nerval. On peut y reconnaître la leçon de Hugo dans la préface de *Cromwell*; mais si Nerval se complaît à ce mélange, c'est pour en tirer, au lieu de gros effets, de subtiles dissonances.

Ce qui vaut pour les contes vaut pour le *Voyage* entier, et la réussite consiste précisément, malgré la disparate des intentions, à passer d'un ton à l'autre par modulations insensibles. « Le livre, note fort bien G. Rouger, commence à la façon d'un récit de Sterne ou de Dumas, au tintement joyeux des grelots d'une diligence, et se clôt sur des visions supernaturalistes. » Ce processus répond exactement à l'ambition de Nerval, et cette « somme nervalienne » doit désormais reprendre sa vraie place dans la littérature romantique, non seulement parce qu'elle est un des chefs-d'œuvre du « voyage », mais parce qu'elle dépasse et transcende le genre : la marche vers l'Orient est un retour à la santé, aux origines, aux sources de la vie et de la foi. Nerval a écrit un « roman de formation » qui a la fantaisie d'un récit d'aventures. Grâce au mémorable essai de G. Schaeffer, les structures du *Voyage en Orient* ont été mises en lumière. L'œuvre apparaît aussi savamment construite que la somme proustienne. Le prologue joue par rapport à l'ensemble le rôle du microcosme, et en son centre l'évocation de Francesco Colonna signifie que Nerval se propose d'écrire un nouveau *Songe de Poliphile.* Chaque partie comporte, également en son centre, un mythe, mythe d'Orphée, d'Hakem, d'Adoniram. Les relations des mythes entre eux, des mythes et des récits qui les englobent créent un jeu savant de reflets qui fait du récit de voyage le monument de toute une expérience poétique.

Dans l'évolution que nous essayons de retracer, le *Voyage en Orient* correspond à un point d'équilibre, puisqu'en juxtaposant le récit à la première personne et les contes qui y sont insérés, l'auteur se met en scène de deux manières : par le « je », et par les personnages qui lui servent de truchement, Orphée Adoniram et le calife. L'initiation à son secret se fait en deux étapes, du plus apparent au plus caché, et l'on en vient à constater que le « je » si voyant, avec ses sautes fantasques, ses mascarades et ses mimes, est en réalité plus transposé que le personnage dérobé sous des visages légendaires. Se livrer par le truchement d'un mythe, tel apparaît le biais auquel recourait le poète névrosé. En était-il conscient? Rappelons-nous l'aveu de Mallarmé : « *Hérodiade...* où je m'étais mis tout entier sans le savoir. »

Or, Nerval a rejeté cette formule, et il atteint son apogée le jour où il renonce au mythe pour s'en tenir au « je ». L'idée reçue veut qu'un créateur authentique soit capable de sortir de lui-même, que la peinture de soi, plus volontiers admissible au début d'une carrière, aboutisse à la peinture d'autrui. L'on en vient même à ériger, à la façon de Wilde, ce refus de la subjectivité en règle de la création : « Ne dites jamais je. » « Il semble que Balzac, remarque par exemple G. Picon, ait voulu dire au début de son œuvre tout ce qu'il avait à dire de la vie qui l'avait précédé, qu'il ait voulu se débarrasser une fois pour toutes du « je » et de l'expérience vécue, comme si l'œuvre, ensuite, devait se nourrir d'autre chose, d'une imagination et d'une observation soustraites aux vicissitudes et aux partialités du vécu. » Mais la règle n'est pas absolue, et l'histoire littéraire offre des écrivains du plus haut rang pour qui le processus est l'inverse, et qui ne sont devenus eux-mêmes qu'en renonçant à se peindre par interpositions, pour s'exprimer à la première personne. A l'exemple de Nerval nous joindrons celui de Chateaubriand ou de Proust. La découverte de *Jean Santeuil*, la comparaison du roman abandonné avec le chef-d'œuvre achevé font assister à cette conquête. L'exemple de Chateaubriand est plus frappant encore. Les *Mémoires d'Outre-tombe* sont aux *Martyrs* ce qu'*Aurélia* est à l'*Histoire de la Reine du matin*. Chateaubriand renonce au truchement de Chactas, de René, d'Eudore, pour s'exprimer en son nom.

Cette conquête ne constitue donc pas un progrès dans le sens de la sincérité. A l'opposé, elle représente le déguisement le plus subtil, puisqu'elle permet de duper le lecteur qui se laisse prendre à cette apparente confidence. Non seulement ce je est « un et multiple », mais il se distingue des autres, celui qui écrit les lettres celui qui rédige les articles. Nerval s'est fait la main, si l'on peut dire, en attribuant à Dubourjet ses lettres d'amour, puis en faisant écrire Brisacier. Enfin le « je » s'impose dans *les Filles du Feu*, *Pandora* et *Aurélia*. Lorsqu'il voudra faire retour à la troisième personne et endosser la défroque du comte de Saint-Germain, il ne pourra venir à bout de sa tâche. Mais on aperçoit aussi que le « je », s'il continue celui du *Voyage en Orient*, hérite également du rôle tenu par Orphée, Adoniram et Hakem, qu'il va donc assumer les plus secrets mystères de l'âme.

B. de Fallois observe avec finesse que chez Proust cette découverte représente moins celle d'un personnage que d'un ton. Nerval, de son côté, à la recherche de son véritable ton, se révèle de plus en plus sensible à une certaine tradition française avec laquelle il renoue. Sans doute convient-il de souligner ici l'influence de son « tuteur littéraire », Nodier. Cette tutelle ne se borna pas à orienter les curiosités du disciple vers le rêve, le mystère, la bibliophilie, la sémantique ou le folklore. Elle se traduisit aussi par une leçon d'art, art du récit, art de la prose. Tout naturellement, Gérard se tourna vers les écrivains que l'histoire littéraire groupe sous le nom de préromantiques, et prit pour modèles le Rousseau des *Confessions* et des *Rêveries*, Bernardin de Saint-Pierre, Cazotte, Restif, Sénancour. Le lyrisme se glisse dans une forme qui garde l'élégance de Trianon et se ressent de l'idylle. Or, la conquête de l'expression directe se liant à l'adoption de ce ton, il s'ensuit que le « je » dit son angoisse sur un ton de cour, au point que le lecteur risque de ne pas soupçonner le tragique latent. Nerval n'en crée pas moins un fantastique nouveau : profond, épuré. Plus de rêves d'un mangeur d'opium, ni de voyages au centre de la terre : mais la magie de la rue, la rêverie d'un noctambule, le caprice d'une femme, les effets du temps. Le fantastique est devenu quotidien. Le feu cependant continue de couver sous la cendre et, quand le tragique fait éruption, nous sommes saisis : c'était donc si grave!

A cette manière se rattachent *les Nuits d'octobre*, *Pandora*, *Octavie*, *Sylvie*. *Les Nuits d'octobre* méritent plus d'attention qu'on ne leur en accorde à l'ordinaire. Si la forme du développement s'inspire de la manière divagante de Sterne, la diversité du ton révèle que Nerval est à la recherche de tonalités nouvelles, et au détour de telle page nous entendons le pur accent de *Sylvie*, puis l'accent plus pathétique d'*Aurélia* ou celui, déchirant, de *Pandora*. Un autre intérêt de ce « reportage » reste son rapport avoué avec l'actualité littéraire. En 1852, la bataille réaliste bat son plein, et Champfleury, qui avait consacré deux articles élogieux au *Voyage en Orient*, estimant l'auteur « un des meilleurs écrivains d'aujourd'hui », entretient des rapports amicaux avec Gérard. En passant, celui-ci dit son mot sur la querelle, et l'on doit admirer la pénétration de son jugement. La lecture de quelques pages de Dickens l'a conduit à regarder les Anglais comme les maîtres du réalisme. Les Français ne sauraient se contenter de « chapitres d'observation démunis de tout alliage d'invention romanesque... L'intelligence réaliste de nos voisins se contente du vrai absolu ». Mais, comme Champfleury, Gérard estime qu'en France le vrai réalisme a été pratiqué au XVIIIe siècle par Diderot et, quand il parcourt un Paris interlope, le souvenir du *Neveu de Rameau* est manifeste. Il va donc s'efforcer, déclare-t-il, « de daguerréotyper la vérité ». Mais qu'est-ce que la vérité? Bien qu'il déclare ne pas oser s'égaler aux maîtres du genre, donnant une leçon par l'exemple, il suit dans leurs multiples effets les combinaisons bizarres de la vie, prouvant la parenté de la fantaisie et du réalisme. Qui sait observer découvre un monde merveilleux, celui de la vie quotidienne, qu'il s'agisse des spectacles de la rue ou des phénomènes du sommeil.

Jouant au paysan de Paris, il passe spontanément de Dickens à Poe, d'une imitation du *Neveu de Rameau* à un chapitre dans le goût allemand, pour tout dire du réalisme au surréalisme. « Le moi et le non-moi de Fichte, chante le chœur des gnomes, se livrent un terrible combat dans cet esprit plein d'objectivité. »

Grâce à J. Guillaume, *Pandora* n'apparaît plus comme une œuvre minée par la démence, mais comme un modèle de « fantasiestuck ». Peut-être conviendrait-il de replacer en tête de la nouvelle le prologue que J. Guillaume supprime, puisque Gérard y tenait tant. Ce hors-d'œuvre, placé ainsi, ne saurait nuire à la cohérence de l'œuvre.

Vienne joue ici le rôle de Paris dans *les Nuits d'octobre*; mais l'influence de Hoffmann est beaucoup plus sensible, des *Aventures de la nuit de la Saint-Sylvestre* à *l'Homme au sable.* Tout le long du récit des rencontres bizarres, des allusions érudites, des retours en arrière, provoquent un cliquetis de noms propres et de mots étrangers ajoutant à la peinture humoristique des malheurs du héros une poésie particulière dont Apollinaire s'efforcera de retrouver le secret. Une séquence onirique semble annoncer les *Mémorables* d'*Aurélia* en célébrant la transfiguration du maudit. Mais c'est la « composition » qui donne au texte son sens. Sciemment le narrateur encadre ce chant de deux scènes cruelles qui prouvent que sous le poids de la honte l'âme ne participe pas à l'essor rêvé.

Par une gradation admirable nous sommes introduits dans un univers mythique et désespéré. La grande coquette devient Pandora, l'image archétypique de la Femme fatale, et le héros falot prend l'aspect tragique de l'éternelle victime, car Prométhée est le double du Christ aux oliviers.

La réussite d'*Octavie* n'est pas immédiatement perceptible et l'on peut être tenté de voir dans l'insertion de la lettre à Jenny sur l'aventure de Naples une maladresse, ou une façon trop cavalière d'utiliser un texte antérieur et d'allonger un texte trop court. Mais c'est une caractéristique de Nerval que ce besoin d'insérer dans le contexte un fragment qui peut être soit l'œuvre d'autrui (journal d'Angélique, article de Janin, article de Dumas), soit son œuvre à lui (fragment de *Brisacier*, lettres à Jenny). Cette insertion permet à la fois un contrepoint dans l'expression, et aussi une confrontation de thèmes dont le commentateur tire la leçon. Certes, *Octavie* « n'a pas la claire transparence de *Sylvie* », mais la divination du critique découvre ici encore des oppositions subtiles. Dans le même décor de rêve, la brodeuse italienne et la jeune Anglaise contrastent comme la nuit et le jour. Elles incarnent deux formes d'amour, et toutes deux sont en instance de métamorphose. La première apparaît comme une magicienne, fantôme tout ensemble séduisant et effrayant, la seconde, pure fille des eaux, sous les traits d'Isis la bonne mère. Avec moins de maîtrise que dans *Sylvie*, l'écrivain joue sur l'incertitude du temps : la nuit d'amour est contée dans une lettre postérieure de trois ans à l'événement, et, lorsqu'il nous ramène au présent, au récit du rendez-vous, ce n'est que pour vite rejeter dans le passé — dix ans — l'histoire douloureuse. Car un chant triste ne cesse d'accompagner le récit. La nuit d'amour est une nuit fatale où le fantôme du bonheur ne venait que pour condamner un parjure; et le héros qui ne se sent plus digne de la vierge, malgré sa délicatesse apparente, ne fait que la vouer à l'enfer. Ainsi l'idylle de vacances, et la nuit de débauche à Naples deviennent un conte fantastique, mais où le mystère tient, beaucoup plus qu'au décor singulier de la chambre, qu'à la fumée du Vésuve, qu'à l'aspect sinistre du bourreau d'Octavie, au caractère énigmatique de l'âme.

Chaque nouvelle lecture de *Sylvie* apporte un nouvel émerveillement. Cette œuvre a inspiré des commentaires dignes d'elle, et nous ne pouvons mieux faire que de renvoyer le lecteur aux pages remarquables que lui ont consacrées Proust, G. Poulet, R. Jean, R. Chambers. Soulignons d'abord après l'auteur du *Temps retrouvé*, le caractère proustien de la nouvelle.

Nerval n'ignore pas les phénomènes de mémoire involontaire. « Ouvrez les *Mémoires d'Outre tombe* et *les Filles du Feu*..., vous verrez que les deux grands écrivains... connaissent parfaitement ce procédé de brusque transition... La première partie de *Sylvie* se passe devant une scène et décrit l'amour de Gérard pour une comédienne. Tout à coup ses yeux tombent sur une annonce : « Demain les archers de Loisy... », etc. Ces mots évoquent un souvenir, ou plutôt deux souvenirs d'enfance... aussitôt le lieu de la nouvelle est déplacé. »

Nerval, comme Proust, connaît le caractère subjectif de la vision. Il sait l'effet produit par une insomnie, l'ébranlement nerveux d'un voyage, et combien les matinées qui suivent se trouvent transformées. Ainsi toutes les impressions du retour à Loisy reflètent l'exaltation du narrateur. *Sylvie* est le rêve d'un rêve.

Proust observe lui-même que presque toutes les œuvres de Nerval pourraient porter pour titre celui qu'il avait donné d'abord à l'un de ses romans : *les Intermittences du cœur*. Nerval *a fortiori* connaît le caractère subjectif de l'amour. L'être aimé n'est pas l'être réel, et l'amour est une sorte de rêve. « Ces enthousiasmes bizarres que j'avais ressentis si longtemps, ces rêves, ces pleurs, ces désespoirs et ces tendresses... ce n'était donc pas l'amour? Mais où donc est-il? » Rien n'est plus proustien.

Les paysages de *Sylvie* sont eux aussi des paysages de rêve. Oui, « le tableau présenté par Gérard est délicieusement simple », et « la grâce mesurée du paysage en est la matière, mais il va au-delà ». Il « a trouvé le moyen de ne faire que peindre et de donner à son tableau les couleurs de son rêve... une atmosphère bleuâtre et pourprée ».

Le charme de l'œuvre tient surtout à l'incertitude du temps, à la fusion des plans de la durée, si bien, observe Proust avec un sourire, « qu'on est obligé à tout moment de tourner les pages qui précèdent pour voir où on se trouve, si c'est présent ou rappelé du passé ».

Mais il ne faut pas que ce charme empêche d'apercevoir des aspects plus hardis, aspects qui relèvent de l'art de la composition et surtout de la volonté de produire, grâce à la souplesse du genre, des effets nouveaux.

Le romancier joue avec les plans de la durée et le lecteur croit d'abord que le plan du chapitre I est le plan de base à partir duquel se font diverses plongées dans le passé. Mais au dernier chapitre, il découvre avec stupeur que le héros ne vivait pas son histoire, mais qu'il la revivait, que le plan de base était lui-même reporté dans le passé. Ainsi le récit est fondé sur la distinction entre le narrateur et le héros; et le lecteur est convié à une nouvelle lecture — lecture ironique — qui consiste à dépister les interventions de l'auteur.

Plus important que cette dissociation du héros et du narrateur est le fait que le retour en arrière fondamental consiste à superposer deux tranches de vie (ici les chapitres IV à VII d'une part, VIII à XI de l'autre), afin que soit mise en lumière la permanence du passé, condition du salut. Mais cette expérience masochiste se révèle désastreuse, car en opposition au voyage à Cythère que ponctue l'essor sublime du cygne et au mariage à Othys, le présent ne montre partout que décrépitude, déchéance, victoire du Temps figuré par le père Dodu.

Autour de ce panneau central, trois chapitres se correspondent de part et d'autre. Les trois premiers sont consacrés : 1° à la description de l'obsession (l'amour pour la comédienne); 2° à la découverte de l'origine de l'obsession (l'apparition-disparition d'Adrienne); 3° à la découverte du remède à l'obsession (le retour au pays de Sylvie). Les trois derniers disent le triomphe du réel sur le rêve : au chapitre XII, perte de Sylvie; au chapitre XIII, perte d'Aurélie; au chapitre XIV, annonce de la mort d'Adrienne.

On doit souligner le fait qu'au chapitre II l'apparition si poétique d'Adrienne se fait sur un fond de trahison et d'humiliation; de même qu'au chapitre VII, l'apparition de l'ange de l'abîme est subtilement dégradée par l'évocation caricaturale du nain.

Tirons-en la conclusion essentielle : *Sylvie* se présente comme un modèle réduit de roman initiatique. Le héros va chercher le salut dans le Valois; mais la dissociation de Sylvie et d'Adrienne montre bien que l'attribution à la femme du rôle de Béatrice subit ici une déformation : ce rôle est à la fois amenuisé et dénaturé. Ainsi le roman initiatique tourne court. Il serait tentant de conclure que le roman initiatique détourné de sa fin devient un roman d'expérience. Faute de salut, la Minerve valoise apporterait au héros la sagesse. Mais Nerval est toujours plus complexe qu'on ne croit; il est celui qui ne peut s'empêcher de transformer le *Roman comique* en *Roman tragique*. L'ambiguïté du chapitre XIV fait de la nouvelle une tentative des plus originales; sous un format réduit est réalisée la fusion d'un roman d'expérience et d'un roman tragique. La porte s'entrebaille pour nous permettre d'apercevoir le petit bonheur du héros, mais avec le « J'oubliais de dire » la porte se referme impitoyablement.

Ainsi avant *Aurélia*, une série d'œuvres — *les Nuits d'octobre*, *Pandora*, *Octavie*, *Sylvie*, — semble préparer l'œuvre suprême, mais la préparer négativement. Au lieu de la quête triomphale, ce ne sont qu'errances sans issue, expériences sans résultats, psychomachie sans victoire. Cependant l'écrivain toujours lucide varie avec une aisance infaillible les données limitées de son expérience.

Il témoigne également d'un souci constant de « composer » son livre. On a vu de quelle façon hasardeuse ont été regroupées *les Filles du feu*. Mais la recueil établit une relation subtile entre les 7 nouvelles et les 12 sonnets. Après la préface, qui souligne l'unité de l'ensemble, deux nouvelles se rattachent au Valois et au monde de l'enfance que prolonge le trésor des contes et des vieilles chansons. La nouvelle humoristique *Jemmy* établit une séparation entre le premier groupe et le second formé par les trois nouvelles campaniennes : *Octavie*, *Isis*, *Corilla*. La vieille France et la vieille Italie sont donc séparées par un récit situé au Nouveau monde. La dernière nouvelle introduit un décor nouveau, l'Allemagne, et contraste avec l'humour de *Jemmy*, puisqu'elle est la nouvelle la plus tragique.

*Aurélia* célèbre la délivrance de l'âme captive. Le déshérité au terme de ses épreuves découvre la voie, la vérité et la vie. Mais dès qu'on s'avise de définir la forme du message initiatique, on se heurte au caractère déconcertant de l'œuvre : poème en prose? essai? autobiographie? roman? La comparaison suggérée par l'auteur avec *la Vita nuova*, cette autre œuvre inclassable, ne mène pas loin. A tout prendre, il est plus éclairant de rapprocher *Aurélia* du *Discours de la Méthode*, puisque l'œuvre de Descartes associe un exposé méthodologique, une biographie stylisée, et l'énoncé d'une morale provisoire.

*Aurélia* débute par un exposé sur le rêve. Par rêve entendons à la fois le rêve du sommeil, et le rêve de la veille, lorsque dans un état privilégié — à savoir la folie — se produit l'épanchement du songe dans la vie réelle. Le rêve est une voie d'accès au monde des esprits. Ni la conception de la folie, ni celle du rêve ne sont originales : les psychiatres de l'époque, les romantiques allemands, les occultistes partagent tous ces opinions. La grandeur de Nerval est ailleurs.

Comme *Sylvie*, Aurélia nous présente deux tranches de vie dont la confrontation est riche d'enseignement. Aux conclusions négatives de *Sylvie* : le Temps plus fort que le Rêve, ou, si l'on veut, la Mort plus forte que l'Amour, s'oppose une conclusion positive dont il importe de saisir les tenants et aboutissants. Le héros a bénéficié d'une double expérience : celle de l'amour, celle du rêve. Fort de cette expérience, il peut affronter le mystère de la mort. Les deux expériences se résument en un schéma dialectique. Pour le rêve, 1er temps : l'engourdissement; 2e temps : la progression souterraine; 3e temps : l'accès à la lumière. Pour l'amour, 1er temps : la rupture, 2e temps : le divertissement; 3e temps : le pardon. La superposition des deux triades suggère la méthode à suivre pour lutter contre la mort.

La marche d'approche s'est faite en deux étapes, deux phases, selon Nerval. Le héros qui se croit sur le point de mourir se demande si la mort est le néant. Il acquiert la certitude que nous sommes immortels, et cette conviction suffit à le préserver du désespoir lorsque survient la mort d'Aurélia : il est sûr de la rejoindre bientôt. Mais un nouveau présage de mort déclenche la plus atroce panique; en raison de ses fautes, il craint d'être séparé de celle qu'il aime, éternellement. La quête du salut prend alors tout son pathétique. 1o Le héros se sait perdu. 2o En proie au spleen, il descend aux enfers, plonge au plus profond de sa honte et de sa misère, revit l'horreur de l'Histoire, découvre la mort de Dieu. 3o Alors il peut — lentement, péniblement — renaître. La superposition des deux ternaires montre que c'est le pardon qui assure la vie éternelle, et — point capital — que le pardon n'est obtenu que sur l'intervention d'un tiers.

La fin de l'ouvrage pourrait laisser croire que comme pour *le Temps retrouvé* la mise au point n'a pas été parfaite. Mais à la lumière de *Sylvie* il est permis de se demander si dans *Aurélia* aussi, il n'y aurait pas trois dénouements successifs. 1o Le paragraphe « C'est ainsi que je m'encourageais à une audacieuse tentative » répond parfaitement aux premières lignes de l'œuvre. Le cercle de l'exposé théorique se referme; 2o Le développement « Telles étaient les inspirations de mes nuits « conduit à son terme l'itinéraire spirituel.

Le héros obtient confirmation de son salut : la visite de la Dame est complétée par la guérison miraculeuse de Saturnin. L'initié est un thaumaturge. 3° L'ultime paragraphe tire les conclusions pratiques une fois que simple mortel, le poète est redescendu de l'absolu. « Là était le bonheur peut-être; cependant... » lisait-on au dernier feuillet de *Sylvie*. On notera le renversement éloquent de la formule : « Cependant je me sens heureux... », mais que la modestie du ton ne nous abuse pas; les derniers mots « descente aux enfers » nous laissent entendre que Nerval est Orphée.

Comme *Sylvie*, *Aurélia* est un récit à la première personne, et un récit rétrospectif qui implique la dissociation du narrateur et du héros! Mais ici il ne s'agit pas simplement de recomposer des souvenirs. Celui qui raconte ses rêves est réveillé; celui qui raconte ses délires est guéri. Est-il possible de raconter un rêve? est-il possible de décrire un délire, puisque le délire est ce qui ne se décrit pas? Aujourd'hui ce n'est plus comme au temps d'A. Béguin, l'âme romantique et le rêve qui nous fascinent, mais l'âme romantique et la folie. Et l'œuvre de Nerval nous apparaît singulièrement moderne. Comment dire la folie?

Il n'est pas possible d'analyser ici cette technique d'une subtilité hors du commun. R. Jean a insisté sur ce qu'on peut appeler en langage surréaliste, les vases communicants. Tout ce qui vient du rêve se trouve exprimé en termes de réalité; à l'inverse la vie quotidienne se pare d'une couleur onirique. Il va sans dire que les rêves sont plus savamment recomposés que les souvenirs mêmes. Mais il importe davantage de mettre en valeur, comme l'a fait S. Todorov, la virtuosité avec laquelle le narrateur suggère la réalité d'une expérience ineffable. Or, il le fait paradoxalement en mettant en doute ses visions : les tournures « comment peindre... je ne puis donner ici... je crus voir... et surtout il me semblait... » foisonnent. Cette incertitude crée d'une façon envoûtante le climat fantastique. Nous pénétrons dans un univers d'archétypes, et à ce titre cette œuvre est unique dans notre littérature. Selon l'admirable expression de Nerval, nous y trouvons « une sorte de vraisemblable fantastique aux yeux même de l'imagination ».

Tout se passe comme si, le *Voyage en Orient* achevé, après une velléité de roman par lettres, Nerval avait été tenté par un roman de formation qui retracerait depuis l'enfance les expériences d'un jeune poète. Toutes les œuvres tournent autour de ce projet dont elles constituent des fragments épars : *Mémoires et Souvenirs*, *Petits Châteaux de Bohème*, *Pandora*, *Sylvie*, *Octavie*, *Aurélia.* Plutôt que l'influence des *Confessions* de Rousseau, nous verrions là l'action toujours présente de *Wilhelm Meister*, comme le suggèrent les dernières lignes de *Mémoires et Souvenirs.*

Ce roman de formation qu'il souhaitait écrire, on peut dire qu'il était celui-là même qu'acheva *la Recherche du temps perdu.* Proust songea même à donner à son roman un titre tout nervalien, *la Vie rêvée*; la révélation du *Contre Sainte-Beuve* prouve d'une façon indubitable le rôle joué dans la genèse de *la Recherche* par l'auteur de *Sylvie.* Comme l'a montré avec bonheur B. de Fallois, « Nerval avait tout pressenti »; et Proust lui-même déclarait : « Jamais livre ne m'a autant ému que *Sylvie.* » Proust d'une part, le surréalisme de l'autre, telle est la véritable postérité de Nerval. Ainsi le « petit romantique » s'était placé, non pas à l'avant-garde, mais à la fine pointe du romantisme, car il avait cherché son inspiration à la fine pointe de l'âme.

Sa diction, nous dit Heine, était à l'image de son âme. En l'absence — incompréhensible en vérité — de toute étude technique, on ne trouvera pas ici une étude du style qui reste du ressort des spécialistes. « C'est un art de nuances dont le secret réside dans l'équilibre et la grâce. » Mais comment définir ce charme? L'accord pourra se faire sur quelques points. L'appréciation de Gautier demeure d'une parfaite justesse : de son contact avec la littérature allemande « Gérard conserva dans son talent une certaine teinte rêveuse qui put faire prendre parfois ses propres œuvres pour des traductions de poètes inconnus d'outre-Rhin. Ce germanisme n'était, du reste, que dans la pensée, car peu de littérateurs de notre temps ont une langue plus châtiée, plus nette et plus transparente. Bien qu'il ait trempé, comme tous les écrivains arrivés aujourd'hui, dans le grand mouvement dramatique de 1830, le style du XVIIIe siècle lui suffit pour exprimer tout un ordre d'idées fantastiques ou singulières... L'étrangeté la plus inouïe se revêt, chez Gérard de Nerval, de formes pour ainsi dire classiques ». Jugement d'autant plus méritoire que « la manière de Nerval, observe G. Rouger, est l'opposé du style damasquiné de Gautier : aux bariolages, aux empâtements, il préfère les demi-teintes, les irisations, les nuances ». Il ne s'agit pas d'un simple pastiche de la langue du XVIIIe siècle, en dépit d'une « pointe de déclamation », mais d'un affinement, que l'on peut définir suivant la formule que nous appliquions à l'âme du poète : la langue de Rousseau, argentée par le doux rayon bleu du clair de lune allemand.

Ce style sait éviter la monotonie. Il y a le style du chroniqueur, du reporter, alerte, primesautier; et cette manière, pour n'être ni la plus attachante ni la plus personnelle, reste, au total, la dominante de l'œuvre. Mais il y a un Gérard abstrait, capable de frapper une maxime : « Le dernier mot de la liberté, c'est l'égoïsme »; comme il y a un Gérard réaliste, sachant à l'occasion daguerréotyper la vérité. Nous préférons aujourd'hui « le chant profond ». Ce chant, jailli de l'âme, se dédouble comme l'âme elle-même. La voix qui sort de l'abîme est sourde, mais vibrante d'angoisse, et parfois métallique, lorsque la révolte l'a durcie. Celle qui descend des hauteurs se fait plus argentine qu'aucune. Seul, Éluard a parfois retrouvé ces accents de rêve. « Ma grande amie a pris place à mes côtés, sur sa cavale blanche caparaçonnée d'argent. Elle m'a dit : « Courage, frère ! car c'est la dernière étape. » Et ses grands yeux dévoraient l'espace, et elle faisait voler dans l'air sa longue chevelure imprégnée des parfums de l'Yémen... Sur la cime d'un mont bleuâtre une petite fleur est née. — Ne m'oubliez-pas !... »

Éloignons surtout le reproche qui menace fatalement une diction pure : « Son grêle de clavecin », dira Popa en langage de musicien, et Gautier en langage de peintre : « Il a des pâleurs tendres, des tons amortis à dessein, des teintes passées. » Non, il est capable de force et d'éclat. Il lui arrive de faire chatoyer son style à la façon de Chateaubriand et de Gautier lui-même : maints passages du *Voyage* et de *l'Histoire de la Reine du matin* rappellent *Atala* et *le Roman de la Momie.* La couleur mériterait une longue étude. Proust du moins nous aide à protester contre l'idée reçue puisque, à propos de *Sylvie*, l'œuvre qui appellerait le plus naturellement la comparaison avec l'aquarelle ou l'étude aux deux crayons, il déclare : « La couleur de *Sylvie* c'est une couleur pourpre... A tout moment ce rappel de rouge revient, tirs, foulards rouges, etc. Et ce nom lui-même pourpré de ses deux I — *Sylvie*, la vraie fille du Feu. »

Il est vrai, cependant, que la lecture de Nerval ne laisse pas une impression de chatoiement. Faut-il en trouver la raison dans la tendance qui était sienne à laisser les sensations « couler les unes dans les autres », comme le montre cet admirable passage : « Chargée de parfum des lis, des tubéreuses, des glycines et des mandragores, la brise nocturne chantait dans les rameaux touffus des myrtes; l'encens des fleurs avait pris une voix; le vent avait l'haleine embaumée; au loin gémissaient des colombes; le bruit des eaux accompagnait le concert de la nature; des mouches luisantes, papillons enflammés, promenaient dans l'atmosphère tiède et pleine d'émotions voluptueuses leurs verdoyantes clartés »? Mais ne serait-il pas plus pertinent d'interroger l'extraordinaire musicalité de la phrase? La coloration ne frappe guère, parce qu'elle se fond dans un ensemble harmonieux. Cette musique est à la fois pure, fraîche, délicate; et jamais la phrase ne chante mieux que lorsque s'évoque le cristal d'une eau ou d'une voix : « La belle devait chanter pour avoir le droit de rentrer dans la danse. On s'assit autour d'elle, et aussitôt, d'une voix fraîche et pénétrante, légèrement voilée, comme celle des filles de ce pays brumeux, elle chanta une de ces anciennes romances pleines de mélancolie et d'amour, qui racontent toujours les malheurs d'une princesse enfermée dans sa tour par la volonté d'un père qui la punit d'avoir aimé. La mélodie se terminait à chaque stance par ces trilles chevrotants que font valoir si bien les voix jeunes, quand elles imitent par un frisson modulé la voix tremblante des aïeules. A mesure qu'elle chantait, l'ombre descendait des grands arbres, et le clair de lune naissant tombait sur elle seule, isolée de notre cercle attentif. Elle se tut, et personne n'osa rompre le silence. » Pareils accents dépassent la suavité ou l'euphonie. La langue possède une vibration dont le charme reste mystérieux. Proust, hanté par cet « inexprimable », observait avec autant de finesse que de poésie : « Quand nous ne l'avons pas ressenti, nous nous flattons que notre œuvre vaudra celle de ceux qui l'ont ressenti, puisqu'en somme les mots sont les mêmes. Seulement, ce n'est pas dans les mots, ce n'est pas exprimé, *c'est tout mêlé entre les mots*, comme la brume d'un matin de Chantilly. »

« Il est difficile de devenir un bon prosateur, déclare Gérard lui-même, si l'on n'a pas été poète. » En séparant l'œuvre en vers du reste de l'œuvre, nous ne voulons pas opposer conventionnellement poésie et prose. On ne peut séparer ce que Nerval a uni, dans *les Petits Châteaux* et *les Filles du Feu*, et l'œuvre du traducteur n'est pas négligeable, qui ménage en quelque sorte la transition. Les traductions de Heine en particulier, fruit de la collaboration étroite des deux poètes, constituent, selon la remarque judicieuse de R. Jasinski, comme un recueil original de poèmes en prose. Mais cette distinction permet de mieux souligner les nouveautés d'une recherche poétique toujours en éveil.

La condamnation des poésies de jeunesse révèle un jugement très lucide. Plus encore que cette prise de position négative, on admirera l'effort conscient vers des voies nouvelles. Après avoir découvert au contact des poètes allemands un climat poétique, il s'agissait pour lui de faire passer en français ce charme. Avec un flair infaillible, il trouve dans la tradition française les courants poétiquement purs, la vraie poésie : à jamais guéri de la rhétorique, de l'éloquence, du didactisme, et aussi de la fadeur, il s'en tient à deux aspects, la poésie du XVI^e^ siècle et la chanson populaire. « Il a mille fois raison, dirons-nous avec L. Guichard, de préférer ces simples chansons aux « odes, épîtres et poésies fugitives » des poètes du XVII^e^ et du XVIII^e^ siècle, « si incolores, si gourmées », ainsi qu'aux « romances à la mode ». « Il serait à désirer, ajoute-t-il lui-même, que de bons poètes modernes missent à leur profit l'inspiration naïve de nos pères. » A partir du Volkslied, le poète écrira ses *lieder*.

Avec une timidité fâcheuse, lui qui autant que Verlaine souhaitait la musique avant toute chose, il recule devant la libération de la prosodie, et les affranchissements qu'il relève dans les chansons, « hiatus, mots hasardés, liaisons de fantaisie, élisions, tournures douteuses, assonances et vers blancs », restent pour lui des irrégularités condamnables. Il observe cependant que le mélange de vers blancs et d'assonances « ne nuit nullement à l'expression musicale ». Car il voudrait possible surtout la musique sur des vers blancs. Comme Ronsard, il souhaite que la poésie se chante, et il a raconté comment il avait trouvé en même temps les vers et la mélodie des *Cydalises*. D'où sa conclusion : « Tout poète ferait facilement la musique de ses vers, s'il avait connaissance de la notation. »

La pratique vaut-elle la théorie? Il n'est pas facile, certes, de retrouver la fraîcheur du Volkslied. Même si l'ingénuité de Gérard favorisait l'état de grâce, deux facteurs entraient en jeu, qui risquaient davantage de le contrecarrer. Il était à craindre que l'activité du librettiste n'exerçât une fâcheuse influence, car mépriser la romance pour donner dans les couplets d'opéra-comique faisait tomber de Charybde en Scylla. Dans *Lyrisme et Vers d'opéra* nous chercherions en vain un accent pur. Cueillons pourtant dans *l'Imagier de Harlem* cette strophe cristalline :

> Il buvait l'eau douce
> Et le cristal pur
> Qui baigne la mousse
> Des bois de Tibur.

Nerval ne manifeste pas une préférence marquée pour la strophe lyrique en vers courts. Ses réussites les meilleures se rythment en alexandrins ou en décasyllabes. Cependant, avant Poe et Baudelaire, il a senti qu'il n'était pas de poésie pure sans resserrement, et, avant Mallarmé, il pratique une esthétique de la concentration. Il s'est expliqué sur ce point : « En ce temps je ronsardisais... La forme concentrée de l'odelette ne me paraissait pas moins précieuse à conserver que celle du sonnet. »

D'autre part, l'intérêt qu'il manifeste pour les vieilles chansons est relativement tardif et, au moment où cette influence aurait pu le servir, il s'est fait sonnettiste. Peut-être a-t-il jugé que cette fraîcheur naturelle était inimitable : comme L. Guichard, à la *Barcarolle* de Gautier, nous préférons *les Filles de*

*La Rochelle*. Tirons-en la conclusion qui importe : ce n'est pas l'influence des vieilles chansons qu'il faut chercher dans les odelettes, mais celle des poètes de la Pléiade et de la poésie contemporaine. Les odelettes sont plus littéraires que populaires. C'est l'influence des poètes du XVIe siècle que nous retrouvons dans *les Papillons* ou *Sainte Pélagie*, plus vaguement dans *Avril* et *Gaieté*. *Ni bonjour ni bonsoir* et *les Cydalises* ont la douceur fluide du lyrisme de Marceline Desbordes-Valmore. *La Grand-Mère* et *la Cousine* trahissent l'influence de Joseph Delorme. Gérard cherche, mais ne s'attarde pas lorsqu'il a trouvé. *Le Relais* et *le Réveil en voiture* lui suffisent pour lancer deux matières riches d'avenir, impressionnisme et pointillisme. On assiste surtout à l'éveil d'un poète. Ce chant profond, nous l'entendons dans *le Point noir*, dans quelques pièces de circonstance dédiées à Hugo, à Mme Heine, à Mme de Solms. De l'épître badine sourd brusquement l'alexandrin fatidique :

> Sans feu dans mon taudis, sans carreaux aux fenêtres,
> Je vais trouver le *joint* du ciel ou de l'enfer.

De cet ensemble inégal se détache une perle, *Fantaisie*. M.-J. Durry a parlé avec le tact le plus exquis de cette courte pièce, et prouvé qu'elle « nous ouvre une psychologie et mène à une poétique ». Que d'ingratitude de la part des Hugo et des Baudelaire, car ces quatre strophes contiennent en puissance *le Passé* et *la Vie antérieure !* « Ce poème est comme une épigraphe poétique »; mais, reconnaît néanmoins le juge délicat, « il n'est pas la somme de densité, le noir feu des *Chimères* ».

On n'aborde pas sans appréhension, à travers un fouillis de commentaires passionnés, la suite prestigieuse des sonnets, augmentée des variantes et autres inédits que l'édition de la Pléiade groupe sous le titre *Autres Chimères* dont émerge le merveilleux sonnet *Erythréa*. Il n'est pas possible d'en tenter ici ni l'exégèse ni l'analyse structurale.

Ces sonnets font-ils résonner dans notre poésie une note inouïe? L'étude de la versification conduit Y. Le Hir à conclure : « On ne peut pas dire que Nerval ait fait preuve de rare invention dans le choix de ses mètres ou de ses strophes. » Il est certain qu'il se distingue de ses contemporains, même des sonnettistes. C'est à dessein que nous avons cité les vers des *Nouvelles Méditations*, pour que le lecteur soit frappé de ce fait : le fragment cité groupe en quelques alexandrins le vocabulaire nervalien, tombeau, Virgile, temple, pampre, myrte, tresse, fleurs, et cependant ce chant nous paraît fade. Il est encore vrai qu'après lui nous ne l'entendrons pas davantage, bien que l'esthétique de la condensation et la vogue du sonnet puissent le faire croire. Mais Mallarmé, Verlaine et leurs disciples rechercheront d'autres effets. Cette tonalité, nous l'avons entendue cependant. Il suffit de lire les nombreux sonnets figurant dans l'anthologie des poètes du XVI^e^ siècle procurée par Gérard : c'est là qu'il a pris ses modèles, sonnets de Ronsard, Du Bellay, Du Bartas, Chassignet, Desportes. On entend mieux encore peut-être l'accent nervalien dans les vers de Nuysement :

> Au-dessus de ce nid, je vis, sur une branche,
> Deux oiseaux se piller et se donner la mort,
> L'un de couleur de sang, l'autre de couleur blanche...
> . . . . . . . . . . . . . . . . . . . . . . . . .
> Je les vis transmuer en blanches colombelles...

Quoi d'étonnant, dira-t-on, puisqu'il s'agit d'un poète alchimiste !

Qu'a donc voulu Nerval en écrivant les *Chimères*? Il ne cherche pas la poésie pure, si nous désignons par là des formules incantatoires qui trouvent leur raison d'être dans leur parfaite pureté. Ces sonnets sont lourds de signification. Il ne cherche pas les énigmes alchimiques au sens strict; on n'est même pas sûr qu'il ait utilisé la technique de l'énigme. Ces sonnets sont obscurs, mais non pas hermétiques. Ils ne cachent pas un sens sous une carapace gemmée. Gautier et Nerval lui-même ont parlé de cette obscurité de façon trop vague pour que nous puissions compter sur leur aide. L'un et l'autre rapprochent, à titre de précédent, des noms difficiles à accorder. Passe pour Orphée, mais pourquoi Lycophron? Passe pour Swedenborg, mais pourquoi Hegel? Si les textes se dérobent en raison de leur profondeur, celle-ci n'est pas pensée, mais expérience. Nerval le laisse entendre, lorsqu'il affirme que ses vers ont été composés dans un état de rêverie supernaturaliste : cet état, dirons-nous avec Gautier, « où l'âme, plus exaltée et plus subtile, perçoit des rapports invisibles, des coïncidences non remarquées ». C'est pourquoi la vision peut tout à la fois atteindre à un comble de clarté et rester pour nous interdite.

Disons d'une autre manière que comparer cette obscurité à celle de Mallarmé ne mène pas à des conclusions nettes. Faut-il les opposer à la façon de Du Bos, en faisant de Mallarmé le type du poète hermétique, c'est-à-dire volontairement obscur, et de Nerval le type du poète orphique, c'est-à-dire involontairement obscur? Peut-on d'un mot trancher un problème aussi délicat? Hermétisme et orphisme, par un jeu déconcertant de mythes et d'énigmes, relèvent chez Mallarmé d'un art plus raffiné, mais dont l'effet n'atteint pas à l'enchantement de la poésie nervalienne. Ce n'en est pas moins consciemment que Nerval donne à ses poèmes un caractère oraculaire, utilisant les majuscules, l'italique, les tirets, et avec une proportion insolite de points d'exclamation. Le poème cesse d'être un chant pour devenir un tableau, encadré dans la page du livre. Il semble que cette poésie relève d'une sorte de technique de la distillation : plutôt qu'une alchimie du verbe, nous y verrions un effort de condensation qui ne laisse subsister que l'essence. Dans l'esprit du poète flottent formules et thèmes qu'il rapproche avec un bonheur étonnant dans le cadre précieux du sonnet. On ne peut traiter en bloc des *Chimères* ou des *Autres Chimères.* Ces poèmes, dont la composition s'échelonne sur une longue période, révèlent des préoccupations et des techniques différentes. Il convient de distinguer sonnets lyriques et sonnets épiques, même si les uns et les autres recourent au mythe pour donner à la parole poétique plus de solennité. Les sonnets lyriques sont caractérisés par l'apostrophe, le vocatif, et le *tu* appelle naturellement le *je.* Dans les sonnets épiques, ni le *tu* ni le *je* n'ont de place : *la Tête armée* en fournit l'exemple le plus pur. Mais Nerval croise volontiers les deux types. Dans le sonnet épique, entre en scène quelqu'un qui dit *je* (ex. *le Christ aux oliviers; Horus*). Dans le sonnet lyrique, l'apostrophe subsiste, mais le *je* disparaît. Sa forme parfaite est celle des deux sonnets qui ont successivement porté le titre de *Vers dorés.* La voix qui parle est singulièrement pressante, sans que le *je* apparaisse. C'est une voix qui parle d'or.

Paradoxalement la forme fixe sert de cadre à un drame. « Chaque sonnet des *Chimères*, dirons-nous avec R. Jean, est devenu pour Nerval un champ clos où sa destinée est exprimée aussi tragiquement peut-être que dans son existence réelle, mais selon l'ordre du langage et non plus selon l'ordre du temps ». Drame du Fils, drame de l'Amant, drame du Poète orphique. Le héros tantôt révolté, tantôt mélancolique, est menacé par un Père terrible. Il appelle au secours la Femme, et son appel est d'autant plus pathétique qu'il s'adresse à une absente, à une morte.

Malgré l'incertitude de la chronologie, il semble que l'on assiste au même phénomène que pour les œuvres en prose : les sonnets dits majeurs *(el Desdichado* et *Artémis)* qui sont les derniers en date, se caractérisent par la présence souveraine du *je.* En outre l'ambiguïté de ces drames au dénouement incertain se trouve fortement accentuée. Selon la remarque de J.-P. Richard, « l'alternance de l'identité soutenue et de l'identité doutée assure toute la respiration intérieure des *Chimères* ». Mais ces éléments mouvants perdent leur ambiguïté, quand l'artiste leur impose une ordonnance, une architecture.

Nous avons vu qu'en groupant sous le titre *Mysticisme* sept sonnets, le poète les disposait selon une ligne allant du désespoir à la résignation. Les sonnets ne sont plus sept mais douze. La ligne a-t-elle été modifiée?

Le titre lui-même est riche de sens. Plutôt qu'à Rousseau, Rétif ou Dumas, invitant à voyager au pays des Chimères, nous nous adresserons à Heine qui proclame : « La femme est la chimère de l'homme, un monstre adorable, mais un monstre », mots en accord avec le titre primitif du recueil : *Mélusine ou les Filles du feu;* nous nous adresserons surtout à Nerval lui-même : « N'est-il pas possible, demande-t-il dans *Aurélia*, de dompter cette chimère attrayante et redoutable, d'imposer une règle à ces esprits des nuits qui se jouent de notre raison? » Les sonnets décrivent le combat contre les chimères.

L'ordonnance des douze sonnets est remarquable. *El Desdichado* sert de prologue : le poète se présente sous les traits d'un Orphée mélancolique, dépossédé de tout sauf de sa lyre. Ensuite deux groupes de cinq sonnets se font équilibre : le premier groupe se situe dans un contexte gréco-latin-biblique; le deuxième *(le Christ aux oliviers)* dans un contexte chrétien. On notera le rôle privilégié du cinquième sonnet dans chaque groupe : dans le premier, Artémis, sainte de l'abîme, est *opposée* aux saintes du ciel; dans le second le Christ est *identifié* à Icare, Phaéton et Atys. Le dernier sonnet, isolé comme le premier, marque la fin de la quête : de la mélancolie d'Orphée le poète s'est élevé à la sagesse de Pythagore, après avoir revécu toute l'histoire religieuse de l'humanité.

Il vaut la peine de comparer cette architecture à celle des *Destinées*. *El Desdichado* s'intitulait d'abord *le Destin;* il correspond au poème liminaire en terza-rima qui évoque le règne de la fatalité. Au dernier poème de Vigny, *l'Esprit pur*, correspond le dernier sonnet, *Vers dorés;* et l'ultime vers de Nerval :

> Un pur esprit s'accroît sous l'écorce des pierres

appelle en écho la proclamation souveraine :

> Ton règne est arrivé, pur Esprit, roi du monde !

Entre ces deux bornes il est frappant de retrouver un poème inspiré par *le Songe* de Jean-Paul, *le Christ aux oliviers*, le *Mont des oliviers*. Enfin Myrtho et Dafné jouent d'une certaine manière dans le mythe du poète le rôle d'Eva. Ces deux itinéraires parallèles illustrent parfaitement la Quête romantique.

« C'est un étrange événement, conclurons-nous avec M.-J. Durry, qu'à eux seuls, imprévisibles chefs-d'œuvre tranchant sur toute une œuvre, trois poèmes suffisent à faire un poète immortel. » Mais en ces vers il semble que soit rassemblé d'une façon miraculeuse tout ce qui est « poétique ». On reconnaît le vrai poète à ceci, que son expérience condensée en mots est poésie. Héros, figures féminines, flore, faune, gemmes, astres et paysages apparaissent dans une lumière douce. Cette lumière baigne moins les êtres et les choses qu'elle n'émane d'eux, car cette lumière intérieure est celle du Verbe attaché à la matière.

Cette remarque qu'inspirent les sonnets merveilleux s'applique au meilleur de l'œuvre en prose. Le champ de la littérature est immense, et le clos de Nerval ne couvre qu'une surface étroite. Mais ceux qui chérissent en ce monde la Poésie, le Rêve, le Merveilleux, la Musique, le Souvenir, le Jeu, la Fantaisie, la Tendresse, la Liberté, les Lumières de la Ville et la Forêt obscure, l'Humour noir et l'Amour fou, trouvent en cette œuvre exquise et profonde leur foyer. Car cette œuvre réduite se situe en ce coin privilégié où toujours a battu le cœur de l'homme.

## « LA MONTÉE LUMINEUSE »

Le mythe de Nerval se prête-t-il à une aussi vaste étude que le mythe de Rimbaud? La destinée posthume de son œuvre, par le spectacle d'une extraordinaire ascension, fournit du moins un exemple privilégié à l'histoire et à la sociologie littéraires, pour illustrer l'évolution du goût et l'apport capital des méthodes nouvelles de la critique.

Si l'on confronte les deux grands témoignages de Gautier, rédigés à douze ans d'intervalle, on décèle une contradiction, mais qui ne fait que résumer parfaitement la « situation littéraire » acquise par Nerval de son vivant : « Gérard n'a été ni méconnu ni repoussé », et « malgré tous ses travaux, il n'était pas connu hors du cercle littéraire où on l'estimait à sa juste valeur ». Oui, à Gérard a été accordée une gloire précoce, mais cette célébrité demeurait « parisienne », avec tout ce que l'épithète implique de péjoratif. Elle risquait donc de se tourner contre lui. Non qu'on pût suspecter d'arrivisme un homme de lettres qui « cherchait l'ombre » : il risquait davantage de n'être pas pris au sérieux par la grande critique, de ne plus pouvoir se libérer de l'étiquette apposée par Sainte-Beuve, le « gentil Gérard ».

En revanche, ceux qui l'ont approché et qui l'ont lu ont parlé de son œuvre avec autant de justesse que d'estime : il vaut la peine de relire les jugements portés par Gautier, G. Bell, Asselineau, Houssaye, Delvau, Baudelaire. Cependant, au cours de sa brève existence, il fit plus que défrayer la chronique ou inspirer une sympathique admiration à quelques confrères. Il est entré vivant dans la légende. Son charme, sa fantaisie, sa distraction, sa grâce, exerçaient un attrait auquel la folie allait ajouter on ne sait quoi de merveilleux. Avant même que l'article de Janin ait lancé le leit-motiv, résumé plus tard dans l'expression célèbre de Barrès, « le fol délicieux », le héros du Doyenné s'était imposé à l'attention par tel geste, qui avait acquis valeur d'archétype. Au gilet rouge de Théophile correspond le lit Renaissance de Nerval. L'allusion qu'y fait Balzac dans *Honorine* en est la meilleure preuve. Le paganisme de Nerval, son syncrétisme, son affectation, que l'on voudrait qualifier de nietzschéenne, d'annoncer la mort de Dieu, ont frappé ses contemporains : Hugo tout le premier, comme le prouve une allusion dans *les Misérables*. Tel R. de Montesquiou plus tard, il semblait fait pour devenir un personnage de roman. Gautier s'inspire à la fois de Gérard et de lui-même pour peindre les héros de ses *Contes fantastiques*; et l'Octavien d'*Arria Marcella*, plus encore l'Octave d'*Avatar* rappellent manifestement l'auteur d'*Octavie*. Après les crises de folie, Nerval, personnage mythique, tantôt sera comparé à un enfant : et son ami Wey prononcera dans son discours, le jour des funérailles : « Aucun bruit discordant ne doit troubler l'enfant que nous portons dans nos bras jusqu'au seuil de l'autre vie »; tantôt passera pour une créature étrangère à ce monde : nature ailée, papillon, hirondelle, sylphe. Sa mort prématurée ne fit qu'apporter un nouvel aliment au mythe. Non, il n'était pas fait pour cette terre. « Il est mort de la nostalgie du monde invisible », proclamera Saint-Victor dans une formule heureuse; et Gautier : « Il a secoué son enveloppe terrestre comme un haillon dont il ne voulait plus, et il est allé dans ce monde d'élohims, d'anges, de sylphes, dans ce paradis d'ombres adorées et de visions célestes qui lui étaient si chères. »

Au lendemain de la mort, Gautier, tout en favorisant le mythe du sylphe, cherchait de façon typique à rejeter celui du poète maudit. « Qu'on ne vienne pas faire sur cette tombe qui va s'ouvrir des nénies littéraires, ni évoquer les lamentables ombres de Gilbert, de Malfilâtre et d'Hégésippe Moreau. » Mais le drame de la Vieille-Lanterne atteignait une telle perfection que le mythe du poète maudit s'imposa malgré tout. Répliquant à Gautier, Baudelaire associe Nerval à H. Moreau et à Poe, pour lancer un anathème à la foule et au siècle qui martyrisent le génie. Avec non moins de pertinence, il prend parti contre le leitmotiv du « fol délicieux », et proclame que ce mélancolique, qui fut acculé au suicide, resta toujours lucide et posséda « une intelligence brillante, active, lumineuse ».

Durant la seconde moitié du XIX$^{e}$ siècle, la légende se perpétue, mais sous une forme anecdotique assez déplaisante. La tragédie se dégrade en roman policier. Gautier, Du Camp, Saintine, le bibliophile Jacob, G. Bell, Audebrand, Houssaye, Busquet, Méry et bien d'autres, accumulent les petits faits, sordides ou étranges, pour ne pas dire les ragots, et la tradition s'en est perpétuée jusqu'à nos jours.

Cette floraison d'anecdotes ne laissa pas d'influer sur sa destinée posthume, et non pas seulement parce que le souvenir du poète s'effaça quand les « témoins » eurent à leur tour quitté ce monde. Elle eut pour résultat de donner plus d'importance à l'homme qu'à l'œuvre, et, dans la mesure où l'homme apparaissait sous les traits d'un excentrique, de faire juger l'œuvre d'après l'homme, et de la reléguer au « second rayon » parmi les productions mineures, bonnes pour les amateurs de raretés.

La preuve de cet oubli, on la trouve dans le long silence des manuels. Mais sans doute ne faut-il pas accorder à ce fait une importance excessive : que Nerval ait été durant un demi-siècle oublié des professeurs et par là même du grand public, ne prouve pas qu'il fut alors oublié de tous. Une enquête un peu stricte montre qu'il trouva toujours des lecteurs. De 1867 à 1877, Michel Lévy publia les six volumes des *Œuvres complètes*, et dans la période la plus creuse paraissent encore des rééditions de *Sylvie*. Pour prendre un exemple non moins symbolique, avant que Vandérem, en 1922, eût publié dans la *Revue de France* son article vengeur *Sur l'omission de G. de Nerval dans les manuels de littérature universitaire*, dès 1920 les lecteurs de la *N. R. F.* pouvaient méditer cette remarque faite par Proust au passage, dans un article sur le style de Flaubert : « G. de Nerval, qui est assurément un des trois ou quatre plus grands écrivains du XIX^e^ siècle. » On en vient à constater que maints grands noms de la littérature contemporaine sont liés à la destinée posthume de Nerval : Barrès, Apollinaire, Proust, Valéry, Giraudoux, Breton. Mais il s'agit là d'une nouvelle forme du mythe. On nous permettra de partager le scepticisme de J. Pommier sur « la critique des créateurs ». A côté d'intuitions, que nous n'hésiterons pas à qualifier de géniales, la connaissance de l'œuvre nervalienne se borne trop souvent chez ces maîtres à quelques fragments, et surtout Nerval est utilisé par eux, à la façon dont Nerval lui-même utilisait ses auteurs, comme reflet ou comme repoussoir; à tel point que l'homme et l'œuvre sont parfois employés au service de telle propagande. Selon les besoins de la cause, l'homme et l'œuvre changent de visage.

Nous ne nous attarderons pas au débat suscité par les rapports du génie et de la folie. Nerval fournissait assurément un exemple de choix pour un « essai de littérature pathologique ». Mentionnons l'ouvrage d'A. Barine, qui eut en 1898 son heure de succès : *Névrosés*. L'utilisation la plus caractéristique est l'annexion de Nerval par la « droite ». L'auteur de *Sylvie* est embrigadé dans les rangs des traditionalistes, comme parfait représentant de l'art classique et français. Barrès trouve en lui un adorable thème de rêverie pour les jours de loisirs, et l'on sait qu'il poursuivra les fantômes du « fol délicieux » ou de Saléma au pays des Druses. Mais le fol s'avère de surcroît « récupérable », pour employer un langage sartrien : il peut servir de caution aux thèses de l'écrivain militant et du député. Avant les tirades sur la Terre et les Morts, n'avait-il pas proclamé dans *Angélique* : « Nous tenons au sol par bien des liens. On n'emporte pas les cendres de ses pères à la semelle de ses souliers et le plus pauvre garde quelque part un souvenir sacré qui lui rappelle ceux qui l'ont aimé. Religion ou philosophie, tout indique à l'homme ce culte éternel des souvenirs? »

Il faut lire, dans les fameuses conférences de J. Lemaître sur Racine, le couplet consacré à Nerval : passage typique et par son caractère « réactionnaire », et par l'hésitation du critique sur le point d'oser une comparaison sacrilège : « Je me rappelle un petit livre, charmant, très simple, naïf même : *Sylvie*, d'un rêveur qui fut une espèce de La Fontaine perdu parmi les romantiques. L'histoire se passe dans le pays même de Racine, le Valois. Elle sent à chaque page la vieille France... » Le thème était trouvé. Nerval, c'est le Valois; et le Valois, c'est le cœur de la France. Les Hallays et les Pilon, les Boulanger et les Vaudoyer allaient multiplier les variations sur « le pays de G. de Nerval ». Mortefontaine devient un lieu de pèlerinage, et, le 9 juillet 1922, est célébrée la fête de *Sylvie* au pays de l'Ile-de-France.

Proust eut le mérite de voir et de dénoncer (dans les pages posthumes de *Contre Sainte-Beuve*) l'absurdité de cette annexion : « Traditionnel, bien français? Je ne le trouve pas du tout. » Et il souligne le caractère germanique de l'œuvre, la liaison évidente entre *Sylvie* et *les Chimères*. La vision de Nerval? Celle d'un rêveur invétéré. Notre plaisir? Il est fait de trouble. Proust découvre avec émerveillement, nous l'avons vu, un Nerval proustien.

Telle sera l'attitude chez tous les poètes en quête de précurseurs. Et qui ne s'est pas réclamé de Nerval, puisque René Daumal voisine avec Tristan Derême? Les symbolistes devaient évidemment s'autoriser de cet exemple, et leur grand critique Ch. Morice lui fait place dans la « littérature de tout-à-l'heure ». Apollinaire, qui en 1912 donne au *Mercure de France* ses *Anecdotiques*, collectionne les anecdotes, qui font de Nerval un prince de l'humour, surréaliste avant la lettre. Les surréalistes éprouvent *a fortiori* pour l'auteur d'*Aurélia* une admiration qui tourne au culte; avec Daumal et Breton, Nerval apparaît sous les traits d'un voyant, ou plutôt d'un nyctalope, d'un nécromant, d'un initié. Cependant le philosophe du surréalisme, F. Alquié, ferait volontiers de lui un frère d'Éluard.

Le grand débat sur la poésie pure devait non moins inévitablement ramener l'attention sur le poète des *Chimères;* et avec l'abbé Bremond, les Rolland de Renéville, les Lalou, les Charpentier, les Vittoz et les Coléno cherchèrent dans les alexandrins diamantins l'essence de l'expérience poétique, de l'alchimie lyrique, de la poésie française moderne. Gide — point fâché d'aller à contre-courant — se montre réticent dans l'introduction à son *Anthologie de la Poésie française*, et dit ne pouvoir partager l'enthousiasme de Th. Maulnier.

Tandis que, poète protée, Nerval subissait ces étonnantes métamorphoses, le travail sérieux se poursuivait. Ces deux aspects de la destinée posthume ne sont pas séparés par des cloisons. L'engouement pour le Nerval bien français, qui ne cesse de croître de 1905 à 1922 en dépit ou à l'occasion de la Grande Guerre, eut un effet bénéfique, puisqu'il suscita la recherche pieuse d'A. Marie. Dès le début du siècle, des candidats-docteurs en quête de sujets (thèses de médecine comme thèses de lettres) avaient été attirés par ce sujet vierge; mais comparatistes ou psychiatres étaient venus trop tôt. En 1906 Gauthier-Ferrières avait consacré à l'homme et à l'œuvre une étude qui mérite attention. En 1911 se forma un comité pour ériger à Paris un monument à l'auteur de *Sylvie*, comité dont fit partie Apollinaire. Enfin, à la veille même de la guerre, A. Marie publia sa monumentale biographie qui reste dans la destinée posthume du poète une étape décisive. L'érudit homme de loi avait poussé le souci de la documentation le plus loin possible, et son admiration chaleureuse pour le grand méconnu transparaissait à chaque page de son récit élégant, émouvant.

Entre les deux guerres, le renouveau du culte de Nerval se traduisit aux alentours de 1926-1927 par la publication concurrente de trois éditions d'œuvres complètes, Champion, Bernouard et le Divan. En vérité, cette triple tentative pouvait encore alimenter le mythe, puisqu'elle aboutit à un triple échec, et offrit même un spectacle absurde : car dans les volumes de ces éditions inachevées figuraient des œuvres qui n'appartenaient pas à Nerval. Mais à la décharge des éditeurs il convient de répéter que cette œuvre interdit l'espoir de réussir une édition complète. Pour grouper les articles dispersés dans les journaux et les revues, et qui n'offrent pas tous un intérêt indiscutable, il faudrait auparavant résoudre un problème bibliographique à peu près insoluble; et pour le reste de l'œuvre — la meilleure part assurément — la manie propre à Gérard de reprendre sans fin ses textes, de les corriger, de les transposer d'un volume à l'autre, semble défier toute publication si l'on ne veut pas se résigner à des redites sans fin.

La publication des trois éditions entraîna la formation d'une équipe de spécialistes, Bachelin chez Bernouard, Clouard au Divan. Le seul Clouard rédigeait la notice des œuvres. Il est regrettable que cet effort dispersé n'ait abouti en 1929 qu'à une vie romancée, *la Destinée tragique de G. de Nerval.* Mais dans les textes de présentation le critique n'en prouve pas moins par sa finesse qu'il était fait pour porter sur l'œuvre le jugement d'ensemble le plus pertinent. La solide équipe de Champion était à l'image des volumes de la collection. A. Marie, qui, après sa biographie de 1914, avait révélé en 1921 le texte complet de *Pandora*, était qualifié pour dresser la bibliographie nervalienne, et il se chargea de l'enquête érudite qu'exigeait la présentation des *Illuminés*. On lui adjoignit le comparatiste F. Baldensperger pour présenter les *Faust*, et l'historien du romantisme, J. Marsan, qui avait tenté en 1911 un premier groupement de la correspondance. Le Roumain N. Popa, auteur d'un essai des plus riches sur le thème et le sentiment de la mort chez G. de Nerval, procura une remarquable édition des *Filles du Feu*. Mais l'entreprise fut interrompue, avant que P. Audiat ait pu donner l'édition critique d'*Aurélia*. Dans sa thèse de 1926, il avait étudié la genèse de l'œuvre, et ce travail fut à l'époque un modèle. J.-M. Carré et P. Martino ne purent non plus publier le *Voyage en Orient*. En 1928, cependant, une bonne édition du *Voyage* avait paru chez Bossard, présentée par J. Chuzeville. A défaut de l'édition critique projetée, J.-M. Carré consacra un chapitre substantiel à Nerval dans ses *Voyageurs et écrivains français en Égypte*, et P. Martino, de son côté, révéla le *Carnet de Voyage*. Ainsi, autour des années 1930, sans qu'il faille interpréter l'arrêt de la publication des œuvres complètes comme un fléchissement à la cote de l'écrivain, Nerval avait repris sa place dans l'histoire de la littérature française. Il n'était plus un « petit romantique ». Il continuait pourtant de passer, suivant l'expression d'A. Marie, pour un « génie modeste », dont l'œuvre ne s'adressait qu'aux âmes sensibles et aux lettrés délicats.

Le jugement porté sur Nerval était lié, nous le savons, à celui que l'on portait sur le romantisme, et l'opinion indécise avait peine à secouer le préjugé qui interdisait de faire de Nerval un romantique : aussi bien parce que le romantisme était considéré comme une tare que parce qu'il passait pour être en France le compendium de la « stupidité » du XIXe siècle. Le renversement d'opinion survenu au cours de ces décennies fut le résultat d'une étude sympathique du romantisme allemand, considéré comme le romantisme essentiel. Il est significatif qu'en 1936 Otto Weiss ait consacré à l'auteur de *Sylvie* une monographie parue en allemand à Halle. En France, l'apport de données nouvelles fut l'œuvre de germanistes.

En 1932 Ch. du Bos, définissant l'orphisme de Gœthe, oppose le poète orphique au poète hermétique. Dans le domaine français, il choisit Mallarmé comme exemple du second, Nerval comme exemple du premier. « Le grand poète orphique croit aux mystères... ; le poète hermétique... aux mystères préfère les secrets. Chez Nerval, le délire est l'organe même de l'entrevision. » Dans la *Revue de littérature comparée*, Fr. Constans consacre en 1934 un article remarquable à l'influence de Hoffmann, et en particulier celle des *Élixirs du Diable*, sur l'imagination de Nerval. La même année, A. Béguin, étudiant l'influence du *Songe* de Jean-Paul sur les romantiques français, inaugure une longue intimité avec le poète. Dans sa thèse capitale sur *l'Ame romantique et le rêve*, il rend manifestes, par le rapprochement des provinces de France et de la Vieille Allemagne, et la profondeur du germanisme de Nerval et les richesses insoupçonnées du romantisme français. Il complète ensuite la thèse d'Audiat par une étude synthétique de Nerval et d'*Aurélia*. L'expérience poétique étant envisagée comme une forme de l'expérience mystique, par là même apparaissait dans son éclat sombre le caractère démiurgique de la tentative nervalienne. La poésie devenait comme la Toison d'Or conquise par les explorateurs de la Nuit, et parmi ses frères romantiques Nerval semblait traverser avec la plus parfaite aisance les portes d'ivoire, que d'autres plus bruyants s'évertuaient vainement à forcer.

En 1938, date non moins importante dans l'histoire de la critique nervalienne, G. Poulet, qui devait également souligner dans un article sur Gautier l'importance de la préface au *Second Faust*, consacrait dans les *Cahiers du Sud* une étude magistrale à *Sylvie*.

Complétant le travail de J. Boucoiran sur *Sylvie* comme A. Béguin avait complété celui de P. Audiat, il transformait « l'idylle » en un témoignage d'une singulière acuité sur le mal romantique, ainsi que le soulignait son sous-titre, *Sylvie ou la pensée de Nerval.* La période comprise entre les deux guerres s'achevait donc par une totale transmutation de valeurs. D'une part l'intérêt s'était déplacé de la première partie de l'œuvre à la deuxième, du conteur charmant au voyant pathétique; d'autre part l'importance de Nerval, précisément parce qu'il était un visionnaire, ne cessait de croître au sein du romantisme français. Cette révolution du goût trouva son expression la plus heureuse dans le juvénile essai publié en 1939 par Kl. Haedens : « Il est temps d'en finir avec cette image puérile d'un homme à qui son charme a nui presque aussi fort que sa prétendue folie. Nerval est un écrivain de génie, un écrivain de premier rang. »

Quinze ans plus tard en 1956, année du centenaire, R. M. Albérès inaugurait par une étude sur Nerval une collection intitulée « Classiques du XIXe siècle » : signe des temps!

Le travail accompli depuis la seconde guerre mondiale est prodigieux. Éditions de prix ou bon marché, préfaces, articles, essais, thèses pullulent. Le meilleur cotoie le pire. Si les méthodes d'approche illustrent parfaitement les efforts de renouvellement de la critique, l'histoire de la critique nervalienne offre pourtant des traits particuliers.

Le rêve d'une édition des œuvres complètes ayant été abandonné, parmi les éditions des œuvres choisies, il faut mettre à part les deux volumes figurant dans la Bibliothèque de la Pléiade. C'est à A. Béguin qu'avait été confiée la préparation de cette édition; il fit appel à un auxiliaire qui joue dans cette histoire posthume le principal rôle, J. Richer. Aux textes connus était adjointe la *Correspondance.* D'édition en édition, avec une ferveur admirable, J. Richer allait corriger et augmenter les deux volumes. Son flair étant égal à son zèle, il découvrit non seulement maintes lettres inédites, mais encore des fragments inconnus : *l'Ane d'or*, *le Comte de Saint-Germain*, *le Diable rouge*, les scénarios de *la Polygamie est un cas pendable*, de *la Main de gloire*, etc. Il retrouva dans les archives du ministère de l'Intérieur les versions non censurées de *l'Imagier de Harlem* et de *Léo Burckart*. Il parvint à déchiffrer le manuscrit de *Dolbreuse* et de la *Généalogie fantastique*.

Les deux volumes de la Pléiade groupaient le meilleur, mais laissaient de côté bien des œuvres, en particulier le théâtre, les premières poésies, les innombrables chroniques disséminées dans les périodiques. L'éditeur Minard, à l'instigation de J. Richer, assura la publication des « œuvres complémentaires » en huit volumes; six volumes publiés à ce jour groupent un choix des chroniques, un choix des pièces de théâtre, la version authentique du *Prince des Sots*. Manque encore le volume sur les poésies de jeunesse, indispensable pour qui voudrait étudier méthodiquement la poétique de Nerval.

La fascination, le charme exercés par sa vie et son œuvre, bien loin de favoriser la rigueur, semblaient autoriser tous les laisser-aller. Au moment d'établir une édition critique des *Chimères*, J. Guillaume dut constater que sur 27 éditions consultées, aucune n'était exactement conforme à l'originale de 1854. Il s'employa à procurer enfin un texte correct. Mais l'étude des variantes, l'historique des sonnets, l'exégèse des gloses ajoutées par le poète se révélèrent d'une complexité telle que le problème reste entier.

Ce fut pire pour l'établissement des éditions critiques de *Pandora* et d'*Aurélia*, car ici les originales étaient manifestement suspectes. J. Guillaume a eu le mérite de restituer à *Pandora* sa cohérence. La découverte d'une première version du début d'*Aurélia*, d'une date encore incertaine, fait de la genèse de l'œuvre suprême un imbroglio inextricable. Louons J. Richer d'avoir fait de la préparation d'une édition savante un travail d'équipe. Il était relativement plus aisé de procurer une édition critique du *Voyage en Orient :* ce fut l'œuvre de G. Rouger.

La biographie d'A. Marie, que l'on croyait définitive, ne représente plus qu'une étape dans les recherches sur la vie de Nerval. J. Richer encore apporta des compléments d'information sur les internements du poète dément, et il eut l'heureuse idée de rassembler les témoignages sur Nerval fournis par ses contemporains. Fut-il amoureux de l'actrice Esther de Bongars? J. Sénelier ne parvient pas à nous faire partager sa conviction. En revanche l'enquête sur les origines et la jeunesse se révéla très fructueuse : J. Béchade à Agen, H. Lemaître et J. Bony, à Mortefontaine et à Loisy, trouvèrent dans les archives des précisions intéressantes. Mais le sujet fut renouvelé par E. Peyrouzet qui, du côté paternel, alla de découverte en découverte. Ainsi sortit de l'ombre la cousine de Saint-Germain, Sophie Paris de Lamaury, qui, plus que Mme de Feuchères, semble à l'origine du personnage d'Adrienne.

Les études critiques cependant se multipliaient, et surtout sous forme d'articles, dispersés soit dans des publications universitaires, comme la *Revue d'histoire littéraire de la France*, la *Revue des sciences humaines, la Revue de Littérature comparée, les Archives des lettres modernes*, *Romantisme*, soit dans les revues littéraires comme *les Cahiers du Sud, le Mercure de France*, *Europe*, soit enfin dans les revues étrangères. Car le culte de Nerval s'étendait peu à peu au monde entier, et l'on vit se former une internationale des « nervaliens ». Aux spécialistes français, J. Richer, F. Constans, M.-J. Durry, J.-P. Richard, R. Jean, Ch. Mauron, Ch. Dédeyan, J. Gaulmier, P.-G. Castex, H. Lemaître, P. Benichou, A. Lebois, H. Meschonnic vinrent s'adjoindre les Anglais Brian Juden et Alison Fairlie; les Américains W. Fowlie, J. Kneller, S. R. Rhodes, N. Rinsler; l'Australien Ross Chambers; les Belges G. Poulet et J. Guillaume; les Italiens

M.-L. Belleli, N. di Girolamo, V. Carofiglio; les Suisses G. Schœffer, K. Scharer, J. Geninasca, R. Dragonetti, M. Jeanneret; l'Allemand K. Stierle...

Le principal objectif de la critique fut l'investigation de l'univers mental de Nerval. La forte personnalité de J. Richer domina longtemps les recherches nervaliennes. Cet érudit passionné était en même temps un adepte des sciences ésotériques. Convaincu que Nerval lui-même était attiré par l'occultisme, et à l'exemple de G. Le Breton qui, le premier, avait voulu éclairer les textes nervaliens par le recours à l'alchimie et au tarot, il a tenté à la fois de restituer les lectures occultes de Nerval et de revivre les opérations mentales qui du brassage de matériaux fournis par une érudition capricieuse et les divagations d'un dément, avaient abouti à une mythologie personnelle. De ce labeur fécond sortit en 1963 un ouvrage monumental *Nerval, Expérience et création*, qui fut revu et corrigé en 1970. Malgré la volonté récurrente de ne pas faire de Nerval un nécromant ou un grand initié, la conviction de l'auteur s'affirme toujours de plus belle : il explique la structure de *Sylvie* par les signes du Zodiaque; celle d'*Aurélia* par la suite des Arcanes majeurs. Bien que l'on ne prête qu'aux riches, on se demande au bout du compte si le Nerval occultiste n'est pas une création de J. Richer. F. Constans, avec non moins de subtilité, a voulu lui aussi restituer la rêverie nervalienne; mais les éléments mis en jeu sont empruntés aux sources classiques ou romantiques, plutôt qu'à des textes ésotériques.

En préfaçant l'essai de K. Scharer sur *la Thématique de Nerval*, G. Poulet a mis en valeur l'apport de J. Richer : la mythologie personnelle de Nerval se résume dans l'image privilégiée d'un couple cosmogonique; le poète et sa bien-aimée revêtent sans fin tous les masques fournis par la légende et l'histoire. Mais, selon Poulet, il y a place pour une autre sorte de critique thématique : chez Nerval, « l'invention perpétuelle des thèmes ne se confine pas à l'élaboration des figures centrales... le phénomène de typification des êtres se trouve invariablement accompagné et amplifié par un phénomène de thématisation des réalités objectives qui leur sont associées ». Ces constances thématiques ont été définies avec un bonheur d'expression rare par O. Nadal, M.-J. Durry, J.-P. Richard, R. Jean, K. Scharer, R. Chambers. Ici, il n'est plus question de Caïn, d'Orphée, de Faust ou de Napoléon, ni d'Artémis, d'Hélène, de Pandore ou de Sainte Rosalie, mais du Souvenir, du Rêve, de la Vie et de la Mort, du Temps, de l'Espace, des Éléments, des Mouvements, du Désir... L'essentiel demeurant la structuration de cet univers chatoyant par la mise en valeur de la convergence et de l'interférence des thèmes.

En marge de cette double exploration de l'univers imaginaire, il faut mentionner les recherches psychanalytiques. Si l'essai de L.-H. Sebillotte paraît d'une orthodoxie freudienne bien incertaine, si le chapitre de J.-P. Weber, séduisant au départ, déçoit par son esprit de système, il faut mettre hors de pair — avec un bref article de Baudouin — les remarquables analyses de Mauron qui selon leur titre, lui ont permis de passer des métaphores obsédantes au mythe personnel. J. Richer, M.-J. Durry, Ch. Mauron, P. Albouy, Brian Juden ont fait —chacun à sa manière — de la notion de mythe la clé de l'univers nervalien et de son œuvre.

La critique universitaire traditionnelle a continué parallèlement ses travaux. La bibliographie d'A. Marie n'étant plus à la page, J. Sénelier en 1959, puis en 1968, s'est consacré à ce labeur austère mais indispensable (l'attribution de plusieurs contes ou articles anonymes posant des problèmes délicats). J. Villas aux États-Unis a donné une bibliographie critique qui permet au chercheur de ne pas perdre son temps.

Nerval était un sujet en or pour les comparatistes. Aux recherches de Ch. Dédeyan, d'A. Du Bruck sur l'aspect le plus important, l'Allemagne, se sont ajoutées des enquêtes précises sur Nerval et l'Italie (M.-L. Belleli, A. Sempoux), la Hollande (Van der Tuin), les Flandres (J. Fabre), l'Angleterre (G. P. Humphrey).

Après Cœuroy et L. Guichard, P. Benichou s'est attaché avec une érudition rigoureuse à résoudre tous les problèmes relatifs à Nerval et la chanson folklorique.

Tandis que la critique thématique, pour définir les composantes de l'univers nervalien, tendait à traiter toute l'œuvre comme un seul et vaste poème, certains s'efforçaient de maintenir l'autonomie de chaque œuvre, tels R. Jean ou R. Chambers. La critique universitaire traditionnelle ne pouvait que favoriser ce respect des œuvres au nom de la chronologie : d'où les lectures minutieuses des *Filles du Feu* par J. Gaulmier, de *Sylvie* et d'*Aurélia* par P.-G. Castex. Il n'est pas possible de recenser ici les innombrables « explications » des *Chimères*, et d'*El Desdichado* en particulier [1].

Le structuralisme en remettant en faveur la « lecture formelle » a favorisé le retour au texte. C'est l'étude des structures qui a permis à G. Schaeffer de faire du *Voyage en Orient* une construction exemplaire. Comblant le souhait de Meschonnic, l'analyse structurale des *Chimères* par Géninasca a rétabli Nerval dans sa dignité de poète.

Il faut déplorer encore l'absence de toute étude stylistique. Il vaudrait également la peine d'analyser dans les œuvres narratives la technique du récit. Si de Castex à Todorov, le fantastique nervalien a été défini avec précision, sous le couvert de l'étiquette vague de « conte » ou de « nouvelle », Nerval apparaît toujours en quête de formes neuves. Comme *la Vita nuova*, *Aurélia* est une œuvre inclassable; mais son souci, déjà mallarméen, s'étend à la composition même du livre, au mélange du vers et de la

1. Voir dans *l'Information littéraire* de janvier 1972 la recension des exégèses.

prose, à la ponctuation, à la graphie. En profondeur, ces problèmes techniques se doublent d'une mise en question de l'autobiographie elle-même, et Nerval semble osciller du livre inclassable au livre infaisable.

En vérité biographes et sourciers, stylisticiens et structuralistes ont encore de beaux jours devant eux.

Sa cote sera-t-elle soumise à de nouvelles fluctuations? Bien fin qui prédirait l'évolution du goût. Mais il n'est pas possible que cette cote monte plus haut. Au mitan du siècle, Malraux, explorant « le domaine souterrain où l'art trouve ses racines », s'étonnait que de grands poètes et de grands esprits puissent s'occuper de diableries, et il donnait comme exemples de ces grands : Nerval, Gœthe, Baudelaire, Dostoïevski. Tels sont désormais ses frères et ses pairs.

Il a su mieux que Nodier fondre en lui les apports si divers du XVIII^e^ siècle : l'ironie de Voltaire, l'humour de Diderot, l'érudition de Court de Gébelin, la rêverie de Rousseau et de Sénancour, la modernité de Restif, l'illuminisme de Cazotte et de Saint-Martin, l'exotisme et l'idyllisme de Bernardin de Saint-Pierre.

Il a assimilé les influences d'origine allemande (Gœthe, Schiller, Jean Paul, Hoffmann, Heine) et les a naturalisées.

Il incarne le Romantisme de la grande époque (1830-1855), et en a ressenti au profond de lui-même, les désirs et les manques; mais il a su, selon la remarque pertinente de Mauron, « osciller entre la pensée magique de l'inconscient et une pensée consciente très sensible à certains aspects du réel ». S'il figure à jamais le poète maudit, il a donné à ses héritiers le modèle de la quête poétique, de la lutte contre le temps, du refus de l'inacceptable condition humaine. C'est pourquoi Proust note sur un carnet : « Allons plus loin que Gérard ». Apollinaire s'écrie : « Esprit charmant! Je l'eusse aimé comme un frère. » Et dans *Arcane 17*, Breton en guise de mot de la fin retourne la formule nervalienne : « Ma seule étoile vit! »

# NOTE BIBLIOGRAPHIQUE

On ne trouvera pas ici une bibliographie scientifiquement établie, mais des indications pratiques. Comme il n'est pas possible de répertorier — même sous forme de sélection — les innombrables articles dispersés dans les revues, nous renvoyons le lecteur aux ouvrages mentionnés en I.

## I. BIBLIOGRAPHIES

J. SENELIER, *Gérard de Nerval, Essai de bibliographie*, Nizet, 1959; *Bibliographie nervalienne (1960-1967)*, Nizet, 1968.

J. VILLAS, *Gérard de Nerval, A critical bibliography, 1900 to 1967*, University of Missouri Press, 1968.

Après 1967, consulter dans la *Revue d'histoire littéraire de la France* la Bibliographie de R. RANCŒUR.

## II. ÉDITIONS

*Œuvres*, tome I et II, Bibliothèque de la Pléiade, Gallimard. (chaque nouvelle édition a été corrigée et complétée par J. RICHER).

*Œuvres complémentaires*, textes réunis et présentés par J. RICHER, M. J. MINARD : I. *La Vie des Lettres;* II. *La Vie du Théâtre;* III. *Piquillo, les Monténégrins;* IV. *Leo Burckart* (à paraître) ; V. *L'Imagier de Harlem;* VI. *Le Prince des Sots;* VII. *Poésies de jeunesse* (à paraître); VIII. *Variétés et fantaisies.*

• Éditions critiques : *Le Voyage en Orient*, par G. ROUGER, éd. Richelieu, 4 vol. 1950.

*Les Chimères*, par J. GUILLAUME, Bruxelles, 1966.

*Aurélia*, par J. RICHER avec la collaboration de F. CONSTANS, M.-L. BELLELI, J. W. KNELLER, J. SENELIER, Lettres modernes, Minard, 1965.

*Carnet de Dolbreuse*, par J. RICHER, Athènes, 1967.

*Pandora*, par J. GUILLAUME, Namur et Gembloux, 1968.

• Les éditions courantes des œuvres les plus célèbres comportent des présentations à consulter : Classiques Garnier (H. LEMAITRE) ; Garnier-Flammarion (L. CELLIER) ; Folio et Livre de poche (B. DIDIER) ; Sélection littéraire Bordas (H. MAREL), Thèma, Hatier (H. BONNET).

## III. ÉTUDES CRITIQUES

**A. Biographies**

A. MARIE, *Gérard de Nerval, le poète, l'homme*, Hachette 1914, réimp. 1955;

E. PEYROUZET, *Gérard de Nerval inconnu*, Corti, 1965.

**B. Essais**

A. BÉGUIN, *G. de N.*, Corti, 1945.

J.-P. RICHARD, *Géographie magique de N.* in *Poésie et Profondeur*, Seuil, 1954.

M.-J. DURRY, *G. de N. et le mythe*, Flammarion, 1956.

J. RICHER, *G. de N. Expérience et création*, Hachette, 1963, éd. revue et augmentée, 1970.

CH. MAURON, *Des métaphores obsédantes au mythe personnel*, Corti, 1963.

R. JEAN, *Nerval par lui-même*, Seuil, 1963.

G. POULET, *Trois essais de mythologie romantique*, Corti, 1966.

K. SCHÄRER, *Thématique de N. ou le Monde recomposé*, Minard, 1968.

R. CHAMBERS, *N. et la poétique du voyage*, Corti, 1969.

B. JUDEN, *Traditions orphiques et tendances mystiques dans le Romantisme français (1800-1855)*, Klincksieck, 1971.

**C. Études d'œuvres**

J. GAULMIER, *G. de N. et les Filles du Feu*, Nizet, 1956.

P.-G. CASTEX, *Sylvie de G. de N.*, Sedes, 1970.
*Aurélia de G. de N.*, Sedes, 1971.

G. SCHAEFFER, *Le Voyage en Orient de Nerval, Étude des structures*, La Baconnière, 1967.

J. GENINASCA, *Analyse structurale des Chimères*, La Baconnière, 1971.

• L'étude stylistique reste à faire.

# TABLE DES MATIÈRES





IMPRIMERIE BERGER-LEVRAULT, NANCY — 778804-12-1974
HATIER N° 2224 — DÉPOT LÉGAL : 1er TRIMESTRE 1974